蒙 文 入 門

AN INTRODUCTION TO MONGOLIAN

哈勘楚倫 編著

By
Harnod Hakanchulu

文史哲出版社印行

國家圖書館出版品預行編目資料

蒙文入門 / 哈勘楚倫編著, -- 初版 -- 臺北
市：文史哲,民 67.10
頁; 公分
ISBN 978-986-314-006-1（平裝）

1 蒙古語系 2.讀本

802.9208　　101000782

蒙　文　入　門

編 著 者：哈　勘　楚　倫
出 版 者：文　史　哲　出　版　社
http:// www.lapen.com.tw
e-mail：lapen@ms74.hinet.net
登記證字號：行政院新聞局版臺業字五三三七號
發 行 人：彭　正　雄
發 行 所：文　史　哲　出　版　社
印 刷 者：文　史　哲　出　版　社
臺北市羅斯福路一段七十二巷四號
郵政劃撥帳號：一六一八〇一七五
電話886-2-23511028 ・ 傳真886-2-23965656

定價新臺幣三五〇元

中華民國六十七年（1978）十月初版
中華民國一百零一年（2012）元月初版再刷

ISBN 978-986-314-006-1　　80195

蒙文入門

目 錄

編輯大意

一、本書各課課文選自元、明、清及民國以來古今優美的蒙古文名著，兼顧各種體裁，使學生能瞭解各時代文體。文字方面從簡易有趣的故事入手，以分段漸進教學法，奠定初學者之良好基礎。內容方面包括歷史、文藝、民俗等有關的論文、歌謠、俚語、諺語、寓言、傳記、故事等，以期增加學習者學習興趣，同時能對蒙古歷史、地理、風俗民情等有個概略的認識。

二、為教學與學習之便，特於課文之前另載「引言」，將「蒙古語所屬的語系」、「蒙古語文的特色」、「蒙古語的標準語」、「蒙古語的通用地區」、「蒙古文字的演變」等均簡略地加以說明，使學習者於學習之前能對蒙古語文有基本認識與概念。

三、本書有異於傳統的十二字頭教學舊規，改以三十個字母之新式教學法。

四、蒙古語文係拼音制的音素文字，字母分元音與子音兩部份，本書特別注重元音之練習，對元音之發音方法及元音和諧之關係，均一一插圖舉例說明之。蓋蒙古語文其元音發音之準確與否，關係語意甚深，且其元音和諧之要求亦甚為嚴格。

五、每正式進入課文之前，列舉相當分量的短句，旨在加強文法練習，俾能掌握基本句型之用法；以七個元音為基礎，與二十三個子音綴聯為字的法則，各種不同性質的格助詞、疑問詞、句終詞之用法，及動詞語根的各種時態變化等，均詳加舉例說明，其例句均標以羅馬拼音並加註漢文釋意。

六、為顧及學習者難於閱讀手寫體文或鉛印體文，特於手寫體文及鉛印體兩種文體刋印之，藉此使學習者必能勝任書札等行書及報章雜誌等。

七、附錄另列有「筆劃特定名稱」及「標點符號」，以加強認識。

八、本書之文法說明僅爲蒙文文法之部份，爲配合所選列之古今文選對照參考用；且其例句於譯成漢文時，爲遷就蒙文文性，而間有若干「謬性」句法。

九、編者以近二十多年之教習蒙古語文經驗，特編此書以利教學之用。

十、本書之完成，編輯校對工作多承國立政治大學民族社會學系黃安美助教及邊政研究所研究生吳瑞麟同學協助，付印成梓又承蒙 台大母校教授張曉春先生鼎力協助，在此並致謝忱。

引言

一、蒙古語的語系

世界語言之分類法不一，最習見者可分為三種類型：其一為孤立語（Isolating），是單音節而複聲調（Monosylabic），其字義因聲調的不同而異，語詞沒有形式上的變化，漢藏語族（Sino-Tibetan Family）語言卽屬於這一個類型。其二為屈折語（Inflectional），其語詞上語根（Root）和附添詞（Suffix）（或稱語尾）彼此融和不易分解，而且語根本身也可以變化，印歐語族（Indo-European Family）語言，卽屬於這個類型。其三係膠着語（Agglutinative），是多音節而單音調，其語詞上語根和附添詞而有別，烏拉爾阿爾泰或阿爾泰語族（Ural Altaic or Altaic Family）語言卽屬於這個類型。如蒙古語、滿州語、維吾爾語、土耳其語、日本語、韓國語及芬蘭語等皆屬於這個語型。

二、蒙古文字的簡介

現代稱為舊蒙古文或稱古典蒙古文者，據史稱，在公元一二〇四年成吉思汗征服其同一人種的奈曼（Naiman）部時，俘獲了太陽汗文臣——塔塔統阿（Tatatungga），塔氏維吾爾（Uighur）人，甚具才學，為大可汗所賞識，並命他教授蒙古諸王子弟，他就以維吾爾人使用的字母拼寫蒙古語教授之。此維吾爾字母最先是由基督教的一個支派——景教（Nestorian）的傳道人東來佈道時將阿拉姆(Aramaic

）字母，傳入古敘利亞（Syria）將成爲敘利亞文字母；再傳入到伊朗（Iranian）的蘇格地安（Sogdian），經過一段日月消長，嬗變爲蘇格地安文字，再由伊朗輾轉而三傳入維吾爾族成爲維吾爾文，但維族改奉伊斯蘭（Islam）教以後，放棄了他們原有的字母，採用了類似阿拉伯（Arab）字母又像希伯來（Hebrew）文字由右往左橫書的音節文字，其原有的文字，稱之爲老維吾爾文字。

最初的古典蒙古文字與老維吾爾文字字形無異，蒙古語言與維吾爾語言雖屬同一語系，然而隨着時代的演變，蒙古語因語音的便音漸漸變爲今日所謂舊蒙文形式。其字形自十六世紀末葉以後的變化，跟現代蒙文字形很顯然的接近了。

世人多稱維吾爾式的蒙古文者，乃因古典蒙古文字形及形態跟老維吾爾字形相似之點甚多之故矣。或許在蒙古文獻裡常常看到，過去蒙古人直接引用老維文甚或老維文相似的記載而已，正如前面所言，維吾爾人並非是蒙古字的原始發明人，只是把她所使用的字母介紹給蒙古族的功臣罷了。到了明朝末年愛新覺羅氏興起又採用蒙古文爲國書，所謂清文者蒙古文之變體字也。

此爲以阿拉姆字母橫書爲文的敘利亞及回紇（維吾爾）字母以作比較參考

	A	B	K	O	S	I	H
敘利亞文							
回紇文							

	D	M	N	T	Z	R	L
敘利亞文							
回紇文							

三、蒙古文字的特色

蒙古文字的主要特色有三:

(一)蒙文是一個多音節單音調，是語根和附添詞相互聯接，以表示語法上的各種作用的表音文字（又言音素文字）。如「學蒙文」的「學」字，在蒙文裡其語根是「SUR」，在它的下面若附添現在式或將來式語尾「NA」時，便成爲「SURNA」，爲「要學」的意思。又若在語根「SUR」之下附添過去式語尾「JAI」或「BA」時，便成爲「SURJAI」或「SURBA」字，爲「學過」或「學了」的意思。這是膠着語的特色，也是蒙文易學之點。

(二)蒙文有母音調和或言元音和諧（Vocalic Harmony）的特色。蒙文的母音字母有「A.E.I.O.U.Ő.Ü」七個，以其性別可分作三組:「A.O.U」爲甲組，俗稱陽性母音或稱舌後元音。「E.Ő.Ü」爲乙組，俗稱陰性母音或稱舌前元音。「I」爲丙組，俗稱中性母音或稱陽性元音。在文法上，除丙組的「I」可以和其他甲、乙二組的字母聯綴爲字外，甲組的字母不能與乙組的字母相接爲字，如違反此法則而聯綴爲字者，則當「別字」論。（元音和諧見P. 7附圖。）

(三)蒙古文字是表音文字（又名音素文字），是根據語音綴寫爲字的。一個字母一個音，字母皆發原音，除每一個聯綴爲字的重音位於字首發音之外，沒有像英文那樣有輕重音之變化。此一點與日文相同。其字母共有三十個，其中母音字母七個，子音字母十七個，另有六個專爲拼寫外來語的續增字母。這些字母中，每一個字母都有原形、頭綴、中綴、尾綴四種不同書法（惟其讀音皆同）。這些字母的聯綴爲文，是一字一字的由上往下，有如漢文一樣，再一行一行的自左而右書寫，恰與漢文相反。

四、蒙古語言的標準語

古時的蒙古以游牧爲業，逐水草而自由遷徙，他們的居住地區雖屬遼濶，然而他們的語文大體上是一致的。自從元朝的向外發展後因民族的分散而未歸，又在滿清初年分建國內各部族團體爲二百四十多旗以後，才漸漸定居各處，天各一方，絕少往來，因此才逐漸形成了各地不同的方言。據國內外蒙古語言學者們的研究分析，蒙古語的主要方言爲中部、北部、西部、東部及達呼爾方言等。它們之間的差距，除了達呼爾方言裡稍有蒙古古語，並夾雜有極少數的滿洲語，而不十分通達外，其他各部方言都如同冀、晉、魯、豫各省之方言，彼此之間都能相互通達瞭解。在這些方言中，一般說來，皆以中部方言爲標準語，所以本教材之例語，乃以中部方言爲準繩。

五、蒙古語文的通用地區

西曆十三、十四兩個世紀係蒙古民族登峰造極的時代，兼跨歐亞、廣大空前，溝通了東西交通，促進了中國與西歐之間的貿易關係，並且促使東西文化、藝術交流，啓迪了知識的發展，造成一個近古未有之極盛時代。因此，語文統一之要求，乃隨之應運而生，蒙古語文就在這一時期內統一定型。是時，帝國領土內可以說全是蒙古語文的通用地區。後經明、清兩代的影響及蘇俄擴張的結果，蒙古民族日趨衰微，蒙古語文通用地區乃日漸縮小，直到一九一一年蒙古的黎明時期爲止（甚或在今日），尙能保持其傳統語言文字，而在地理上能夠銜接的蒙古，祇有內蒙古、青海蒙古、新疆蒙古、外蒙古及布里雅特（Buryat）蒙古、喀爾馬克（Kalmuk）蒙古等。至於往日屬於蒙古的其他許多地區，如阿爾泰諾爾蒙古、阿富汗境內的蒙古爾（Mongol）、甘肅境內的蒙古勒（Mongol）西藏東北高原的達木（Damsog）蒙古等，因其業已失去政治組織並與蒙古本部失去連繫有年，所以他們的語言與蒙古語文有了相當的距離。

附圖：元音和諧圖表如下

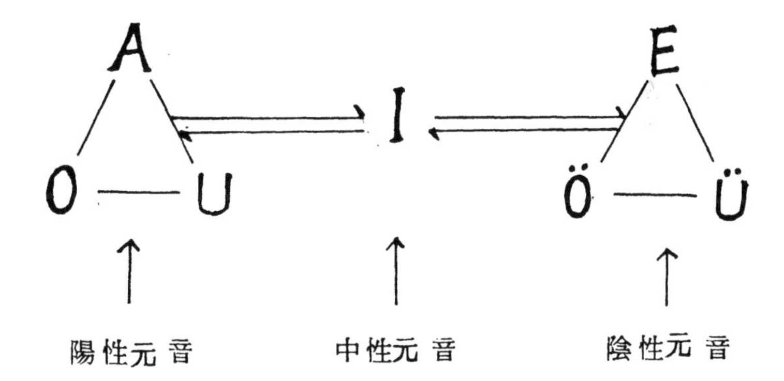

元音發音舌頭位置：

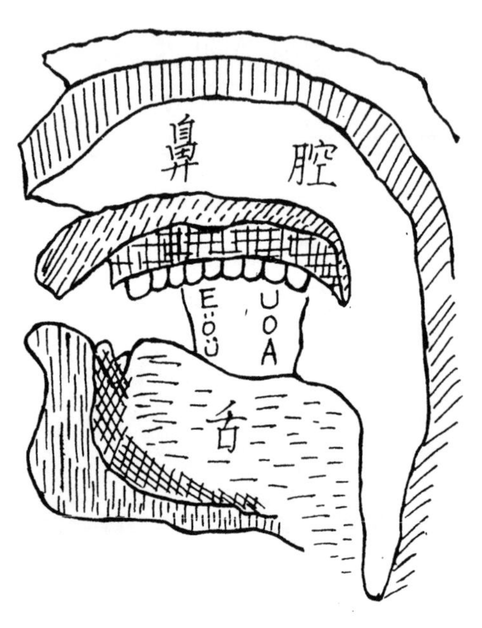

舌前音　E，Ö，Ü

舌中音—I　舌前舌後兼用

舌後音　A，O，U

註：1. 母音是「氣」經過聲帶時不受任何阻礙而發出的聲音。

2. 舌前音　發音時舌頭稍微伸縮者。

3. 舌中音　發音時舌頭後縮一半者。

4. 舌後音　發音時舌頭完全後縮者。

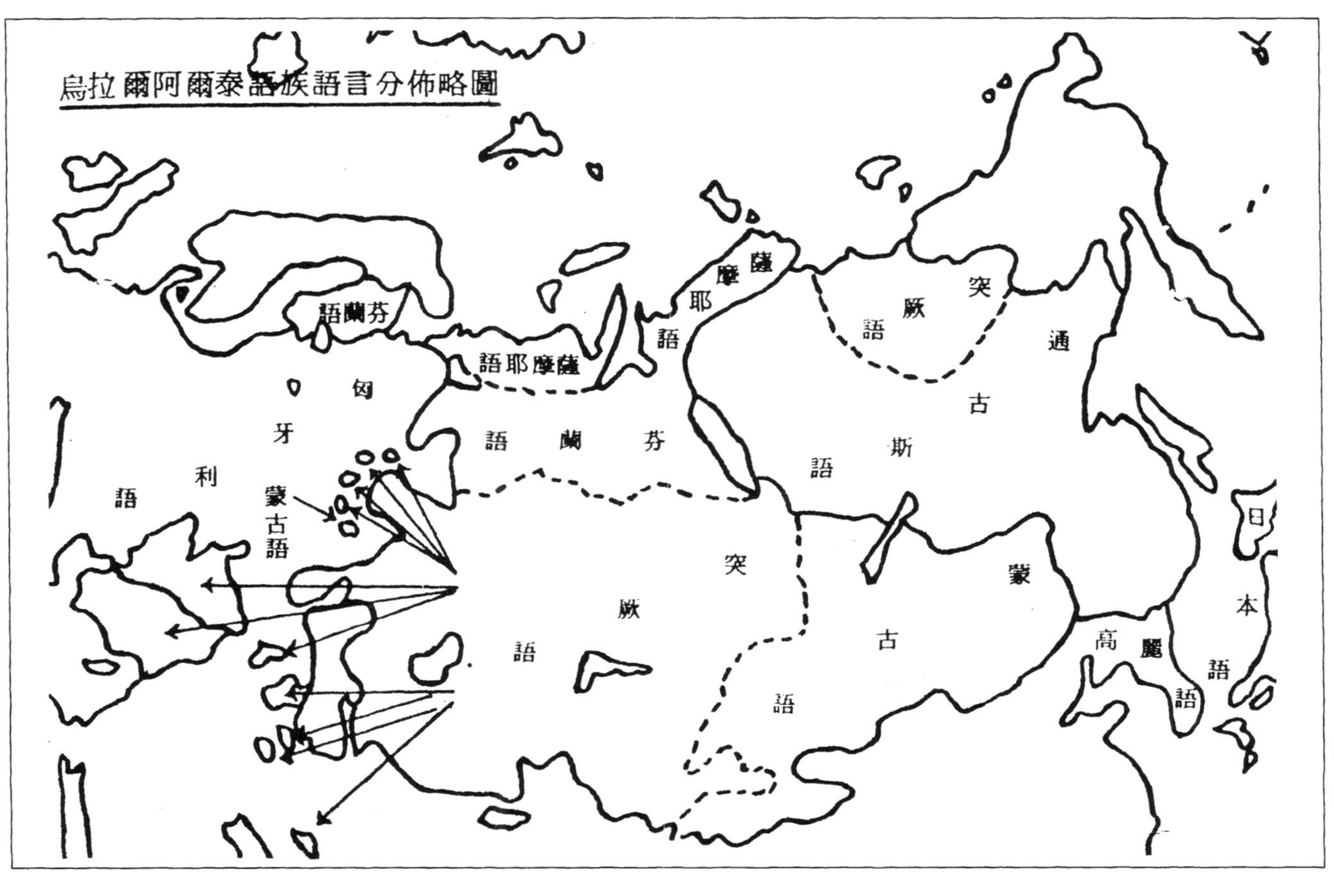

烏拉爾阿爾泰語族語言分佈略圖
芬蘭語
薩摩耶語
薩摩耶語
突厥語
通古斯語
匈牙利語
芬蘭語
蒙古語
突厥語
蒙古語
日本語
高麗語

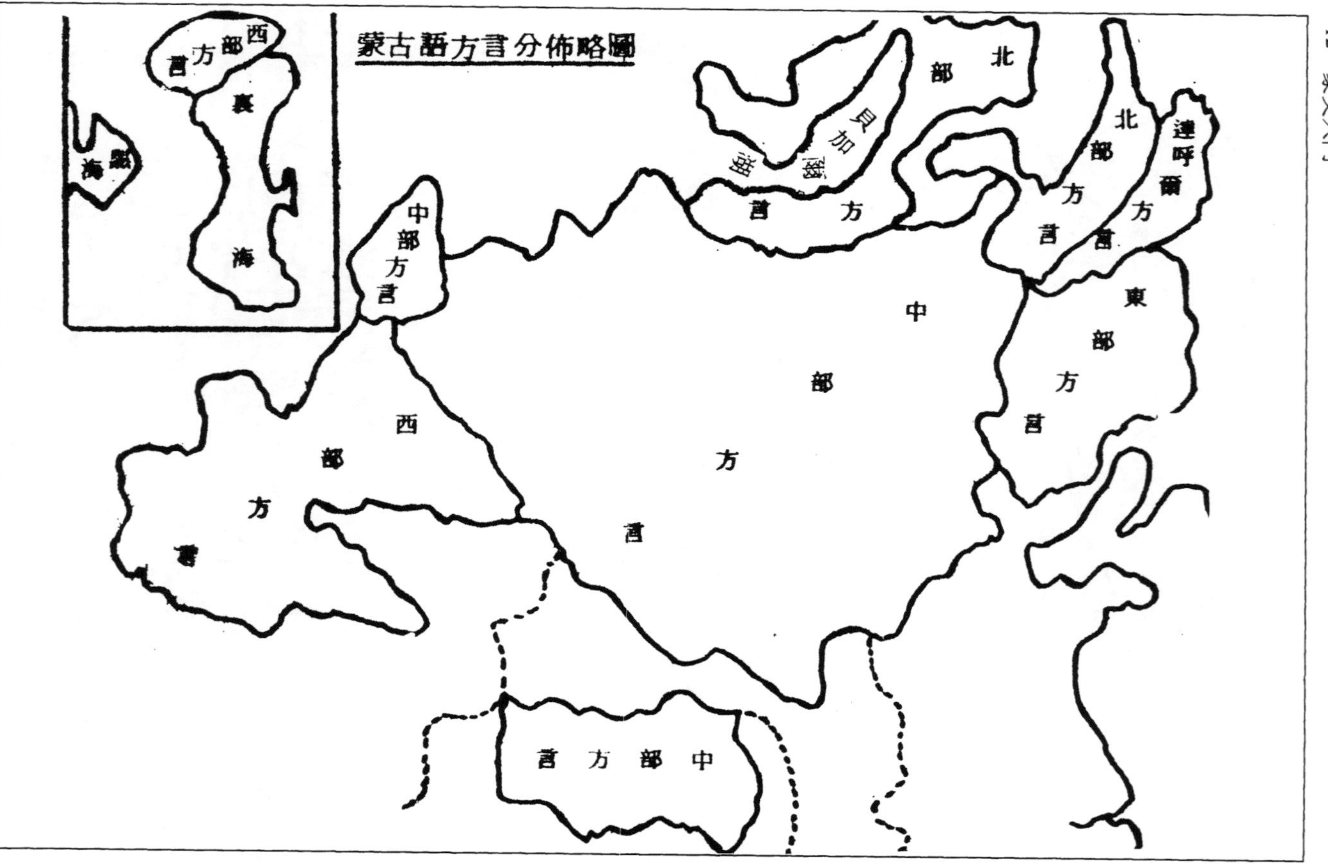
蒙古語方言分佈略圖
西部方言
裏海
中部方言
西部方言
中部方言
貝加爾湖
北部方言
北部方言
達呼爾方言
東部方言
中部方言

一、七個元音及子音

蒙古文字——阿拉姆系的蒙古文字

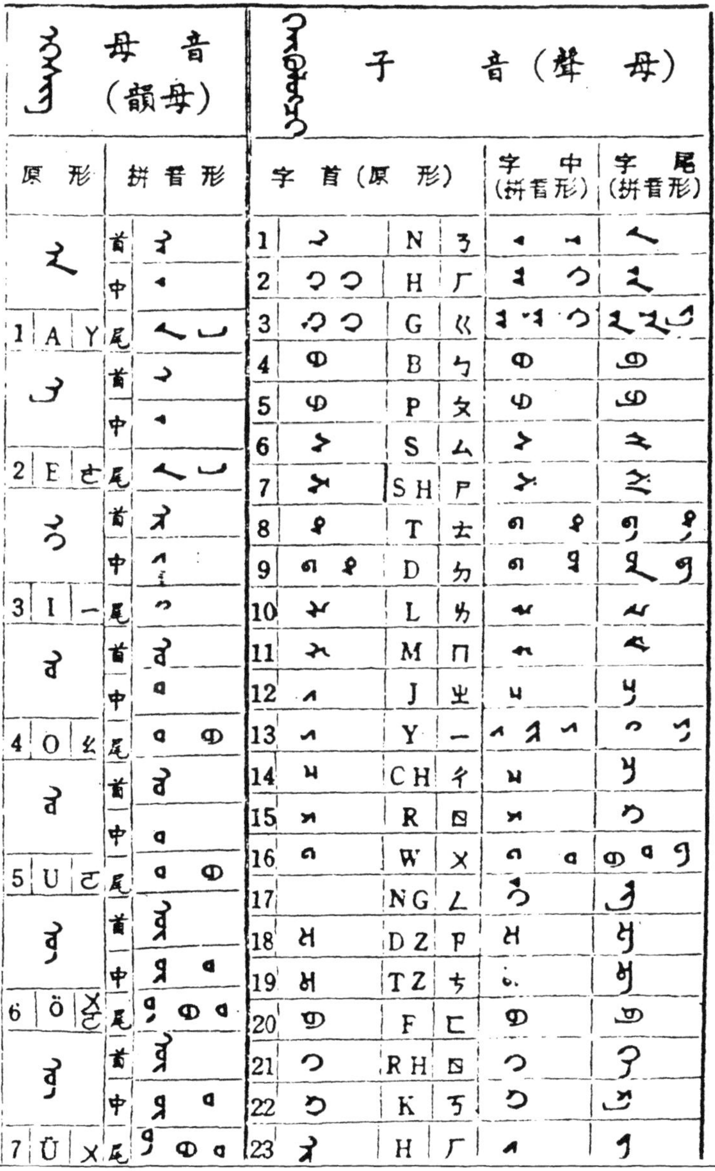

母音（韻母）

原形				拼音形
1	A	Y	首 / 中 / 尾	
2	E	ㄜ	首 / 中 / 尾	
3	I	一	首 / 中 / 尾	
4	O	ㄠ	首 / 中 / 尾	
5	U	ㄛ	首 / 中 / 尾	
6	Ö	ㄜ̈	首 / 中 / 尾	
7	Ü	ㄨ	首 / 中 / 尾	

子音（聲母）

	字首（原形）			字中（拼音形）	字尾（拼音形）
1		N	ㄋ		
2		H	ㄏ		
3		G	ㄍ		
4		B	ㄅ		
5		P	ㄆ		
6		S	ㄙ		
7		SH	ㄕ		
8		T	ㄊ		
9		D	ㄉ		
10		L	ㄌ		
11		M	ㄇ		
12		J	ㄓ		
13		Y	一		
14		CH	ㄔ		
15		R	ㄖ		
16		W	ㄨ		
17		NG	ㄥ		
18		DZ	ㄗ		
19		TZ	ㄘ		
20		F	ㄈ		
21		RH	ㄖ		
22		K	ㄎ		
23		H	ㄏ		

元音說明

(一)世界各國文字的符號（字母）都是十幾個到二十幾個居多，從來沒有超過一百個的。蒙文字母根據十二個字頭來算的話，據金鏡（Altan toli）則一共有1476個字母，字母之繁多，對初學者頗有當頭棒喝知難而退之慮。本書採取30個字母的方式來拼寫為文，為初學者的方便並都註有讀音及其他所需之說明。

(二)第五、第六兩個元音在其他語言裏較罕見，其發音法如下：「U」．先作發元音「O」之嘴形，再將嘴唇略微撮小而發元音「Ü」即得。此為「O」與「Ü」的混合元音又如將宋先生的「宋」〔Sung〕的兩邊的「S」和「ng」刪除的「U」即此「u」音。「Ö」：先作發「Ü」的嘴唇形，再發「E」之音即得，此為「Ü」與「E」之混合元音。又如將墨〔muə〕字的「M」刪除則可得此「Ö」音。

(三)元音ᠠ與ᠡ、ᠣ與ᠥ之中綴和尾綴在形態上完全相同。在綴字時，依字之屬性可以分別為ᠠ或ᠡ、ᠣ或ᠥ。若為陽性則為ᠠ或ᠣ音，陰性則為ᠡ或ᠥ。至於「O」與「U」，「Ö」與「Ü」之分別，則以中部音為準。這等於是漢字的破音字，一字有二音。

(四)蒙文元音之字性有三：

第一組 ᠠ、ᠣ、ᠤ 為陽性，發音部位在舌後，故又稱舌後元音。

第二組 ᠡ、ᠥ、ᠦ 為陰性，發音部位在舌前，故又稱舌前元音。

第三組 ᠢ 為中性，發音部位在舌中，故又稱舌中元音。蒙古語文所謂性別，異於俄文、德文、法文之性別。它僅指綴連成一字的諸元音之間的和諧。所謂元音和諧音（又稱母音調和Vocalic harmony）指第一組三個元音在本組內互相和諧為字，亦可與第三組綴連。同理第二組亦然，但一、二兩組不能和諧。（參閱元音和諧圖表見第七頁）。

二十三個子音	方法＼部位		雙唇音	唇齒音	齒齦音	齒腭音	前腭音	後腭音	軟腭音
	塞音	送氣	[illegible]		[illegible]		[illegible]		
		不送氣	[illegible]		[illegible]		[illegible]		
	鼻音		[illegible]		[illegible]			[illegible]	
	滾邊音				[illegible]				[illegible]※
	顫動音				[illegible]				
	摩擦音			[illegible]	[illegible]	[illegible]			[illegible]※
	無擦半元音						[illegible]		
	破擦音				[illegible]	[illegible]			
					[illegible]	[illegible]			
	無擦半元音		[illegible]						

註 1：阿爾泰語言學者將軟腭擦音「[illegible]」以喉擦音「h」標音者以方言音用小舌塞音的Q標記者均有之，如「Honi」，「Xoni」、「Qoni」（綿羊），本文裡用前者標記之。

註 2：前腭塞音的「[illegible]」〔G〕蒙古語言學者近來多用軟腭擦音「ɤ」標記之。本書裡爲讀者之方便起見，均用「G」標記之。

註 3：唇塞音「[illegible]」在中部及西部方言裡多發音如雙唇擦音的「B」等現象，如「aaB」爲「aaβ」（父親）。

註 4：軟腭摩擦音「[illegible]」亦爲拼寫外來語之字母，如「[illegible]」〔Hsia ULus〕夏朝。

註 5：軟腭滾邊喉擦音的「LH」，在西藏語裡出現，如拉薩〔Lhasa〕意爲「多神之地」。是「L」和「h」之混合音。

子音說明

(一)〔H〕與〔G〕爲陽性輔音，只能與陽性元音綴連。

(二) 與 爲陰性輔音，只能與陰性元音綴連。但有一例外，即當字中的〔GIHI〕與中性元音 I 綴連爲字時，則可與陽性音綴連。如 （ AGI 艾蒿） （JAHITAL 信件）

(三)〔H〕、〔G〕有兩種書寫形式，一種是下面分開接元音。如 （AGA 糠） （AHA兄），另一種是下面無元音，如 （NUTUG故鄉） （ÜSÜG文字）。

(四) 下面分開接元音 A 或E，如 （YABUYA走吧， IDEYE吃吧）

(五) 無字尾形式， 無字頭形式。

(六)中性字 的字中形式 在子音下時寫作 如 （MINI我的）但在元音下時寫作 如 （SAIN 好）又如 （GEICHIN 客人）等、但也有例外的情形。如 （SAYA 兆）、 （EHIB絹）等。

(七)陰性字 （Ö或Ü）的字中形式在第一音節時寫作 如 （HÖHE 青色）等但在第二音節以下時寫作 如 （DEGÜÜ 弟弟）， （YAPON日本）等。

(八) （A或E）是單純的字尾，如 （ALTA金子）， （ERTE早，昔）等。※ （N）與 不同，它是輔音〔N〕的字尾形式，常與元音〔A〕〔E〕連用。如 （YABUNA 要走）， （IDENE 要吃）等。

二、元音及子音的綴字練習一

2－1 ᠨ〔N〕子音的綴字練習

2－2 ᠬ〔H〕子音的綴字練習

AHA 兄

AGA 糠

EHE 母

HANA 蒙古包的壁

AHU 肩

HÖHO 乳房

註：

的字尾「ノ」因爲與前面的子音分開連接，故有元音作用的前出尾。

字尾「ノ」因爲與前面的元音連起來寫，故無元音作用的前出尾。

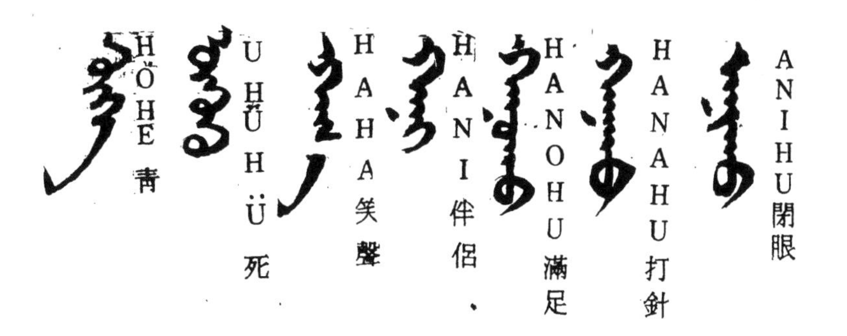

2—3 ᠭ〔G〕 子音的綴字練習

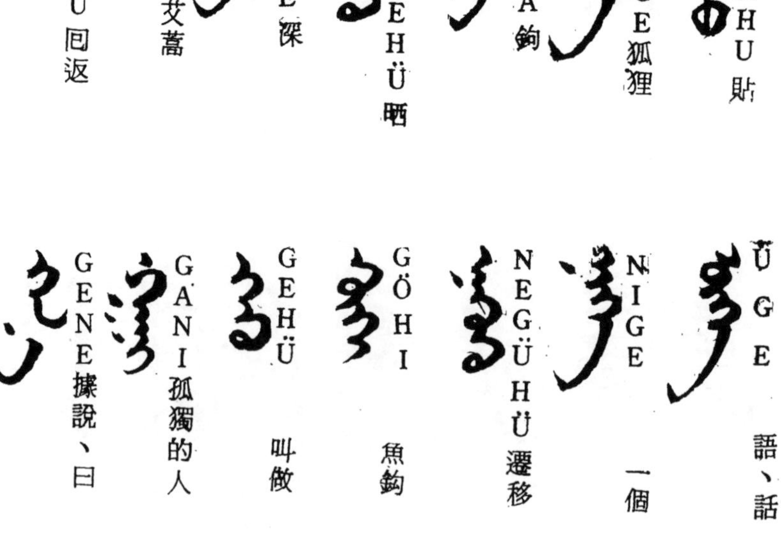

NÜNE 深

NÖGÜGE 其他

HÜHÜHÜ 吮奶

NIGUHU 藏

UNAGA 馬駒子

UNAHU 落下

2－4の〔B〕子音的綴字練習

BÖGE 巫師

BÖHE 結實，角力士

BOGO 鹿

GOBI 戈壁

GABA 破紋

BAGA 小

HAGABA 關了

BAGUBA 下來了

HALAHA 掩蔽物

GABI 手銬

ABAGA 叔父

BÜHÜ 皆全

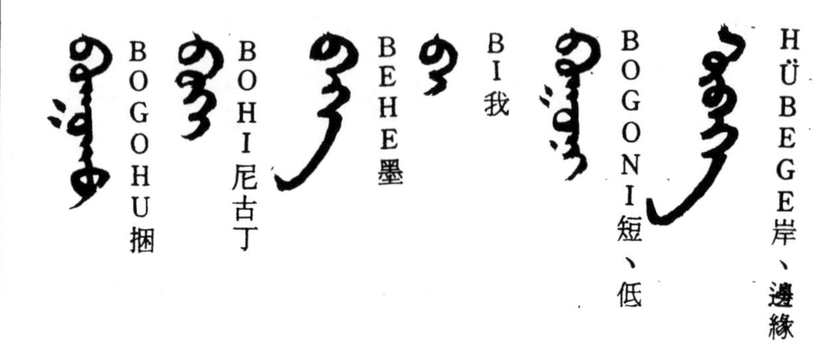

2－5 ᠫ〔P〕子音的綴字練習

註：蒙古語裏子音 ᠫ〔P〕不很發達，多用在舶來語，它的綴字法與 ᠪ〔B〕子音完全相同。

2－6 ᠰ〔S〕子音的綴字練習

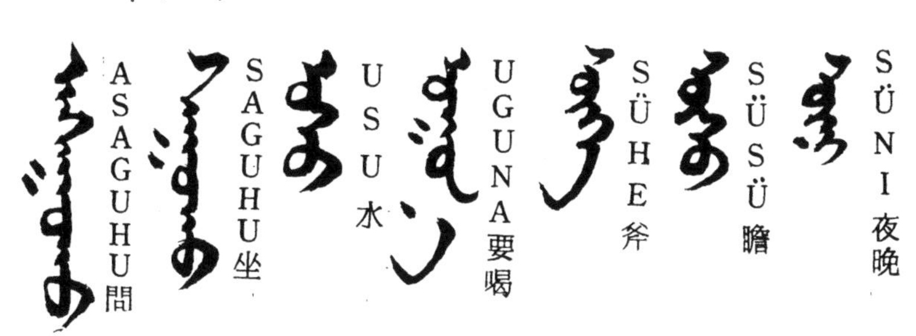

- SÜNI 夜晚
- SÜSÜ 膽
- SÜHE 斧
- UGUNA 要喝
- USU 水
- SAGUHU 坐
- ASAGUHU 問

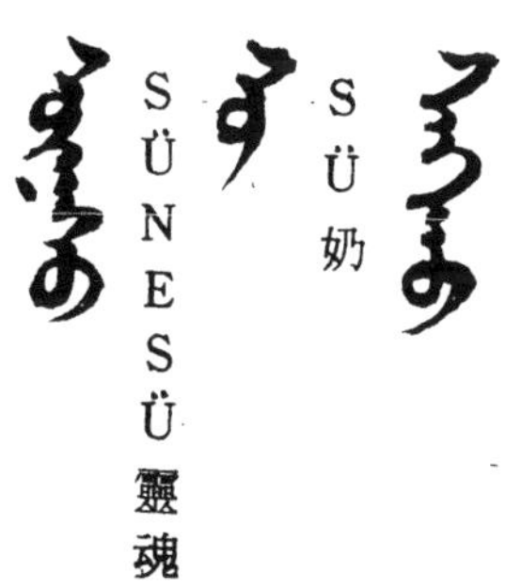

- SEHEGE 智慧
- SANAGA 思想・心
- SABHA 筷子
- SABA 器具
- SAHIHU 防守
- SÜ 奶
- SÜNESÜ 靈魂

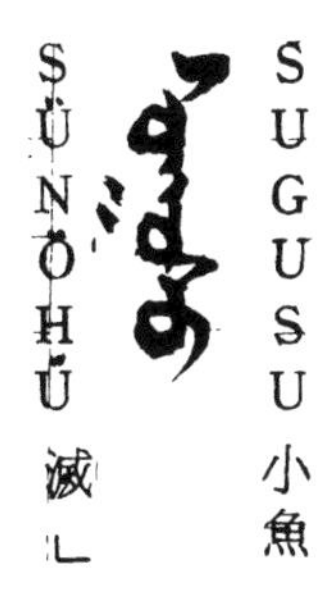

- SUGU 腋
- SUGUSU 小魚
- SÜNÖHÜ 滅亡
- SAGAHU 擠奶
- SÖBEGE 肋
- BÜSEGÜI 婦人

2－7 ᠱ〔SH〕子音的綴字練習

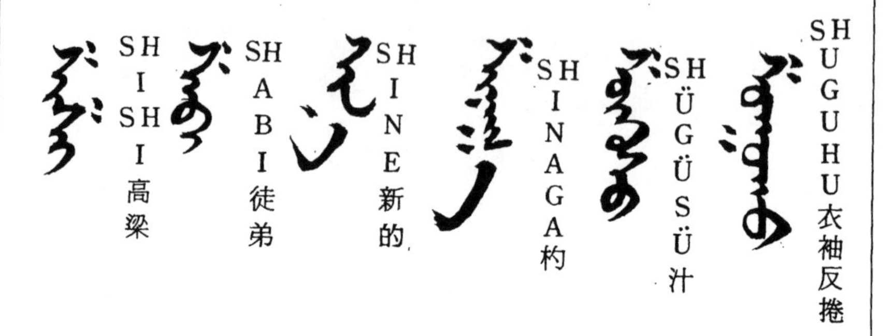

SHUGUHU 衣袖反捲

SHÜGÜSÜ 汁

SHINAGA 杓

SHINE 新的

SHABI 徒弟

SHISHI 高粱

SHIGUI 森林，室韋

SHINEHEN 嶄新

SHIBAGA 抽籤

SHIBAGU 鳥

SHIBEGE 柵

SHIBEHÜ 札刺

SHIBAGUCHI 捕鳥者

SHIBAGASU 泥土

SHAGA 踝骨

SHEGÜ 山楂子

SHIHUI 石灰

SHIGÜHÜ 審問

註：在書寫習慣上 ᠱ〔SH〕子音的 ᠱᠢ〔SHI〕音字不用右上角的兩點，這樣並不會與 ᠰ〔S〕子音 ᠰᠢ〔SI〕相混。因爲蒙古語文裡純屬〔SI〕音字罕見，凡是遇到「ᠰᠢ」字，皆發「ᠱᠢ」音即可。

2－8 ᠲ〔T〕跟 ᠳ〔D〕子音的綴字練習。

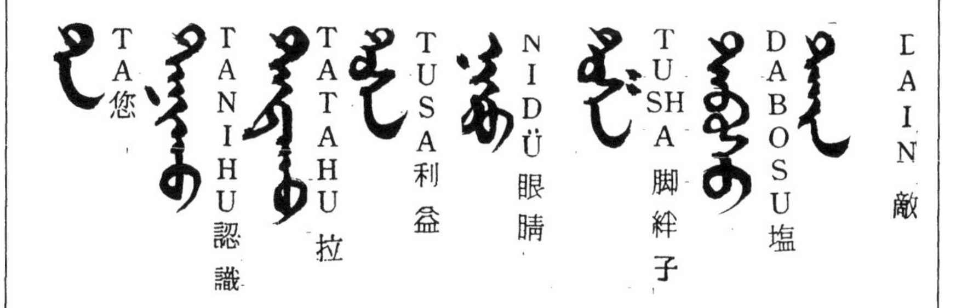

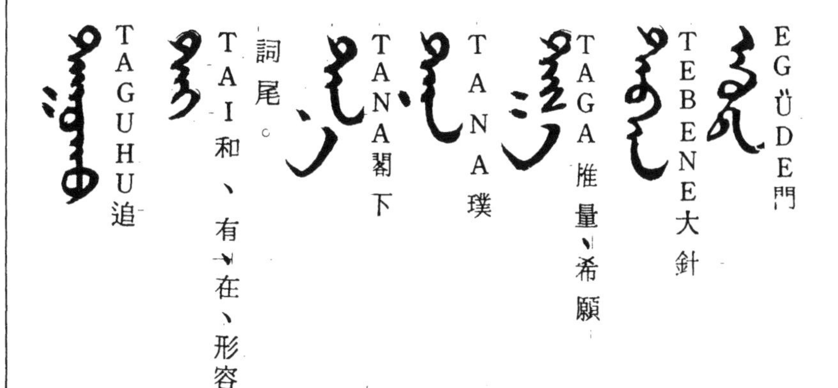

註：蒙文裏〔TA〕和〔DA〕有混用之習慣用法。以字起頭的字在習慣上均援用字頭，但行的字，其字中字尾形式皆引用字母，人名、地名及外國語拼音則不拘此限，如此將〔TA〕和〔DA〕二子音列爲一，以便初學者之瞭解。

例如：

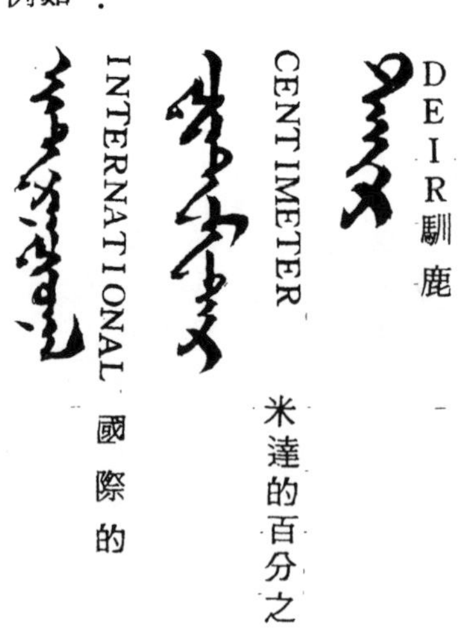

註：古典蒙古文裡如前述「DA」跟「TA」相混，又陽性的「DA」跟「TA」與陰性的「DE」跟「TE」其形態相同在蒙古語文裡以其語詞可分爲讀陽性或陰性但在外來語裡甚難分明故陰性的「DE」跟「TE」如前例語要以前出長牙回勾形來分其陰性之文法規定。

2－9 ᠯ〔L〕子音的綴字練習

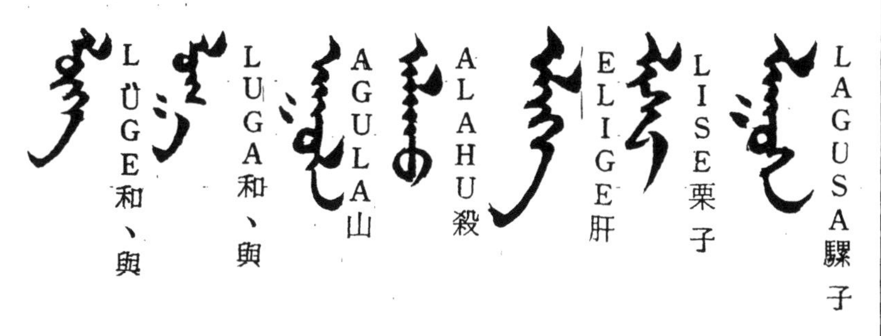

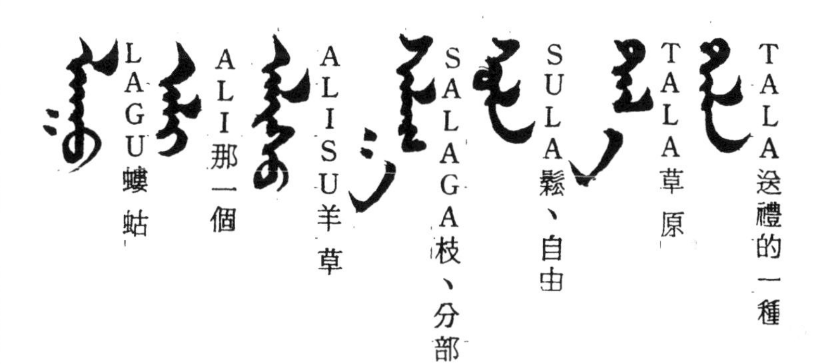

2－10 ᠮ〔M〕子音的綴字練習

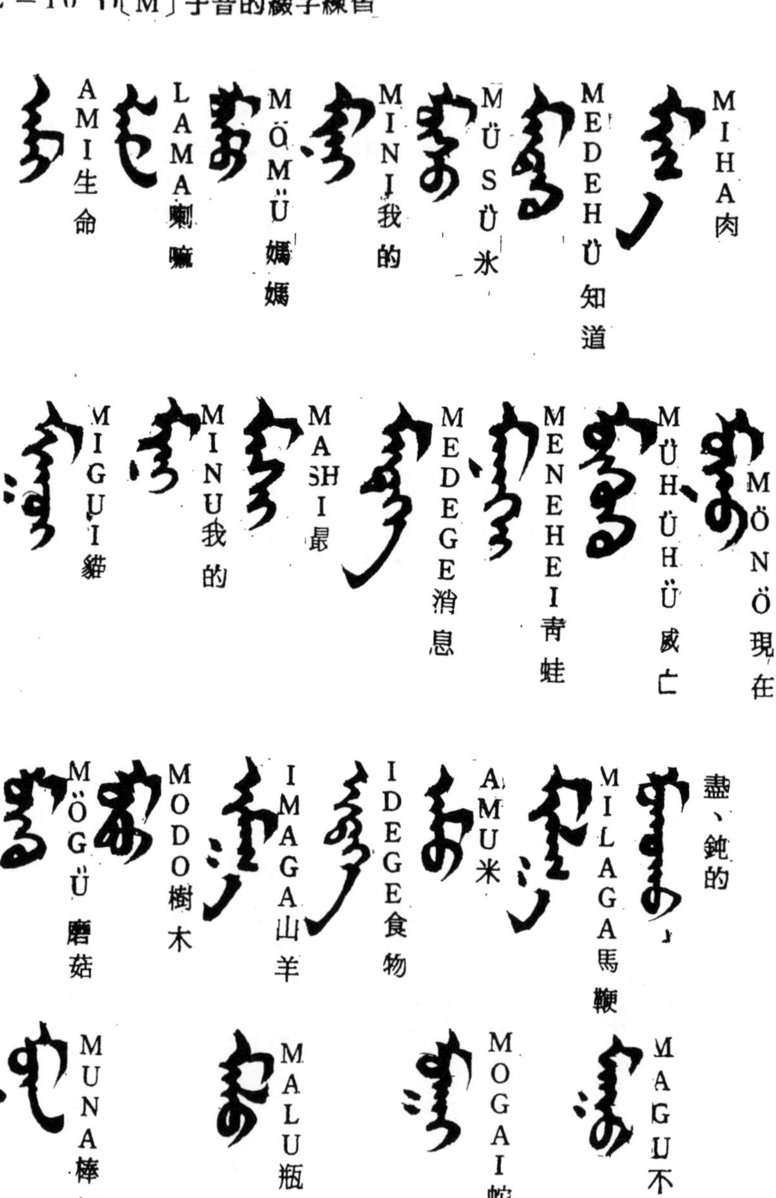

2－114〔CH〕子音的綴字練習

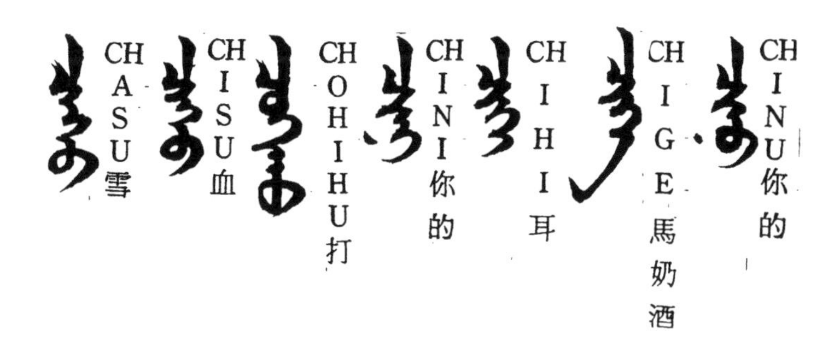

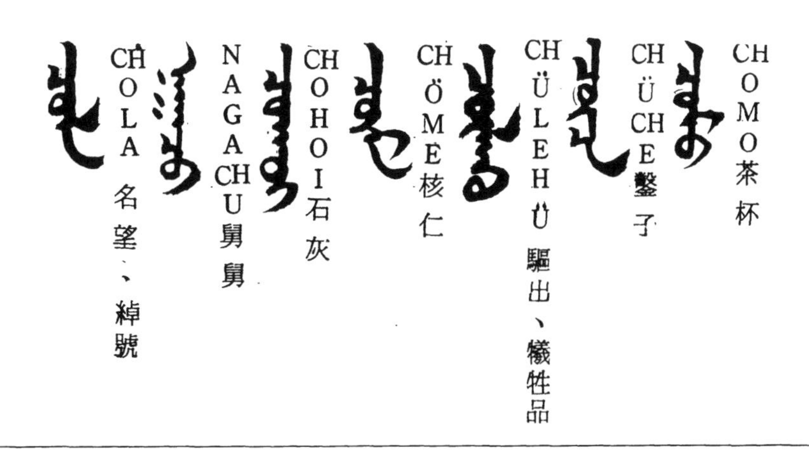

2－12 ᠵ〔J〕子音的綴字練習

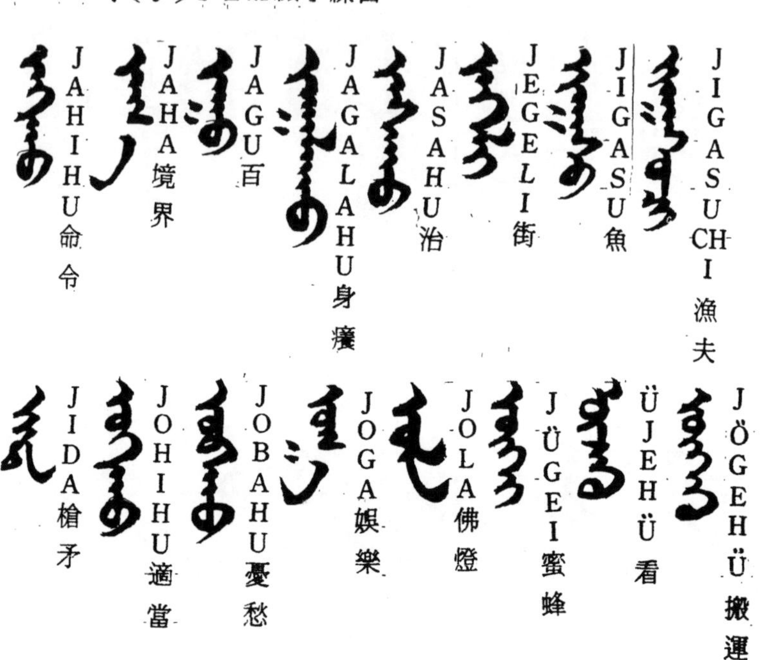

2－13〔Y〕子音的綴字練習

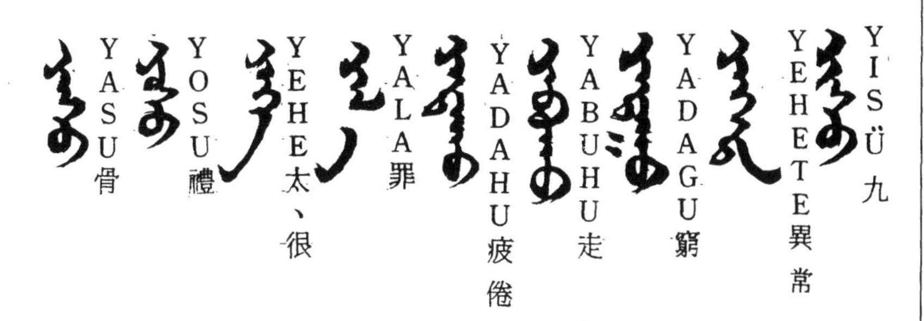

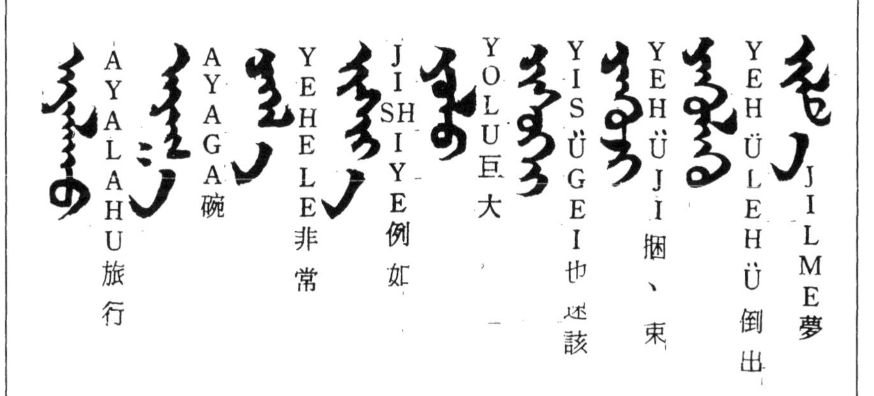

2－14〔R〕子音的綴字練習

RIDI 魔術

RISHI 隱士

註：蒙古語裏「R」音爲首的字沒有，但字中和字尾發R音的特別多，今代蒙語裏有字首發「R」音者，多爲舶來語，也有些字首發R音的舶來語依照蒙古語的發音習慣，把在R後的元音字母相同的元音加在R之前。

例如：

2－154〔W〕子音的綴字練習

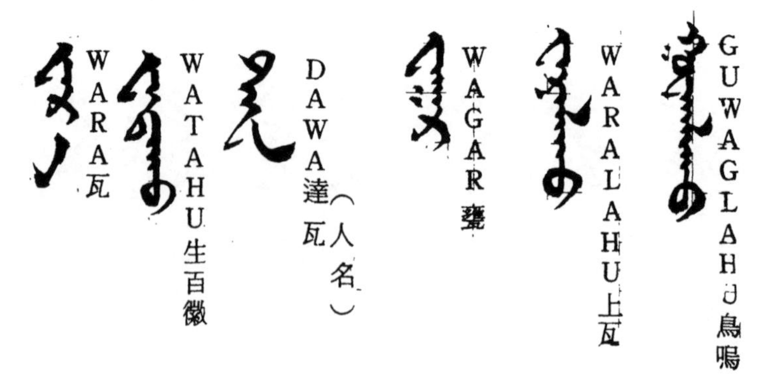

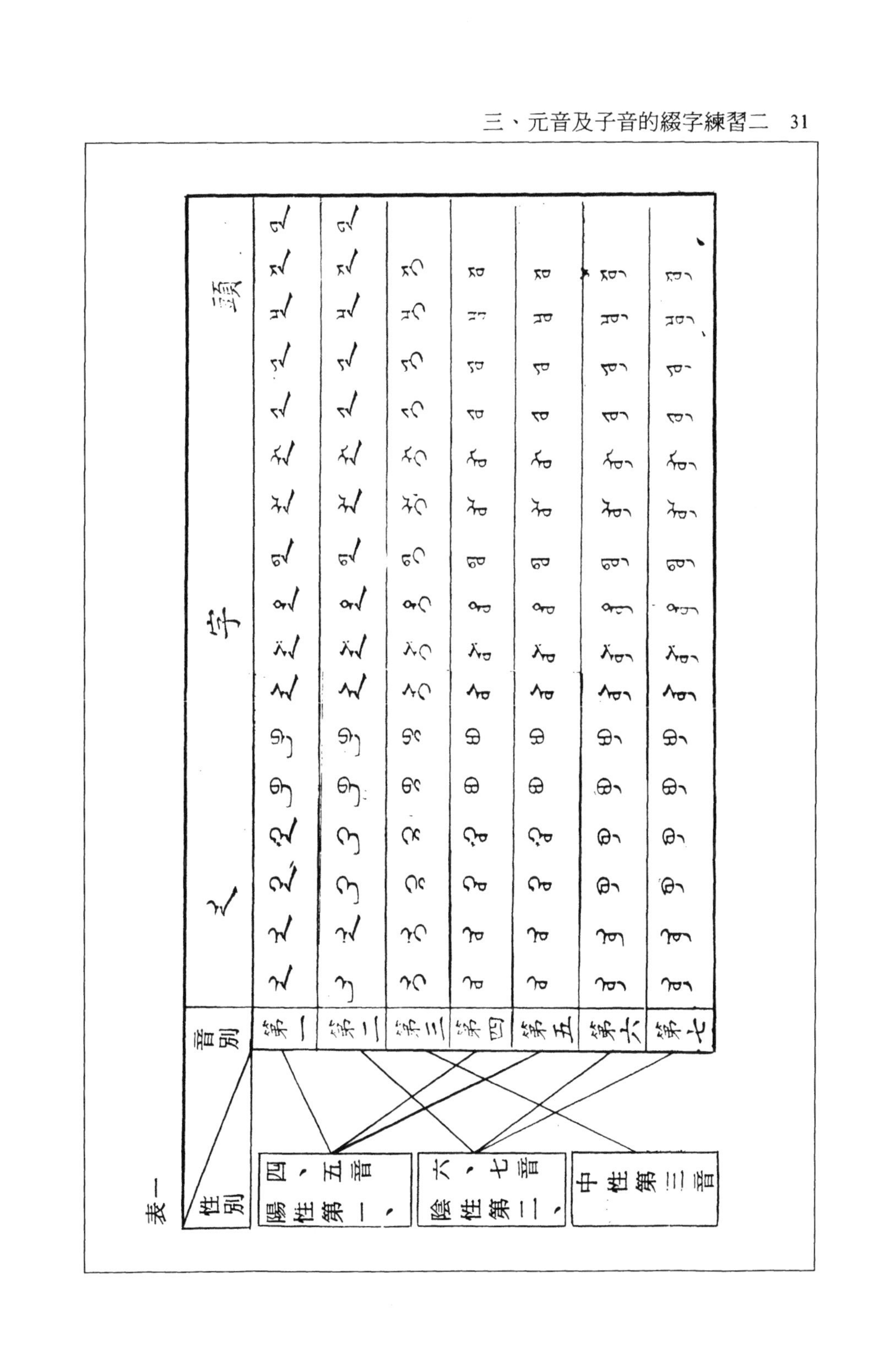

表一

音別	字頭之字頭
第一	[illegible]
第二	[illegible]
第三	[illegible]
第四	[illegible]
第五	[illegible]
第六	[illegible]
第七	[illegible]

性別	
陽性第一、四、五音	
陰性第二、六、七音	
中性第三音	

十一個半音形式的活用表

元音 \ 字尾形		I	N	U	NG	G	B	S	D	R	L	M
	A											
	E											
	I											
	O											
	U											
	Ö											
	Ü											

1：在採用阿拉姆字母當初，是以元音及子音之形式教學，不知何時開始，由何人將元音和子音連接爲一（如上表），成爲拼音形式教學迄今。

2：此種形式爲將前表列ᠠ字頭的七個元音及十七個子音（見表一）上下接連而成爲上表所列十一個字尾音，再加ᠠ字頭而成爲十二個字頭，蒙古話叫做「Arban Ho-Yar Chagan Tologai」。爲了初學者的徹底明瞭起見再次以此十一個半音的字中及字尾形式分別練習如下。

三、元音及子音的綴字練習二

3－1〔NA〕的字頭，字中，字尾形式

輔音字	字中	字尾	讀音
			N

字頭形式：

NADA 對我　NASU 年齡　ALTAN 金子

字中形式：

ENDE 這裏　TENDE 那裏　SARAN 月亮

字尾形式：

ODON 星　AYAN 旅行　NARAN 太陽

3－2〔HA〕的字頭，字中，字尾形式，字頭形式：

字頭	字中	字尾	讀音
			H

字中形式及字尾形式與GA相同，字面上單獨很少出現。

字頭形式：

HADA 山峰　HOTA 城市　HAGAN 可汗

3－3：〔GA〕的字頭，字中，字尾形式

字頭	字中	字尾	讀音
			G

字頭形式：

GAL 火

GADANA 外面

GADANAHI 外面的

字中形式：(1)陽性字

SAGSU 筐

AGTA 軍馬

AGTALAHU 騙去

(2)陰性字

ÖGGÜ 給

BÖGLEHŬ 塞

ÖGGÜBAI 給了

字尾形式：(1)陽性字

ASHIG 利益

NUTUK 故鄉

(2)陰性字

ŬSÜG 字

BICHIG 書

註：在字中，字尾形式中，唯「 」這個子音字在綴連爲字上，有陽性、陰性之分，陽性「 」或「 」需與陽性字聯用，陰性「 」或「 」則需與陰性字聯用，否則當別字論。

例如：

BICHIG 書

BICHIGLEHÜ 書寫

NUTUG 故里

NUTUGLAHU 定居

3－4〔BA〕的字頭、字中、字尾形式

字頭	字中	字尾	讀音
			B

字頭形式：

BATU 堅固

BAL 蜂蜜

BARIMOI 捕

BAIMOI 有、在

字中形式：

LABSA 雪片

EBDEHÜ 破壞

ABCHAI 取了

BAPARAMO 發展

字尾形式：

TIB 洲

LAB 臘燭

EB 和睦

TAB 舒適

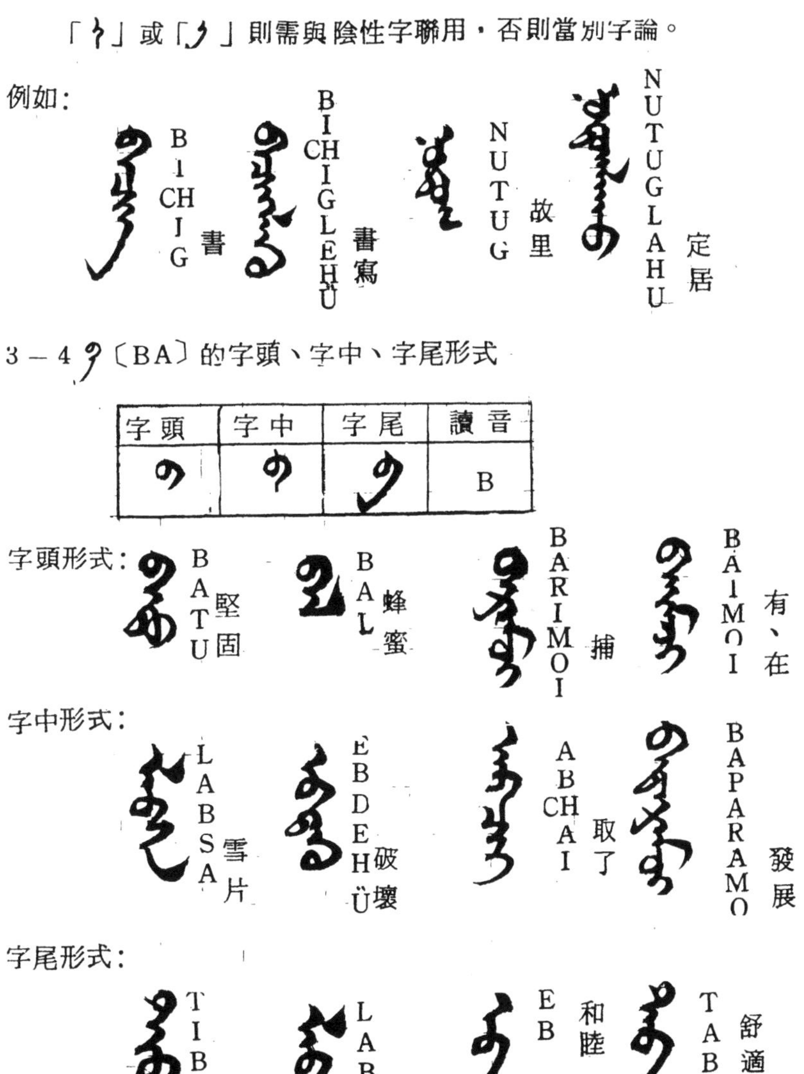

3－5 〔PA〕的字頭，字中，字尾形式

字頭	字中	字尾	讀音
			P

字頭形式：

PILA 盤子　PIBA 琵琶　PÜSE 舖子

字尾形式：　無

3－6 〔SA〕的字頭，字中，字尾形式

字頭	字中	字尾	讀音
			S

字頭形式：

SURGAGULI 學校　SANAHU 想念　SURHU 學習

字中形式：

HÖMÖSGE 眉毛　AGUSGI 肺　TEGÜSHÜ 完竣

字尾形式：

ULUS 國家

JIMIS 水果

TEGÜS 雙全

3－7〔SHA〕的字頭，字中，字尾形式

字頭	字中	字尾	讀音
			SH

字頭形式：

SHATU 梯子

SHIDÜ 牙齒

SHÖLÜ 湯

字中形式：

AGUSHGI 肺

RAGSHAS 邪惡的

3－8〔TA〕和〔DA〕的字頭，字中，字尾形式

字頭	字中	字尾	讀音
			T、D

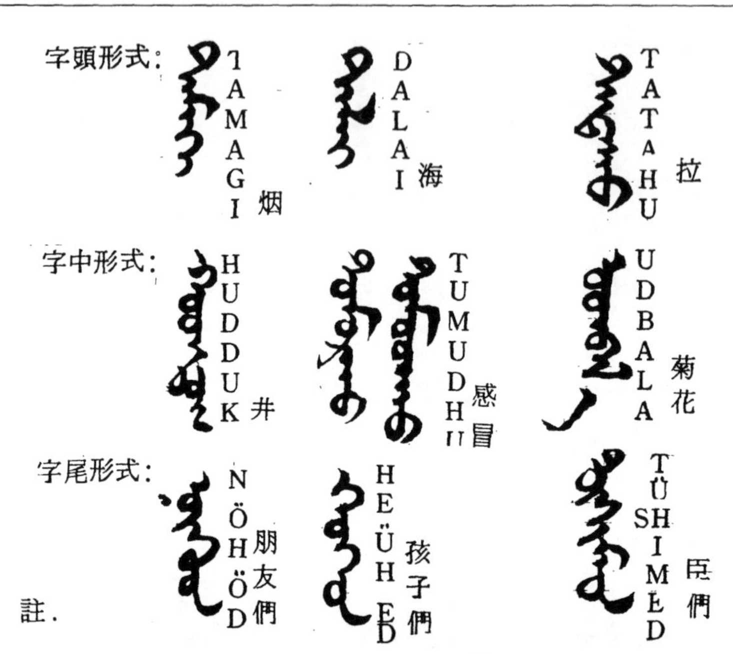

註.

此輔音字中列有ᠲ（T）和ᠳ（D）兩種。字頭形式如擧例很清楚的分淸他們之間的不同，但在字中和字尾形式中所發的音是T或D，，對初學者較難分辨。不過蒙古語中，以筆者個人的心得而言，字中字尾發T音者寥寥無幾，可以都發爲D音。再者蒙古語裏不像法語有細微的辨義作用，爲了舌尖腭音T和尖齒齦音發D不會成爲其他意思的語詞，如 ᠠᠷᠠᠳ （ARAD）公民，發音如〔ARAT〕在一般蒙古人的聽覺上都是公民，只是在發音的正確性及音調上不甚習慣而已。

3－9 〔LA〕的字頭，字中，字尾的形式

字頭	字中	字尾	讀音
			L

字頭形式：
- LABAI 法螺貝
- LAKSIN 尊體
- LONGHO 瓶

字中形式：
- ALTA 金
- HÜLDEHÜ 凍
- SALHIN 風

字尾形式：
- MAL 牛、牲畜
- HÖL 脚
- GOL 河

3－10 〔MA〕的字頭、字中、字尾形式

字頭	字中	字尾	讀音
			M

字頭形式：

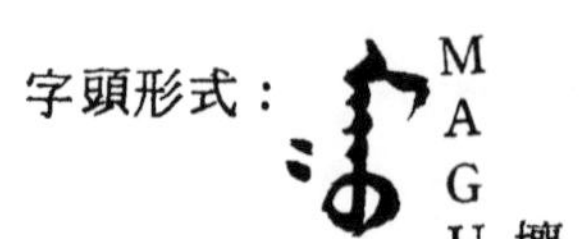
MAGU 壞

MANAI 我們的

MAI 給你

字中形式：

UMTAHU 睡

UMDAGAN 飲料

OMBIHU 游泳

字尾形式：

NOM 書、經

UDUM 血統

EMCHI 醫生

3－11 ᠴ〔CHA〕子音的字頭，字中，字尾形式

字 頭	字 中	字 尾	讀 音
ᠴ	ᠴ	ᠴ	CH

字頭形式：

CHAGASU 紙

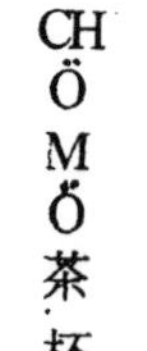
CHÖMÖ 茶杯

CHIDAL 能力

字中形式：

ECHIGE 父親

MALCHIN 牧人

HÜCHÜR HEG 強壯

字尾形式：無

3－12 〔JA〕子音的字頭，字中，字尾形式

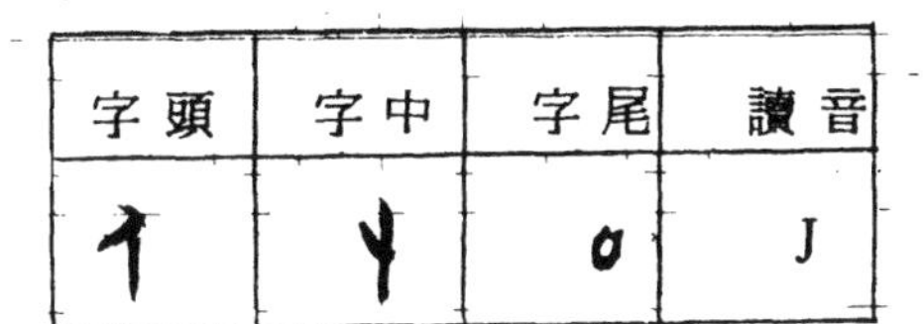

字頭	字中	字尾	讀音
			J

字頭形式：

JABAR 風

JASAG 政治

JALAGU 年青

JEGASU 魚

字中形式：

HAJAHU 咬

HAJAGU 旁邊

BAJAHU 抓

UJEHU 看

字尾形式：無

3－13 〔YA〕的字頭，字中，字尾形式

字頭	字中	字尾	讀音
			Y（I）

字頭形式：

YAMUGA 札木合

YAGU 什麼

字中形式：

EIMÜ 如此

SAIN 好

字尾形式：

SHIROI 土

NOHAI 狗

GAHAI 豬

OROI 山頂、夜晚

3－14〔RA〕的字頭，字中，字尾形式

字頭	字中	字尾	讀音
			R

字頭形式：

RASHIYAN 甘露、神水

ARADIO 收音機

RIDI 神力

RAGCHA 羅刹

字中形式：

GURBA 三個

DÖRBE 四個

TÖRGEN 快速

TÜRÜHÜ 生產

字尾形式：

GER 家

3－15〔WA〕的字頭，字中，字尾形式

字頭	字中	字尾	讀音
			W(U)(Ü)

字頭形式：

WADANG 包袱

WIGER 維吾爾

字中形式：

HAULI 法律

HOOS 一對

字尾形式：

EREEÜ 下顎

EREGÜÜ 刑

BUU 槍

ÖNÖ 現今

3－16〔NG〕的字中，字尾形式

字中	字尾	讀音
		NG

字中形式：

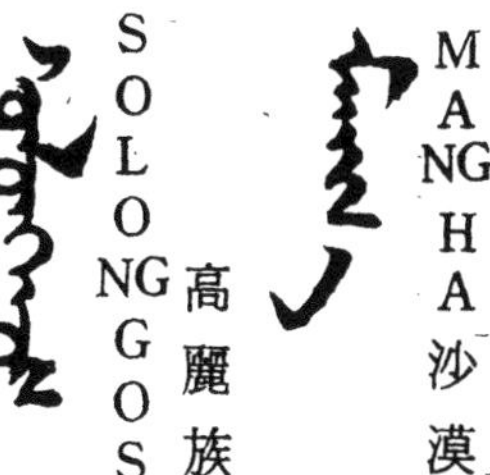

字尾形式

TARIYALANG 農田

AMUGULANG 太平

四、續增子音

FA	DZA	TZA	RZA	KA	
					參看例語

4－1 續增子音的綴字練習

拉薩

熱河

司馬

日本

天主教

鋪子

夫子

尺

資

縣

喜馬拉雅山（其意為雪之家也）

法西斯

電影

開魯

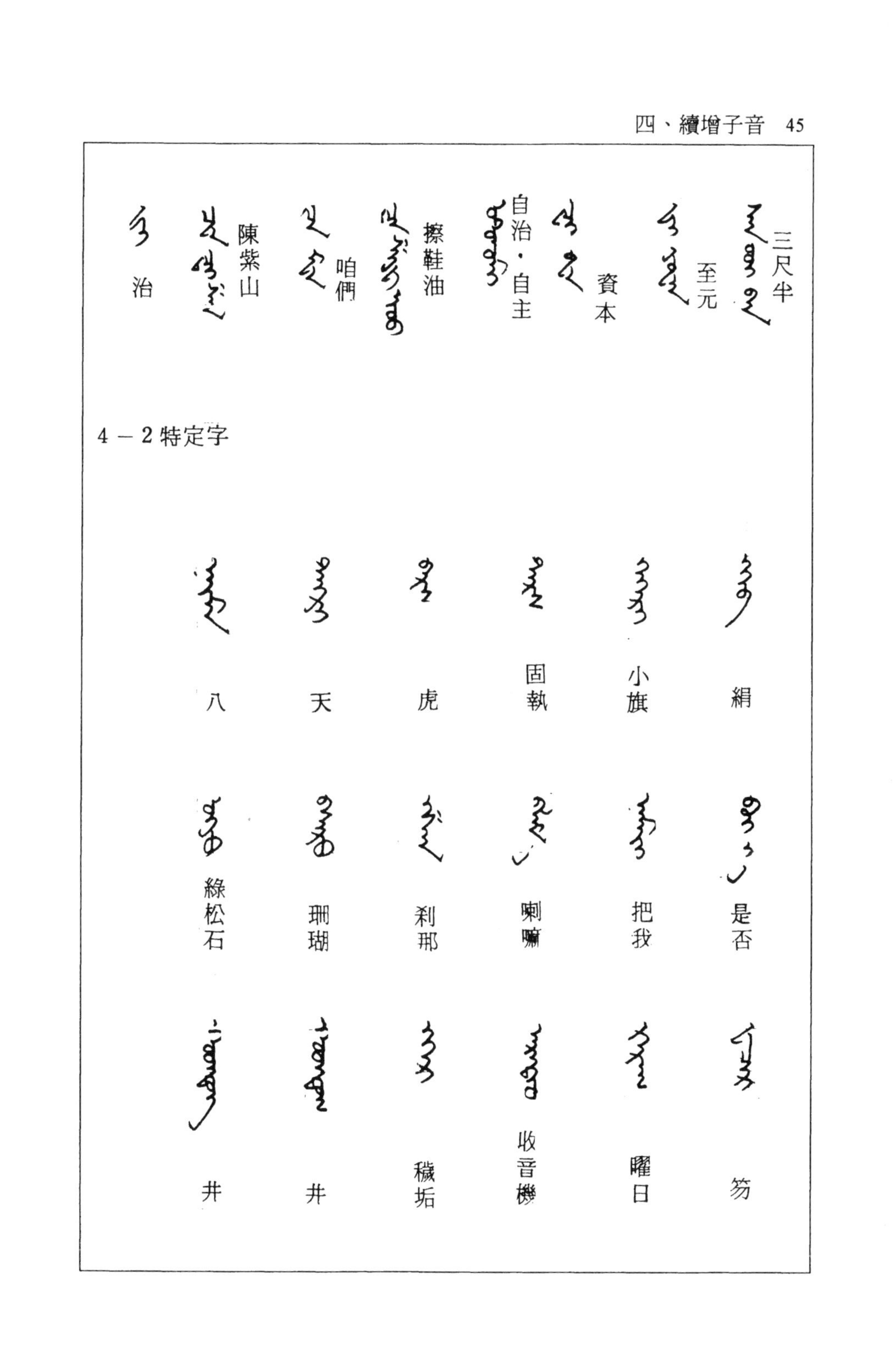

三尺半

至元

資本

自治・自主

擦鞋油

咱們

陳紫山

治

4－2特定字

絹

小旗

固執

虎

天

八

是否

把我

喇嘛

刹那

珊瑚

綠松石

笏

曜日

收音機

穢垢

井

井

說明：㈠續增輔音原來在蒙古語裏所沒有，但近代息爾立蒙文（Cyrillic Mongolian）裏皆納入爲正式字，這六個輔音，由於用在拼寫外來語，故與七個元音不相和諧之處參看後面的綴字練習部份。

㈡ 〔BLAMA〕爲西藏語，近代拉薩首府爲中心的西藏語裡此語首不發音的「B」消失，但在書寫形式上仍然要寫出來，近代蒙古文裡已消失。

㈢ 〔NAIMAN〕意爲「八」，蒙古古代部落王國中有「乃蠻」部或「乃蠻」 國，即今之奈曼旗。此字易與 混淆，譬如我們寫如 〔NAIMAN〕時，不知是指「八」旗或「奈曼」旗，爲分別清楚起見，乃有此特用字「 」較「 」少一個牙出現，但發音完全相同。

㈣其他特用字有的爲古寫形式定形未改，有的爲船來語音譯形定形之字，不便逐字說明省略。

4－3 子音和子音綴連成字者，在蒙古語裏非常罕見，爲人所知者僅三言兩語。

① 〔M?Z〕牙縫裏有東西時，上下牙和嘴唇合閉後，突開雙唇，而由牙縫往裏吸氣之聲音，其音如「吱吱」。

② 〔D?Z〕讚美時，舌尖抵住上顎後，突然往裏離開，所發出來的聲音，其音如「喳喳」。

4－4 獨一單字構成之句子

① 〔ALI〕那一個，請你給我。

② 〔MAI〕或〔MA〕給你拿去。

③ 〔JILI〕不關你死活，走吧！

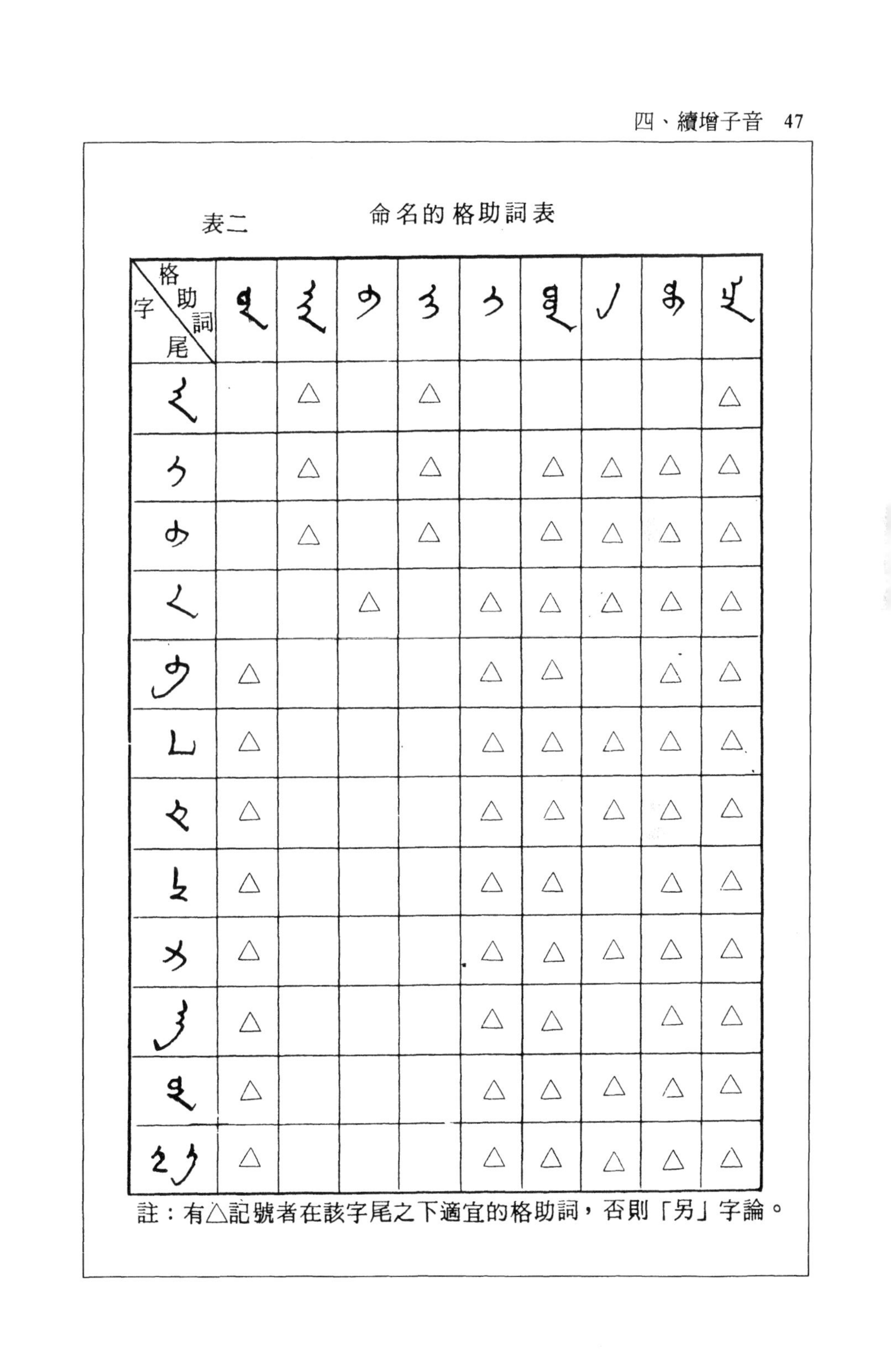

表二

命名的格助詞表

格助詞＼字尾	[illegible]	[illegible]	[illegible]	[illegible]	[illegible]	[illegible]	[illegible]	[illegible]	[illegible]
[illegible]		△		△					△
[illegible]		△		△		△	△	△	△
[illegible]		△		△		△	△	△	△
[illegible]			△		△	△	△	△	△
[illegible]	△				△	△		△	△
[illegible]	△				△	△	△	△	△
[illegible]	△				△	△	△	△	△
[illegible]	△				△	△		△	△
[illegible]	△				△	△	△	△	△
[illegible]	△				△	△		△	△
[illegible]	△				△	△	△	△	△
[illegible]	△				△	△	△	△	△

註：有△記號者在該字尾之下適宜的格助詞，否則「另」字論。

五、命名的格助詞之例句（見表二）

5—1

叫做 ［GONGSHIIL］用在以元音及「N」以外的字母終止的字之下，即 等八種字尾之下，皆可使用，其意與漢語「的」字的意思相當。它本身無固定的音，依前居字的字尾連續發音 例如：

① 〈GUN〉 ：

② 〈SUN〉 ：

③ 〈LUN〉 ：

④ 〈MUN〉 ：

⑤ 〈DUN〉 ：

⑥ 〈RUN〉 ：

⑦ 〈BUN〉 ：

⑧ 〈UN〉 ：

① 故土如黃金。

② 國軍強大。

③ 百年來以畜牧爲業。

④ 文語不易讀。

⑤ 民意代表。

⑥ 家人會面（團聚）。

⑦ 亞洲鐵人。

⑧ 吉爾嘎郎的房子是新的。

5－2

[illegible] [IN] 叫做 [illegible] [HEISBÜRI]，用在元音字母終止的字之下，與漢語「的」字的意思相當。例如：

① [illegible]

② [illegible]

③ [illegible]

④ [illegible]

⑤ [illegible]

⑥ [illegible]

⑦ [illegible]

①把老師給的功課在家練習了。

②臨走之前把要帶的東西準備好了。

③早課上完之後走吧！

④把午飯吃過後來的。

⑤綿羊肉的味道好。

⑥先生的大名怎樣稱呼。

⑦在遊牧社會裏保存歷史文物很難。

5－3

[illegible] [NU] 叫做 [illegible] [HÜNGHER]，用在 [N] 輔音終止的字之下，與漢語「的」字的意思相當。例如：

ⓖ [illegible]

ⓕ [illegible]

ⓔ [illegible]

ⓓ [illegible]

ⓒ [illegible]

ⓑ [illegible]

ⓐ [illegible]

ⓖ 這個人說的對

ⓕ 為什麼？

ⓔ 他的書。

ⓑ 我們的國家。

ⓒ 您的弟弟。

ⓑ 松樹的葉子。

ⓐ 人的力。

註：「ᠶᠢᠨ」是「ᠤ」的口語形，也是用在〔N〕輔音終止的字之下，例如：

⑤ [illegible]

④ [illegible]

③ [illegible]

② [illegible]

① [illegible]

⑤ 將馬上的馱物卸下住宿。

④ 我向大家問了安。

③ 蒙古駱駝是雙峯的。

② 他個子雖小，聲音卻很大。

① 我正在蒙文組裏學蒙文。

5－4

[illegible] 叫做 [illegible]（HINGHIR），用在元音終止的字之下，其意以「對象」的心情表示，相當於漢語的「把」、「以」、「將」等字，例如：

① [illegible] ① 迎接貴兄而來的。

② [illegible] ② 把這肉以廉價出售。

③ [illegible] ③ 我騎馬。

④ [illegible] ④ 我騎這一匹馬。

⑤ [illegible] ⑤ 您不認識我。

⑥ [illegible] ⑥ 要聽老師的話。

5－5

[illegible] 叫做 [illegible]（BAGA HINGHIR）。用在輔音終止的字之下，意思與「[illegible]」一樣，原來也叫做「[illegible]」。為了與「[illegible]」分別起見，多加了一個「[illegible]」。它本身無固定的音，依前居字字尾的音來變，例如

① [illegible] 〈LI〉 [illegible] ① 正在讀把老師給的功課。

② [illegible] 〈NI〉 [illegible] ② 把特別貴賓親自招待。

5－6

依前居字的字尾而定。例如：

叫做（TÜRGEN GONGSHIL），表示複數。其讀音不定，

⑧ 〈BI〉

⑦ 〈SD〉

⑥ 〈R D〉

⑤ 〈MI〉

④ 〈GI〉

③ 〈N I〉

⑧ 點臘燭吃晚飯。

⑦ 坐着唸擒服夜叉的經文。

⑥ 把槍刺朝上拿着。

⑤ 吉利瑪是武藝學得很好的人。

④ 把阿木古郎打發去呈文。

用

③ 把不重要的機構取消，減少費

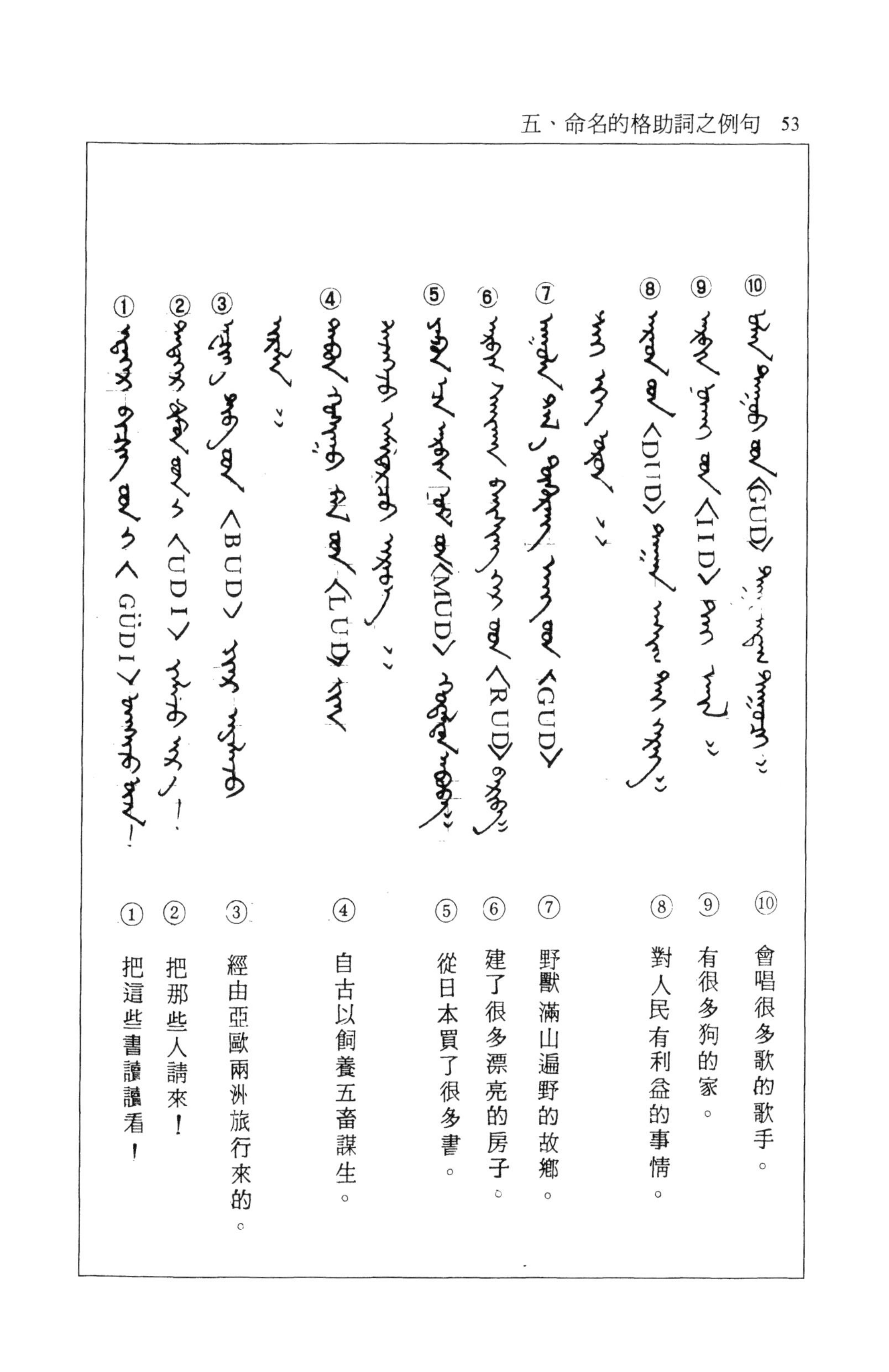

⑩ 會唱很多歌的歌手。

⑨ 有很多狗的家。

⑧ 對人民有利益的事情。

⑦ 野獸滿山遍野的故鄉。

⑥ 建了很多漂亮的房子。

⑤ 從日本買了很多書。

④ 自古以飼養五畜謀生。

③ 經由亞歐兩洲旅行來的。

② 把那些人請來！

① 把這些書讀讀看！

[illegible] ::

⑧ [illegible]〈GA〉[illegible]〈HA〉[illegible]

⑦ [illegible]〈NA〉[illegible] ::

[illegible] ::

⑥ [illegible]〈A〉[illegible]

[illegible] ::

⑤ [illegible]〈LAMA〉[illegible]〈ME〉[illegible]

④ [illegible]〈RA〉[illegible] !

③ [illegible]〈DE〉[illegible] ::

② [illegible]〈IE〉[illegible] ::

① [illegible]〈IA〉 ::

⑧ 叔父跟哥哥打獵去了。

⑦ 請閣下指教。

被看見了。

⑥ 在草原中間，一座蒙古包

⑤ 在喇嘛廟裏受戒當喇嘛。

④ 同學們，好好唸書吧！

③ 親愛的朋友們，努力吧！

② 在運動場上玩吧！

① 我現在走吧！

5－7

ᠠ 叫做 [illegible]（CHACHULGA）意即「分開接的前出尾」它有元音作用，在元音「I」、「U」及輔音「L」、「M」、「R」、「D」之下使用，例如：

⑨ 〈WA〉 〈WA〉

⑨ 阿蘭娘娘正在抹粉打扮。

：

5－8

叫做 （URTU HŬNGHER）。這個格助詞的意思，即漢語的問句「嗎」。但其讀音依前居字尾音而不同，在「I」、「U」兩個元音及「N」、「B」、「L」、「M」、「S」、「R」、「D」、「G」、「NG」等九個輔音之下，皆可接用。例如：

① 〈IU〉：

① 會讀嗎？

② 〈YU〉：

② 這個年青人是他的弟弟嗎？

③ 〈NU〉：

③ 您說過了嗎？

④ 〈BU〉：

④ 這是您買的臘燭嗎？

⑤ 〈LU〉：

⑤ 那是您的靴子嗎？

⑥ 〈MU〉：

⑥ 這是您常唸的書嗎？

⑦ 〈SU〉：

⑦ 您所喜歡的是這個玉石嗎。

⑧ 〈RU〉：

⑧ 這一所房子是您的嗎？

④ [illegible]

④ 以口頭和書面報告事實。

③ [illegible]

③ 東胡與匈奴並非一部族是已知的

② [illegible]

② 白天和晚上都看書的人。

① [illegible]

① 吃和穿在人的生活中不可或缺。

6－1

「ᠪᠠ」是蒙文裏最主要的連接詞，意爲「和」、「與」、「及」。例如：

六、未命名的格助詞之一（見表三）

⑪ [illegible] 〈GU〉

⑪ 您的大名叫吉爾嘎郎嗎？

⑩ [illegible] 〈GU〉

⑩ 這是你出生的故鄉嗎？

⑨ [illegible] 〈DÜ〉

⑨ 這個人的名字是奇木德嗎？

表三

未命名的格助詞表

格助詞 ＼ 字尾	[illegible]	[illegible]	[illegible]	[illegible]	[illegible]	[illegible]	[illegible]	[illegible]	[illegible]
[illegible]			△	△	△		△	△	△
[illegible]			△	△	△		△	△	△
[illegible]			△	△	△		△	△	△
[illegible]	△	△			△		△	△	△
[illegible]	△	△			△	△	△	△	△
[illegible]	△	△			△		△	△	△
[illegible]	△	△			△		△	△	△
[illegible]	△	△				△	△	△	△
[illegible]	△	△				△	△	△	△
[illegible]	△	△					△	△	△
[illegible]	△	△				△	△	△	△
[illegible]	△	△				△	△	△	△

[Mongolian script]

個詞裏不能連綴在一起．

③ [Mongolian script]

③ 陽性元音和陰性元音在一

② [Mongolian script]

② 把眞的和假的都說了。

① [Mongolian script]

① 有無所見所聞之事？

6－2

[Mongolian script] 意爲「和」、「而且」以及「及」、「且」、「零」等等。

ⓒ 〈[Mongolian script]〉我們大家，此「[Mongolian script]」爲古代代名詞非連接詞。

ⓑ [Mongolian script]

ⓑ 孔孟學說。

ⓐ [Mongolian script]

ⓐ 拔都和拔雅爾兩人來了。

「[Mongolian script]」這個連接詞，有時可以省略，例如：

[Mongolian script]

們曾下訓誡。

⑥ [Mongolian script]

⑥ 成吉斯汗對其四子和弟弟

⑤ [Mongolian script]

⑤ 相同的和不同形式的房子。

[illegible] 音字和十七個子音字叫做蒙文字頭。

③ [illegible]

③ 由「ᠠ」開始的七個元

② [illegible]

② 皇帝與皇后。

[illegible]

及住都不可或缺。

① [illegible]

① 在人的生活中，衣和食以

6－3

ᠪᠠ 意為「和」、「且」、「及」……亦有「等等」之意。例如：

[illegible] 一千零二。

例如：

「ᠪᠠ」表示「零」的意思時，即使零有好幾個，仍只用一個「ᠪᠠ」表示。

⑥ [illegible]

⑥ 一百零九。

⑤ [illegible]

⑤ 有錢而且驕傲。

④ [illegible]

④ 既好吃又營養的中國飯。

[illegible]

但可與中性元音連綴。

④ [illegible]

語言之修飾一書爲講解蒙文字法和讀音的書。

⑤ [illegible]！你試試看！這裏的 [illegible] 是 [illegible] 變來的，請勿與當做格助詞用的「[illegible]」相混。

6－4

[illegible] 有三個意思①和（連接詞）②馬上、立刻（副詞）③雖然（連接詞）例如：

① [illegible]

人雖小志卻大。

② [illegible]

有了馬上要做的事。

③ [illegible]

你是 走的人。

④ [illegible]

莎玲是一個既聰明又很會講話的女孩子。

⑤ [illegible]

在巴德瑪的家裏，有電視機也有大冰箱。

③ [illegible] = [illegible] ③他和她來了（前者爲口語，後者爲文語）

② [illegible] = [illegible] ②我和你走吧（前者爲口語，後者爲文語）

① [illegible] = [illegible] ①你和我住。（前者爲口語，後者爲文語）

6－6

甲、當做「和」解釋的場合

[illegible] 有三個意思：①「和」、「跟」②「有」③當作形容詞，詞尾用茲分別說明於后：

〈[illegible]〉相混。

之學者。又輪子蒙文寫作「[illegible]」，亦寫作「[illegible]」，也不要和當作連接詞的

例如：[illegible]〈[illegible]〉[illegible] 今日之學生，明日

〈[illegible]〉相混、

※ 注意：下句中的「[illegible]」是「[illegible]」這個動詞變來的，請勿與當作連接詞用的

③ [illegible]〈[illegible]〉[illegible] ③現在已經五點了。

② [illegible] ②鐵木爾和道爾吉到舅舅家裏去了。

① [illegible] ①那裏有書和紙。

6－5

[illegible]（[illegible]）意爲「和」。

① [illegible] ① 匈奴是說突厥語的部落的祖先。

丙、當作形容詞用的場合

④ [illegible] ④ 每個人都有兩隻眼睛。

③ [illegible] ③ 我有很多書。

② [illegible] ② 您在這裏有沒有看到一個騎著黃色兩歲馬的小孩？

① [illegible] ① 我現在有事。

乙、[illegible] 當作「有」解釋的場合

⑧ [illegible] ⑧ 雪和雨夾雜而下着。

⑦ [illegible] ⑦ 和他的太太孩子來的

⑥ [illegible] ⑥（你）跟我來！

⑤ [illegible] ⑤ 莎蘭和娜蘭姐妹兩人。（句中的 [illegible] 省略了）

④ [illegible] ④ 你和（我）我們兩人。（句中的 [illegible] 被省略了）

6－7

② [illegible] 。

① [illegible] 。

這兩個字都是文語。

[illegible] 與 [illegible] 意為「和」、「與」前者用於陽性字之下，後者用於陰性字之下，

⑨「[illegible]」也可以表示年齡，例如 [illegible]（二十歲）

⑧ [illegible] 。

⑦ [illegible] 。

⑥ [illegible] 。

⑤ [illegible] 。

④ [illegible] 。

※ 蒙文中有許多形容詞是名詞下面加上「[illegible]」變來的，例如：

③ [illegible] 。

② [illegible] 。

② 我和弟弟去遊玩。

① 老師和學生在研究。

⑧ 健談的人。

⑦ 工作日。

⑥ 有茶的碗。

⑤ 碗裏的茶。

④ 有志氣的人。

③ 益友。

② 他是一個有錢的人。

用「[illegible]」，這個格助詞來代替「[illegible]」與「[illegible]」。「[illegible]」這個字在陽陰性字之下，皆可表示所屬的意思，但今已完全失去其所屬性，而僅在提示 主語的地位，近代文章裏又常後者用於陰性字之下 分開連用。「[illegible]」及「[illegible]」這兩個 格助詞，原來用在主詞之下

七、未命名的格助詞之二

7－1 [illegible] [illegible] 與 [illegible] 爲文語，近代口語裏並沒有。前者用於陽性字之下 分開連用，

⑥ [illegible]

⑤ [illegible]

④ [illegible]

③ [illegible]

② [illegible]

① [illegible]

⑥ 從此之後。

⑤ 除此之外。

④ 那教室比這一間教室大。

③ 弟弟比哥哥高。

② 從多倫到了達賴泊。

①生而能言嗎？

6－8 [illegible] 在連音上有 [illegible]、[illegible]、[illegible]、等讀音，都表示「自從」及「比較」之意思。

③ [illegible]

③ 我和爸爸去打獵。

7－2

分開連用。其意為「是」、「係」、「者」、「為」、「乃」等等例如：

① ᠠᠬ᠎ᠠ ᠨᠢ ᠳᠡᠭᠦᠦ ᠡᠴᠡ ᠥᠨᠳᠦᠷ ᠪᠠᠶᠢᠨ᠎ᠠ ::
② ᠲᠡᠭᠦᠨ ᠦ ᠬᠡᠯᠡᠭᠰᠡᠨ ᠨᠢ ᠵᠥᠪ ᠶᠤᠮ ::
③ ᠮᠣᠩᠭᠣᠯ ᠰᠤᠷᠤᠭᠴᠢᠳ ᠤᠨ ᠣᠯᠠᠨᠬᠢ ᠨᠢ ᠬᠢᠳᠠᠳ ᠬᠡᠯᠡ ᠮᠡᠳᠡᠨ᠎ᠡ ::
④ ᠲᠡᠷᠡ ᠥᠨᠳᠦᠷ ᠪᠠᠷᠠᠯᠠᠭᠳᠠᠨ ᠪᠠᠶᠢᠭ᠎ᠠ ᠪᠠᠶᠢᠰᠢᠩ ᠨᠢ ᠮᠢᠨᠤ ᠰᠤᠷᠭᠠᠭᠤᠯᠢ ᠮᠥᠨ ::

① 哥哥比弟弟高。
② 他說的話是對的。
③ 蒙古學生大多會漢語。
④ 那座高聳可見的樓房是我的學校

ᠪᠣᠯᠤᠨ᠎ᠠ 為文語形，ᠪᠣᠯᠤᠨ᠎ᠠ、[illegible]、ᠪᠣᠯ 為口語形，四者在陰陽性字之下，皆可分開 連用。近代口語裏多用「ᠪᠣᠯ」來提示主語，它有「是」及條件性的「如果」「假設」等含意。例如：

① ᠪᠢ ᠪᠣᠯ ᠮᠣᠩᠭᠣᠯ ᠬᠦᠮᠦᠨ ::
② ᠮᠠᠨ ᠤ ᠪᠠᠭᠰᠢ ᠪᠣᠯ ᠨᠢᠭᠡ ᠪᠣᠭᠤᠨᠢ ᠬᠦᠮᠦᠨ ᠪᠣᠯᠤᠨ᠎ᠠ ::
③ ᠭᠡᠷᠡᠯᠲᠦ ᠪᠣᠯᠤᠨ᠎ᠠ ᠲᠥᠪᠡᠳ ᠪᠦᠯᠦᠭ ᠦᠨ ᠰᠤᠷᠤᠭᠴᠢ ᠮᠥᠨ ::

① 我是蒙古人。
② 我們的老師是一位矮個子。
③ 格爾勒吐是藏文組的學生。

④ [illegible]

③ [illegible]

② [illegible]

① [illegible]

下而加「ᠤ」變成「還是」的意思，例如：

7—3

「ᠪᠣᠯ」可稱爲句尾的「是」。它有副詞、代名詞、形容詞及動詞「是」的意思。「ᠪᠣᠯ」

⑨ [illegible]

⑧ [illegible]

⑦ [illegible]

⑥ [illegible]

⑤ [illegible]

④ [illegible]

④ 這是我的馬。

③ 還是過着和以前一樣的生活。

② 今晚我要去看電影。

① 這是不是您的書？

⑨ 雖然貧窮頗有志氣。

⑧ 明天天氣好的話，我要去游泳。

⑦ 這是我的家。

⑥ 他不來的話你來吧。

⑤ 你想來的話來吧！

④ 塔塔通阿是很有學問的人。

⑤ [Mongolian]

⑥ [Mongolian]

⑦ [Mongolian]

⑧ [Mongolian]

⑤ 是的，你說的話對。

⑥ 就在本日內返回。

⑦ 這是我的書。

⑧ 還是這一個好

八、未命名的格助詞之三　8－1

[Mongolian]、[Mongolian]、[Mongolian]、[Mongolian] 等四個字，意思完全一樣，皆可表示時間、地點、理由及對象。但「[Mongolian]」與「[Mongolian]」用在元音及輔音，「N」、「L」、「M」、「NG」終止的字之下。「[Mongolian]」與「[Mongolian]」用在「G」、「R」及「B」、「S」、「T、D」等促音字之下。又「[Mongolian]」與「[Mongolian]」用於專有名詞及地名之下，「[Mongolian]」與「[Mongolian]」用於普通事物名詞及其他動詞之下，例如：

① [Mongolian]

② [Mongolian]

③ [Mongolian]

① 成吉思汗有四個兒子

② 要給他的書。

③ 寄給阿木古郎的信。

⑮ [illegible]

⑭ [illegible]

⑬ [illegible]

⑫ [illegible]

⑪ [illegible]

⑩ [illegible]

⑨ [illegible]

⑧ [illegible]

⑦ [illegible]

⑥ [illegible]

⑤ [illegible]

④ [illegible]

⑮ 今年打算好好努力。

⑭ 根據書上記載寫的。

⑬ 洗澡。

⑫ 在我小時候母親就去世了

⑪ 利人則利己。

⑩ 爲什麼不來這裏？

⑨ 對食物不太喜歡。

⑧ 正在被火燒焦。

⑦（預先）寫在紙上。

⑥ 在台北拜會了各地蒙古人。

⑤ 亞洲黃種人很多。

④ 早晨八時以前要到達學校。

[illegible]

㉓ [illegible]

㉒ [illegible]

㉑ [illegible]

⑳ [illegible]

※「ᠳᠤ」、「ᠲᠤ」、「ᠳᠤᠷ」、「ᠲᠤᠷ」有時可以用「ᠠ」來代替。例如：

⑲ [illegible]

⑱ [illegible]

⑰ [illegible]

⑯ [illegible]

九腳白旄旗登基。

㉓ 在斡難河之上游豎立

㉒ 掛在樹上、

㉑ 進城。

⑳ 地、土地、場所。

⑲ 做對人民有益之事。

⑱ 對國家貢獻力量。

⑰ 放在櫃子裏保管。

⑯ 今年二十歲就要入伍。

8－2

ᠪᠡᠨ、ᠢᠶᠠᠨ 前者以元音終止的字之下，分開連接；後者用於子音終止的字之下分開連接，其含意爲「將其」或對自己有關的事務（物）。

① [Mongolian script]

② [Mongolian script]

③ [Mongolian script]

④ [Mongolian script]

⑤ [Mongolian script]

⑥ [Mongolian script]

① 擠出（自己）所有精力從事研究。

② 維護（將）其自由。

③ 把您的作品我（自己）有空的時候閱讀了。

④ 高舉了（自己的）手。

⑤ 讀（自己的）書。

⑥ 教訓（自己的）兒女。

8－3

ᠪᠠᠷ、ᠢᠶᠠᠷ 爲造格格助詞。前者分開聯用於元音之下，後者分開聯用於輔音之下。二者皆可表示「手段」、「方法」、「目的」、「期間」、「狀態」等等。例如

① [Mongolian script]

② [Mongolian script]

① 用盡方法去做（方法）。

② 爲打獵而去了（目的）。

媽媽一定死了。

⑭ 他心裏以爲如來佛的

⑬ 青蛙聽了，忍不住這樣說了。

※主詞下直接加「…」，意思相當於「…」例如

⑫ 很願意回答了問句（意願）。

⑪ 讓醫生治療（使役）。

⑩ 託哲里瑪帶（使役）。

⑨ 用脚踢（用途）。

⑧ 用手寫字（用途）。

⑦ 旅行二個月（期間）。

⑥ 騎馬來（方法）。

⑤ 由窗戶看了（方法）。

④ 親身做的事情（經驗）。

③ 用皮做的靴子（用途）。

8－5

[illegible] 與 [illegible]（[illegible]）前者用於陽性字之下，後者用於陰性字之下。多用於人類有關語

⑥ [illegible] ⑥ 他的蒙古文好（修養）。

⑤ [illegible] ⑤ 回蒙古（地方）。

④ [illegible] ④ 對母親行孝的兒子（對象）。

③ [illegible] ③ 去學校（他讀書的地方）。

② [illegible] ② 手裏有槍的人（在他的）。

① [illegible] ① 他今天不在家（地點）。

8－4

[illegible] 前二者用於「G」、「R」、「B」、「S」、「T、D」等促音 [illegible] 之下，但 [illegible] 用於陽性字之下，[illegible] 用於陰性字之下，後二者用於非促音之下，但 [illegible] 用於陽性字之下，[illegible] 用於陰性字之下。四者皆為對自己有關的事物之下分開連用，具有「在於」、「對 其」等意思。例如：

⑮ [illegible] ⑮ 我整理羽毛飛到天空則如同飛翔的鳶也。

9－1 ᠰ〔S〕

② ᠦᠭᠡ ᠦᠭᠡᠰ　② 話 ↓ 話的複數

① ᠬᠦᠮᠦᠨ ᠬᠦᠮᠦᠰ　① 人 ↓ 人的複數

下列諸字皆爲表示複數，其中有的是以接尾語形式表示複數，或是以獨立形式表示複數。

九、複數字尾

⑦ 幫助他朋友。

⑥ 尊敬他老師。

⑤ 愛護他弟弟。

④ 對他哥哥很尊敬。

③ 請他舅舅吃飯。

② 不聽他媽媽的話。

① 聽他爸爸的話。

詞上，其意爲「將其」，「對其」。例如：

③ 婦女 → 婦女的複數

注意：（國家）、（魔鬼、夜叉）（錢）（寡、不足）（淺薄）等等 單複數同形，表示複數則加其他複數字尾如（多數國家）

9－2

〔D〕

① 狗 → 狗的複數

② 馬 → 馬的複數

③ 諾顏、大官 → 大官的複數

④ 塔塔爾 → 塔塔爾諸部落

⑤ 朋友 → 朋友們

⑥ 學生 → 學生們

⑦ 道德、學識 → 學者 → 學者們

⑧ 歷史 → 歷史家 → 歷史家們

⑨ 研究 → 研究者 → 研究者們

9—5

ᠨᠤᠭᠤᠳ 與 ᠨᠦᠭᠦᠳ。前者用於陽性字之下，分開連用；後者用於陰性字之下分開連用。

④ [illegible] 王公們

③ [illegible] 蒙古 → [illegible] 蒙古諸部、蒙古人們

② [illegible] 青年 → [illegible] 青年們

① [illegible] 婦女 → [illegible] 婦女們

9—4

ᠤᠳ 與 ᠦᠳ。元音之下用「ᠤᠳ」，輔音之下用「ᠦᠳ」，例如：

① [illegible] 老師們

② [illegible] 醫生們

③ [illegible] 長輩們

④ [illegible] 兄弟們

⑤ [illegible] 學生們

⑥ [illegible] 朋友們

⑦ [illegible] 徒弟們

⑧ [illegible] 您們

9—3

[illegible] 只能用於人類有關語詞上，等於漢語的「們」

注意：[illegible]（孩童）[illegible]（漢人）[illegible]（人民）[illegible]（西藏）[illegible]（唐古特）等字單複數同形。

裏跳躍而出。

④ 最後兩個威風凜凜的角力士從那

③ 做好朋友們的飯，給他們吃。

② 把山羊殺掉剝取牠的皮。

① 騎我們馬群裏最好的那一隻白馬走吧！

十、複助詞

④ 內子和孩子們。

③ 諾顏與大臣們。

② 飛禽走獸等等。

① 阿爾泰山和興安嶺等。

用，意爲同類的「等等」，和「們」，例如

⑯ 和舅舅的……一起來到這裏。

⑮ 找好吃的吃。

⑭ 到達爾漢（鐵匠）那裏。

⑬ 拿到哥哥那裏去。

⑫ 太陽未落前回家。

⑪ 由城裏買來的。

⑩ 由家出去。

⑨ 由媽媽那裏要。

⑧ 由他哥哥那裏拿來的。

⑦ 用手摸摸看。

⑥ 眼見而後知。

⑤ 今年出賽的馬，比往年多些。

十一、動詞的活用

蒙文的一切時態變化都根據語根而變，發音上有陰陽性之分。其各種形式如下：

11－1

語根（語根也可以表示命令．祈求）

① [Mongolian script] → ① 走。走！（陽性）

㉒ 依照父親的話去做。

㉑ 他生了一個男孩命名爲多爾吉。

⑳ 已平安回到故鄉了。

⑲ 你和誰一起來的？

⑱ 不但懂蒙文也懂漢文。

⑰ 和好尼欽的……一起進城。

③ ③要寫
② ②要吃（文、口語）
① ①要走
③ ③要寫（用得最普遍）
② ②要吃（口語）
① ①要走

③ ③寫嗎（今罕見，與維語同）
② ②吃嗎（文語）
① ①走嗎
③ ③要寫
② ②要吃（文語）
① ①要走

11－3 現在形與未來形
③ ③寫吧！想寫。
② ②吃吧！想吃。
① ①走吧！想走。

11－2 未來形（有「祈示」的意味在內）
③ ③寫。寫！（中性）
② ②吃。吃！（陰性）

① [illegible] 正在走　① [illegible] 正在走

11—6 進行形

③ [illegible] 不寫　（疑問詞位於動詞之前）③ [illegible] 不寫

② [illegible] 不吃（文、口語）② [illegible] 不吃（文語）

① [illegible] 不走　① [illegible] 不走

11—5 否定基本形

③ [illegible] 寫

② [illegible] 吃

① [illegible] 走

11—4 基本形（終止形）

（此為[illegible]與[illegible]合而為一之形式今罕見）

③ [illegible] 要寫　③ [illegible] 寫嗎

② [illegible] 要吃（肯定文語）② [illegible] 知道嗎（文語）

① [illegible] 要走　① [illegible] 走嗎

② ② 吃了（文、口語）　② ② 吃了（用得最普遍）（口語）

① ① 走了　① ① 走了

③ ③ 寫了　③ ③ 寫了

② ② 吃了（文語）　② ② 吃了（文語）

① ① 走了　① ① 走了

11--7 過去形

如（出）（取）（給）（起）（去）。

注意：在「G」、「R」、「B」、「S」、「T、D」等促音之下「」要改寫「」例

③ ③ 正在寫

② ② 正在吃（文語）

① ① 正在走

③ ③ 正在寫　③ ③ 正在寫

② ② 正在吃（口語）　② ② 正在吃（文語）

① [illegible] ① 做過的事　② [illegible] ② 吃過的飯

注意：「[illegible]」「[illegible]」可當形容詞用、例如：

③ [illegible] ③ 沒有寫　③ [illegible] ③ 沒有寫

② [illegible] ② 沒有吃　② [illegible] ② 沒有吃（文語）

① [illegible] ① 沒有去　① [illegible] ① 沒有去

11－8 否定過去形

③ [illegible] ③ 已經寫了

② [illegible] ② 已經吃了（過去完成式）

① [illegible] ① 已經走了

③ [illegible] ③ 剛寫或寫了　③ [illegible] ③ 已經寫了（現在完成式）

② [illegible] ② 剛吃或吃了　② [illegible] ② 已經吃了

① [illegible] ① 剛走或走了　① [illegible] ① 已經走了

③ [illegible] ③ 寫了　③ [illegible] ③ 寫了

③ 走的路

④ 賺的錢

11－9 連續形（中止形）

與 。「」用在「G」、「R」、「B」、「S」、「T、D」等促音之下，「」用於非促音之下。例如：

① 說了沒有？

② 會唸了嗎？

③ 給他帶來。

④ 拿到這裡來。

⑤ 我對你有事，你出來。

11－10 過去完成形

與 。前者用於陽性字之下，後者用於陰性字之下。例如：

① 我去台南回來的。

② 我去上都回來的。

㈠ [illegible] 與 [illegible]（[illegible]）之下。前者爲文語，後者爲口語。兩者皆可連用於陰陽性動詞

11－12 假設形的用法

④ [illegible]

③ [illegible]

② [illegible]

① [illegible]

11－11 接續形「[illegible]」，不分陰陽性，都可直接連用。例如：

⑤ [illegible]

④ [illegible]

③ [illegible]

④ 你問了老師沒有？

③ 道爾吉星期日到這裡來。

② 朝克圖由他的學校跑來了。

① 昨天雨大，在家看書了。

⑤ 雨下個不停。

④ 你讀讀看。

③ 已經坐車來到學校。

「順接」其發音隨動詞語根而變。帶有一點「條件」的口氣在內。例如：

① [Manchu] 如果下雪的話，我就不去打獵。

② [Manchu] 你去的話，我就不去。

③ [Manchu] 多吃西瓜的話，對身體好。

④ [Manchu] 喝髒水的話會生病。

⑤ [Manchu] 好好努力的話，你的功課會進步。

(二) [Manchu] 與 [Manchu] 。前者用於陽性字之下順接，後者用於陽性字之下。意爲「假如」與「條件」的意思一樣。例如：

① [Manchu] 你看的話，我就不看。

② [Manchu] 我去的話不回來。

(三) [Manchu] 與 [Manchu] 爲假設形的逆接，前者爲文語，後者爲口語。兩者皆可與陰陽性

③ ᠨᠣᠬᠠᠢ ᠳᠤ ᠬᠠᠵᠠᠭᠳᠠᠪᠠ ᠃

② ᠲᠡᠷᠡ ᠳᠡᠭᠡᠷᠡᠮᠴᠢ ᠦᠵᠡᠭᠳᠡᠭᠰᠡᠨ ᠦᠭᠡᠢ ᠃

① ᠨᠢᠭᠡ ᠪᠠᠭ᠎ᠠ ᠬᠤᠯᠠᠭᠠᠢᠴᠢ ᠪᠠᠷᠢᠭᠳᠠᠪᠠ ᠃

③ 被狗咬了。

② 那個強盜沒有被看見。

① 一個小偷被捉了。

十二、被動形

陽性動詞在語根下加「ᠭᠳᠠᠬᠤ」，陰性動詞在語根下加「ᠭᠳᠡᠬᠦ」就變成被動語態。

例如：

⑤ ᠶᠠᠭᠠᠬᠢᠵᠤ ᠪᠣᠳᠣᠪᠠᠴᠤ ᠪᠠᠰᠠ ᠣᠯᠵᠤ ᠴᠢᠳᠠᠬᠤ ᠦᠭᠡᠢ ᠃

④ ᠬᠤᠷ᠎ᠠ ᠣᠷᠣᠪᠠᠴᠤ ᠪᠢ ᠪᠠᠰᠠ ᠶᠠᠪᠤᠬᠤ ᠪᠠᠨ ᠪᠣᠯᠢᠬᠤ ᠦᠭᠡᠢ ᠃

③ ᠪᠢ ᠠᠰᠠᠭᠤᠪᠠᠴᠤ ᠲᠡᠷᠡ ᠪᠠᠰᠠ ᠬᠡᠯᠡᠬᠦ ᠦᠭᠡᠢ ᠃

② ᠰᠤᠷᠤᠪᠠᠴᠤ ᠪᠠᠰᠠ ᠴᠢᠳᠠᠬᠤ ᠦᠭᠡᠢ ᠃

① ᠢᠳᠡᠪᠡᠴᠦ ᠪᠠᠰᠠ ᠴᠠᠳᠠᠬᠤ ᠦᠭᠡᠢ ᠃

⑤ 怎麼想，也想不出來。

④ 雖然下雨，我還是要走。

③ 雖然我問了，他還是不說。

② 雖然學了，還是不會。

① 雖然吃了，還是不飽。

動詞連用，其發音隨動詞而變。意爲「雖然……可是……」例如：

⑤ 我們幫助窮人吧！

④ 我們（一起）吃吧！

③ 大家從書鋪買書吧！

② 我們走吧！

① 您們走吧！

13－1

與　　表示齊動並有輕微的命令意味。

十三、複數形

在動詞的語根與語尾之間插入下列各詞，就構成複數形前者陽性後者陰性。

※

⑤ 額爾德木吐被老師罵了。

④ 被強光晒黑了。

13－2

表示互動。

① 跟敵人廝殺。

② 摔跤著玩。

③ 和家人見面，過快樂的生活。

④ 彼此互相射擊

⑤ 箭如雨下。

13－3

表示「共同」

① 我們一齊坐吧！

② 我們正在學蒙文。

③ 我們在學校吃午飯。

④ 貴國和我國很有交情(的來往)。

⑤ 很多大官參加這次會議。

十四、各種字尾形

14－1

〔GTÜN〕字尾在語根下加 及 即構成命令形。表示教訓的意義，或者要求第二人稱從事一種工作，不分單複數。

① 今天從我們這裡離開。

② 想要看的話，就看吧！

③ 你快走！

④ 不要到這裏來！

⑤ 說實話！

⑥ 青蛙你啊！滾到遙遠的海洲上去臥著吧！

③ 祝你長命百歲。

② 好好學蒙文吧！

① 你們一路平安。

14—3

自己的希望或對第二人的希望。兩者皆爲文語形。例如：

〔TUGAI〕字尾在語根下加「…」「…」。即構成希望形，表示

⑤ 燕子說：「帶走的方法，由你指示。」

④ 我去後馬上就回來。

③ 好，喝奶子茶吧！

② 好好學蒙文吧！

① 我們現在走吧！

14—2

事或輕微的命令人家與「…」的意思相通。

〔SUGAI〕字尾在語根下加「…」、「…」表示自己希望做一件

話吧！

④ 我的親愛的你，對我說一句吉利到吧！

③ 我的誠實的朋友，你啊！平安的掉吧！

② 遇到危急的時候，把親愛的我忘！

① 為自己的故鄉誠實而勇敢的走吧

14－4

〔GARAI〕字尾在語根下加「」「」表示自己的願望或輕微的祈求。例如：

⑥ 希望你如願以償。

⑤ 要在今天之內到家。

④ 把所見之事說一說。

[illegible] ::

⑤ [illegible] ::

④ [illegible] ::

③ [illegible] ::

② [illegible] ::

① [illegible] ::

個人的意見提出來。

⑤ 如我在大員之內的話，一定把

④ 平安的到達家鄉吧！

教訓吧！

③ 在這個暑假裏，把孩子好好地

② 媽媽的病趕快好吧！

祥之頌。

① 你說的仁慈的話，對我成爲吉

14－5

「[illegible]」等 字尾表示願意做困難的事情。四者皆爲「[illegible]」「[illegible]」的口語形

[illegible] :: 〔—GASAI〕字尾在 語根下加「[illegible]」、「[illegible]」、「[illegible]」、「[illegible]」

[illegible] ::

志堅強的學吧！

⑤ [illegible]

⑤ 你學得知道的還不夠的話，意

14－6

⑥ 如我在大臣之行列的話，我能好好的分析說明。

〔-MU〕字尾的字在動詞下分開連接「※」「」「※」等字，卽構成請求形。表示希望、願望或請求上天賜予奇蹟。例如：

① 請您來這裏住幾天。

② 請您回一封信。

③ 請您不要掛念。

④ 請您趕快回信。

⑤ 想必像您說過的那樣（成功）了吧！

⑥ 請賜福祉。

十五、使役形的用法

15－1

、〔－GÜL－GÜL〕的用法 陽性字在語根與語尾之間插入「」，陰性字插入「」卽成。例如：

15－2

、〔－LGE, －LGA〕的用法，語根以「GA」、「GU」、「HI」、「AI」

⑦	便宜的	便宜 →	使便宜
⑥	綠的	變綠 →	使綠
⑤	藍的	變藍 →	使藍
④	黑的	變黑 →	使變黑，染黑
③	黃的	變黃 →	使變黃，染黃
②	金	鍍金 →	使……鍍金
①	歌	唱歌 →	使…唱歌

蒙文裏有很多動詞是由名詞、形容詞轉來的，其使役形也多為此類。例如：

②	② 吃 → →	讓他吃
①	① 走 → →	讓他走

② 驚訝 → 使…驚訝

① 害羞 → 使害羞

15－3

其他 另有一些動詞在語根與語尾之間加入「」或「」構成使役形。例如：

⑬ 飛揚 → 使飛揚

⑫ 跪 → 使跪

⑪ 到達 → 使到達

⑩ 下 → 讓下

⑨ 變大 → 使大

⑧ 自滅 → 消滅

⑦ 聽 → 使…聽

⑥ 笑 → 使…笑

⑤ 捆 → 使…捆

④ 戴 → 讓…戴

③ 坐 → 讓…坐

② 做 → 使…做

① 教 → 使教

：

」。如以「S」「D」等促音字母結尾時，則加上「」或「」即可，例如

、「YA」、「YE」結尾的動詞改作使役形時，要在語根與語尾之間加上「」或「

④ [Mongolian] ④ 這是什麼病？

③ [Mongolian] ③ 您是誰？

② [Mongolian] ② 您有好書的話，給我看。

① [Mongolian] ① 正在吃飯。

[Mongolian] 係變化不完全的動詞，並且有時可當做形容詞用。

16－1

除了上述各節動詞的接尾語及句終詞外，蒙文還有一些常用的句終詞。

十六、句終詞

例外：[Mongolian] 考試 → [Mongolian] 叫……考

⑦ [Mongolian] 自己破 → [Mongolian] ＝ [Mongolian] 使破壞

⑥ [Mongolian] 自己變小 → [Mongolian] 使……變小

⑤ [Mongolian] 自己變長 → [Mongolian] 使變長，把……拉長

④ [Mongolian] 沈澱 → [Mongolian] 使…沈澱

③ [Mongolian] 火旺 → [Mongolian] 使火旺

[illegible]

⑥ [illegible]

⑤ [illegible]

④ [illegible]

③ [illegible]

② [illegible]

① [illegible]

16－2

[illegible] 係變化不完全的動詞，可用作連接詞，動詞或問句，不拘字性。例如：

⑦ [illegible]

⑥ [illegible]

⑤ [illegible]

⑥ 這並不是兩隻燕子（想出來）的好辦法，是我（想出來）的好辦法。

⑤ 讓道爾吉或拔都到這裏來。

④ 用口頭或書面詳細的報告。

③ 阿里坦三大里可汗的末子是孛兒特赤那。

② 你有好一點的辦法嗎？

① 我有三子一女。

⑦ 知道偏方經典。

⑥ 考察這裏所有情形。

⑤ 也許那樣吧。

⑦ 是我聖君的力量也！

⑧「吾君平安嗎？你爲何回來了」
這樣問了。

⑨ 開始時較難矣！

ᠪᠠᠢᠨ᠎ᠠ 這是斷定詞

16—3

① 那很好。

② 很多人參加了額包祭，十分熱鬧

③ 今年出賽的馬，比往年多很多。

④ 這就是所謂醫生的藥也好，偏方
也好，都有效。

⑤ 未有小人而仁者也。

④ [illegible]

③ [illegible]

② [illegible]

① [illegible]

例如：

ᠪᡳᡥᡝᠨᡳ 是 ᠪᡳ 的過去式，是變化不完全的動詞，相當於中文的「啊」、「呢」。

16－4

⑧ [illegible]

⑦ [illegible]

⑥ [illegible]

④ 舜之不告而娶，何也？

貓，眞的受戒了呀？」

③ 小老鼠這樣想：「這隻

② 他走了啊！

① 那是那樣啊！

⑧ 士而懷居，不可以爲士矣。

⑦ 齊桓公正而不譎。

⑥ 驥不稱其力，稱其德也

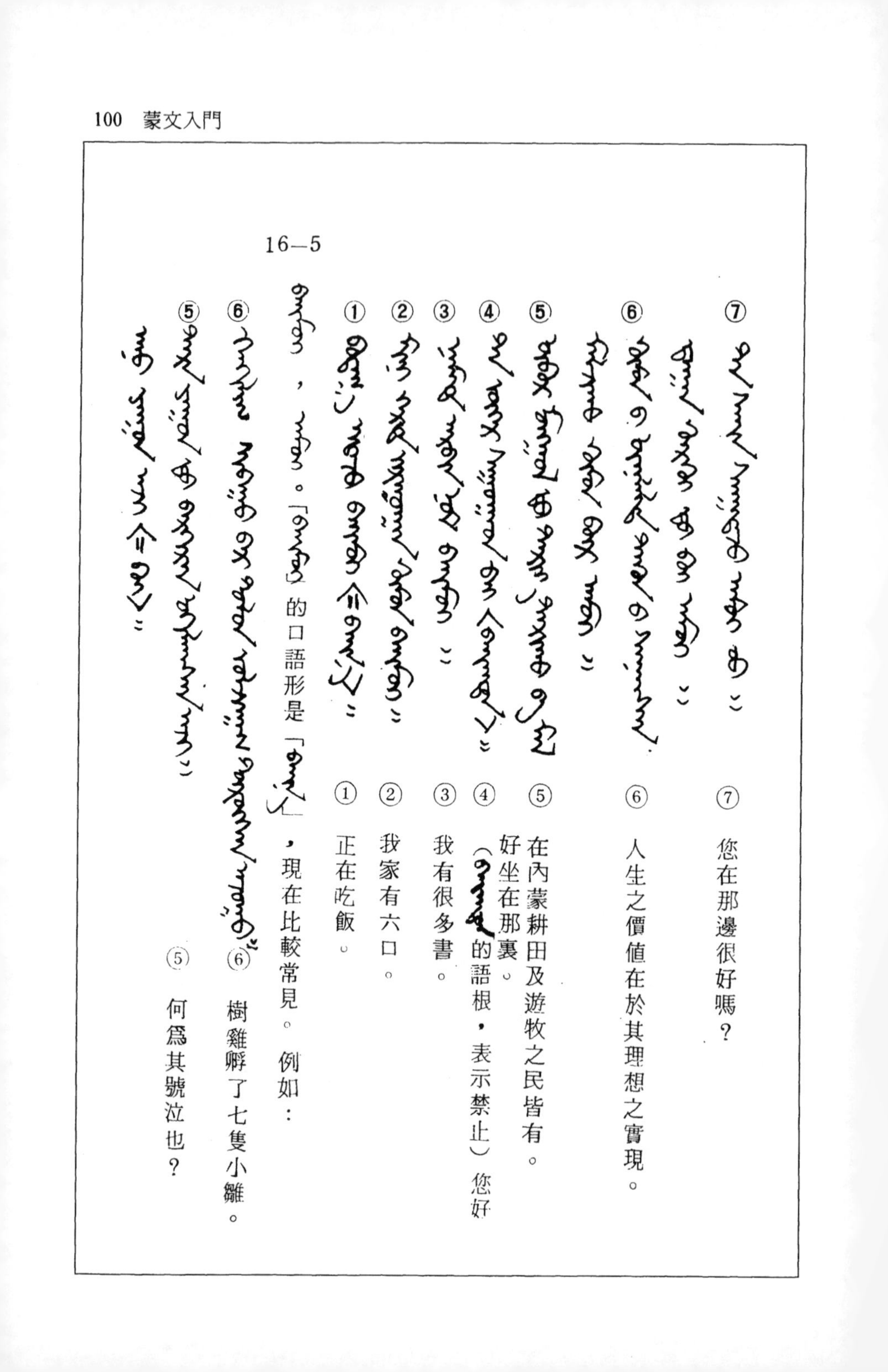

⑦ [illegible]

⑥ [illegible]

⑤ [illegible]

④ [illegible]

③ [illegible]

② [illegible]

① [illegible]

⑦ 您在那邊很好嗎？

⑥ 人生之價值在於其理想之實現。

⑤ 在內蒙耕田及遊牧之民皆有。

④ （[illegible]的語根，表示禁止）您好坐在那裏。

③ 我有很多書。

② 我家有六口。

① 正在吃飯。

16—5

[illegible]，[illegible]。「[illegible]」的口語形是「[illegible]」，現在比較常見。例如：

⑥ [illegible]

⑤ [illegible]

⑥ 樹雞孵了七隻小雛。

⑤ 何爲其號泣也？

16－6

⑧ 蓬車裡確有一位成年女子。

⑨ 昔時曾有過一位捕鳥的老人。

⑩ 君子亦有其惡也。

⑪ 這裡有很多大房子。

有三個意思①「變為」②「可以」③「到」。它有語尾變化。例如：

① 不說實話可以嗎？

② 十二點是吃飯的時間。

③ 在暑假不可不回家。

④ 冰成為水。

⑤ 不好好讀書的話，拿什麼當學者呢？

16－7

ᠪᠢᠯᠡ〔BILE〕是「ᠪᠣᠯᠠᠢ」的口語形，意思是已、了，等於「[illegible]」「[illegible]」聽起來，似如「ᠪᠣᠯᠠᠢ」。例如：

① [illegible]

② [illegible]

③ [illegible]

④ [illegible]

① 去年夏天畢業的。

② 這些書幾年前買的。

③ 我們的經濟發展，有一個新聞記者曾寫過。

④ 我是如來佛之母。

16－8

ᠶᠤᠮ〔YÜM〕是口語文裡很普遍，是斷定詞的一種。例如：

① [illegible]

⑤ [illegible]

⑥ [illegible]

⑦ [illegible]

① 在別人權力之下的人，有什麼權力可言呢？

⑤ 喝一碗湯的話，不知會怎樣？

⑥ 把愛女嫁給可汗做皇后。

⑦ 你說的話是對的。

16－9

[蒙文]。有時寫作「[蒙文]」，直接連在動詞之下，意爲「又…尚未」也當做形容詞和副詞用，文口語兼用。例如：

注意：「[蒙文]」（東西）現在都寫作「[蒙文]」，請勿與當做句終詞的「[蒙文]」相混。如：[蒙文]（食物）、[蒙文]（買東西）。

[蒙文]

⑧ [蒙文]

⑦ [蒙文]

⑥ [蒙文]

⑤ [蒙文]

④ [蒙文]

③ [蒙文]

② [蒙文]

比賽的話最好不過了。

⑧ 把我們的桿子馬減食而參加

蒙古衣服呢？

⑦ 你是蒙古人，爲什麼沒有穿

？

⑥ 誰把這個奶豆腐拿出來的呢

⑤ 啊！原來你比我年長。

。

④ 所謂公務員者，靠月薪生活

③ 誰叫你坐在我前面的呢？

② 是那樣。

⑨ 僅記述了我所知的這些。

⑧ 我只知道這些，不知道那些。

⑦ 賺錢祇有這些花費也祇有那些。

⑥ 我有些年在外遊歷過。

⑤ 到現在還沒有回家來。

④ 祇有這些錢買不了字典。

③ 他還沒有來嗎？

② 他還沒有走。

① 我還沒有吃飯。

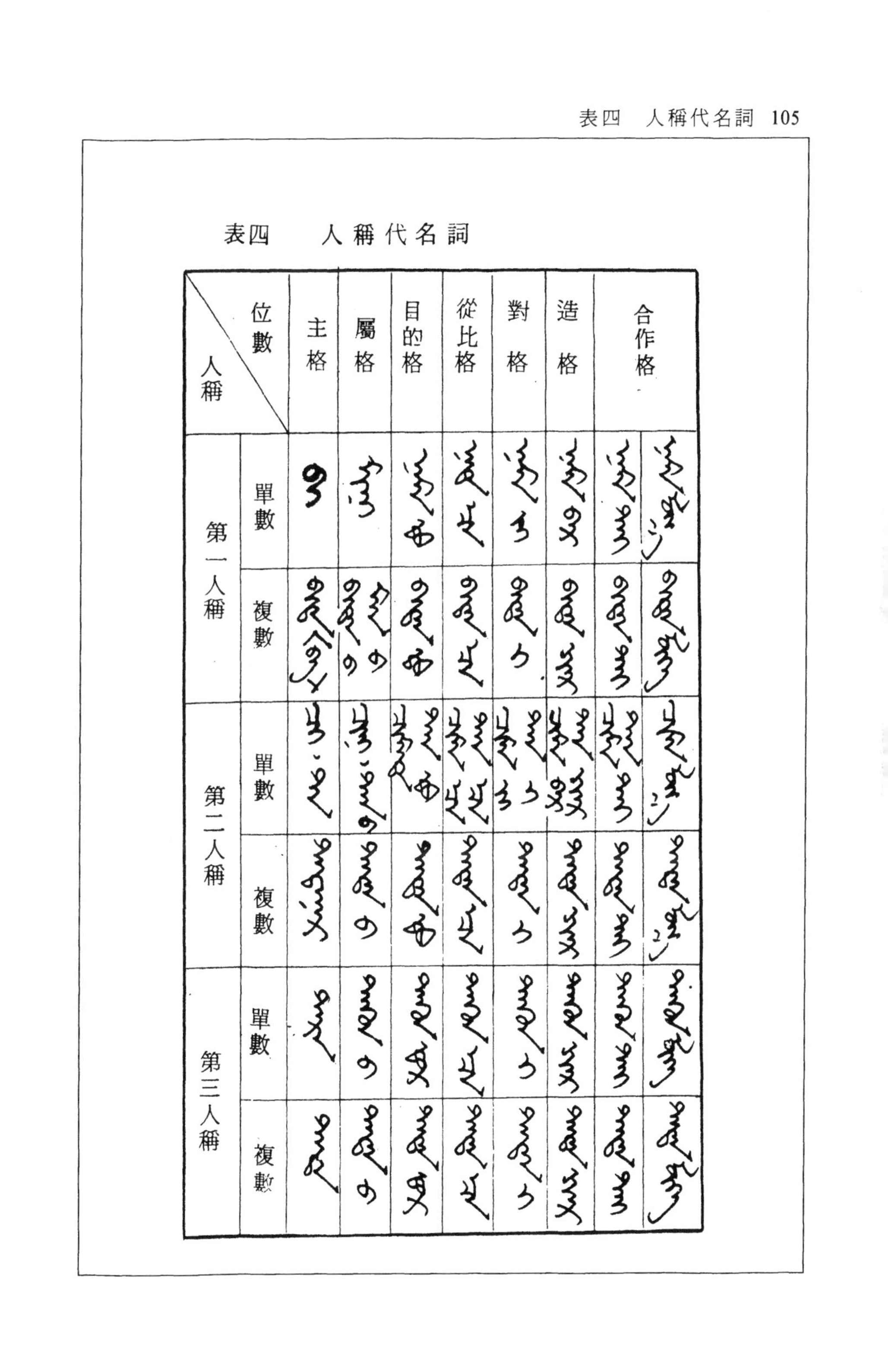

表四　人稱代名詞

人稱 / 位數		主格	屬格	目的格	從比格	對格	造格	合作格	
第一人稱	單數	[illegible]	[illegible]	[illegible]	[illegible]	[illegible]	[illegible]	[illegible]	[illegible]
	複數	[illegible]	[illegible]	[illegible]	[illegible]	[illegible]	[illegible]	[illegible]	[illegible]
第二人稱	單數	[illegible]	[illegible]	[illegible]	[illegible]	[illegible]	[illegible]	[illegible]	[illegible]
	複數	[illegible]	[illegible]	[illegible]	[illegible]	[illegible]	[illegible]	[illegible]	[illegible]
第三人稱	單數	[illegible]	[illegible]	[illegible]	[illegible]	[illegible]	[illegible]	[illegible]	[illegible]
	複數	[illegible]	[illegible]	[illegible]	[illegible]	[illegible]	[illegible]	[illegible]	[illegible]

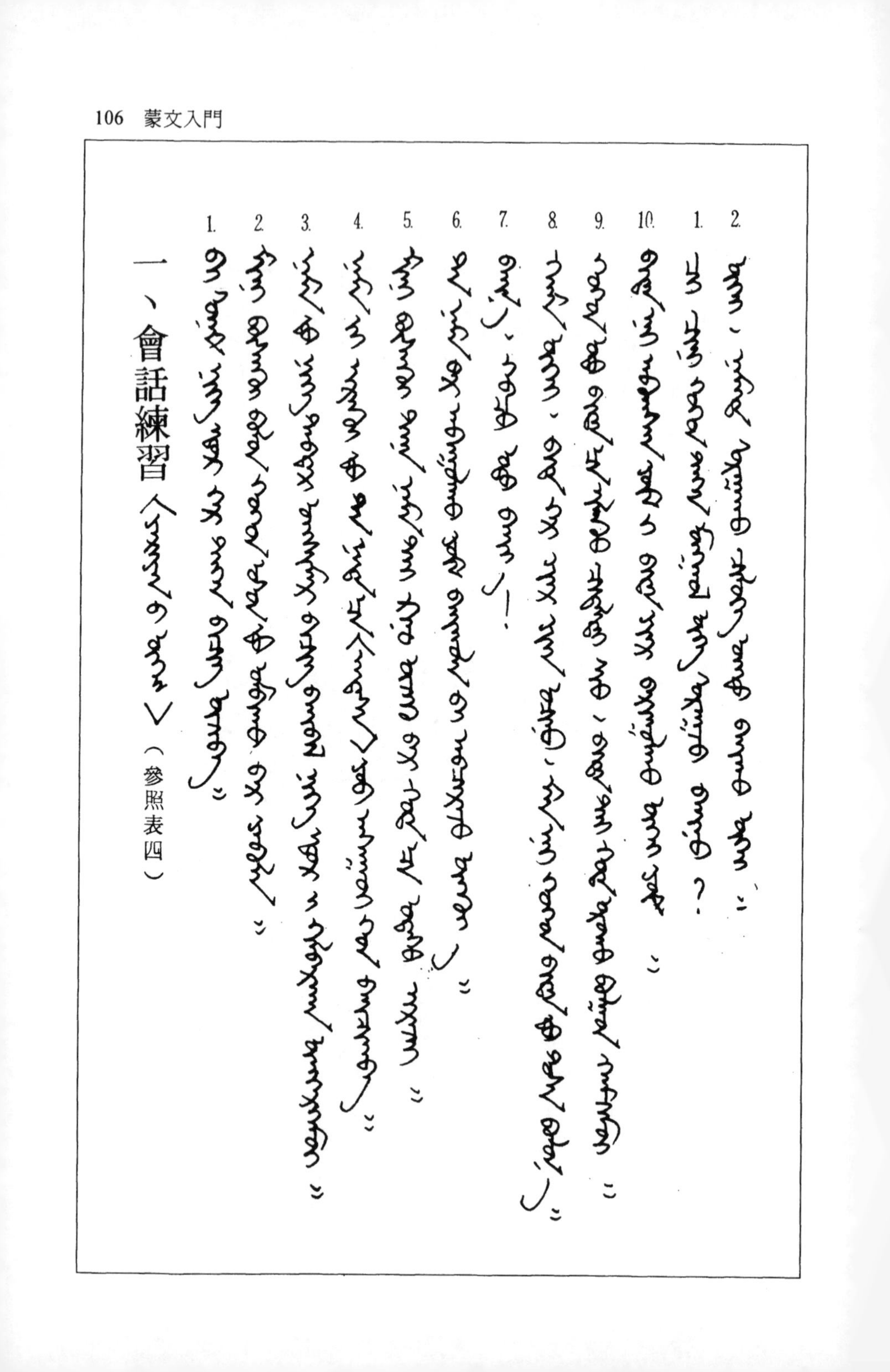

一、會話練習 〈[illegible]〉（參照表四）

1. [illegible]
2. [illegible]
3. [illegible]
4. [illegible]
5. [illegible]
6. [illegible]
7. [illegible]
8. [illegible]
9. [illegible]
10. [illegible]

1. [illegible]
2. [illegible]

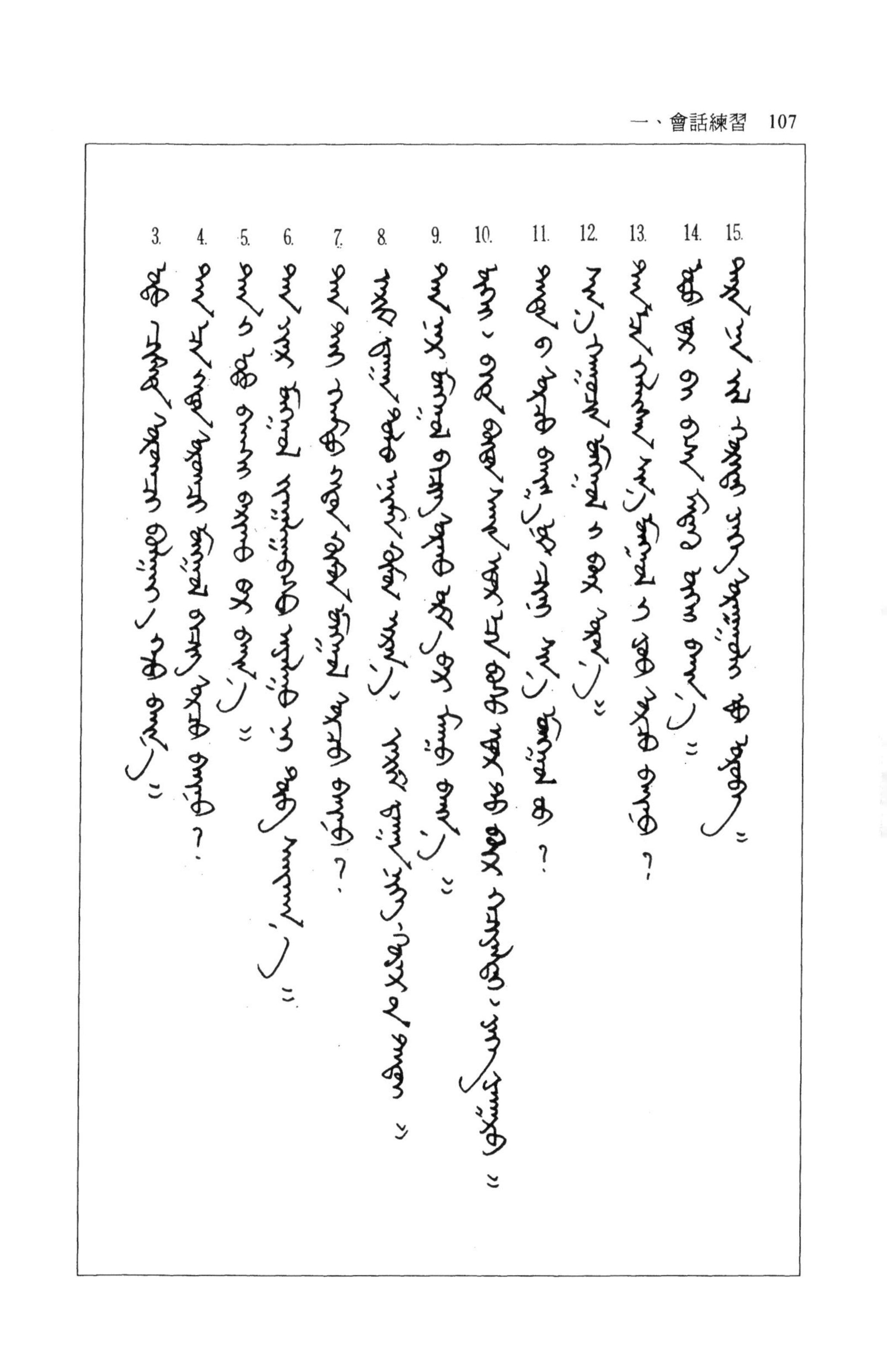

3. [illegible]

4. [illegible]

5. [illegible]

6. [illegible]

7. [illegible]

8. [illegible]

9. [illegible]

10. [illegible]

11. [illegible]

12. [illegible]

13. [illegible]

14. [illegible]

15. [illegible]

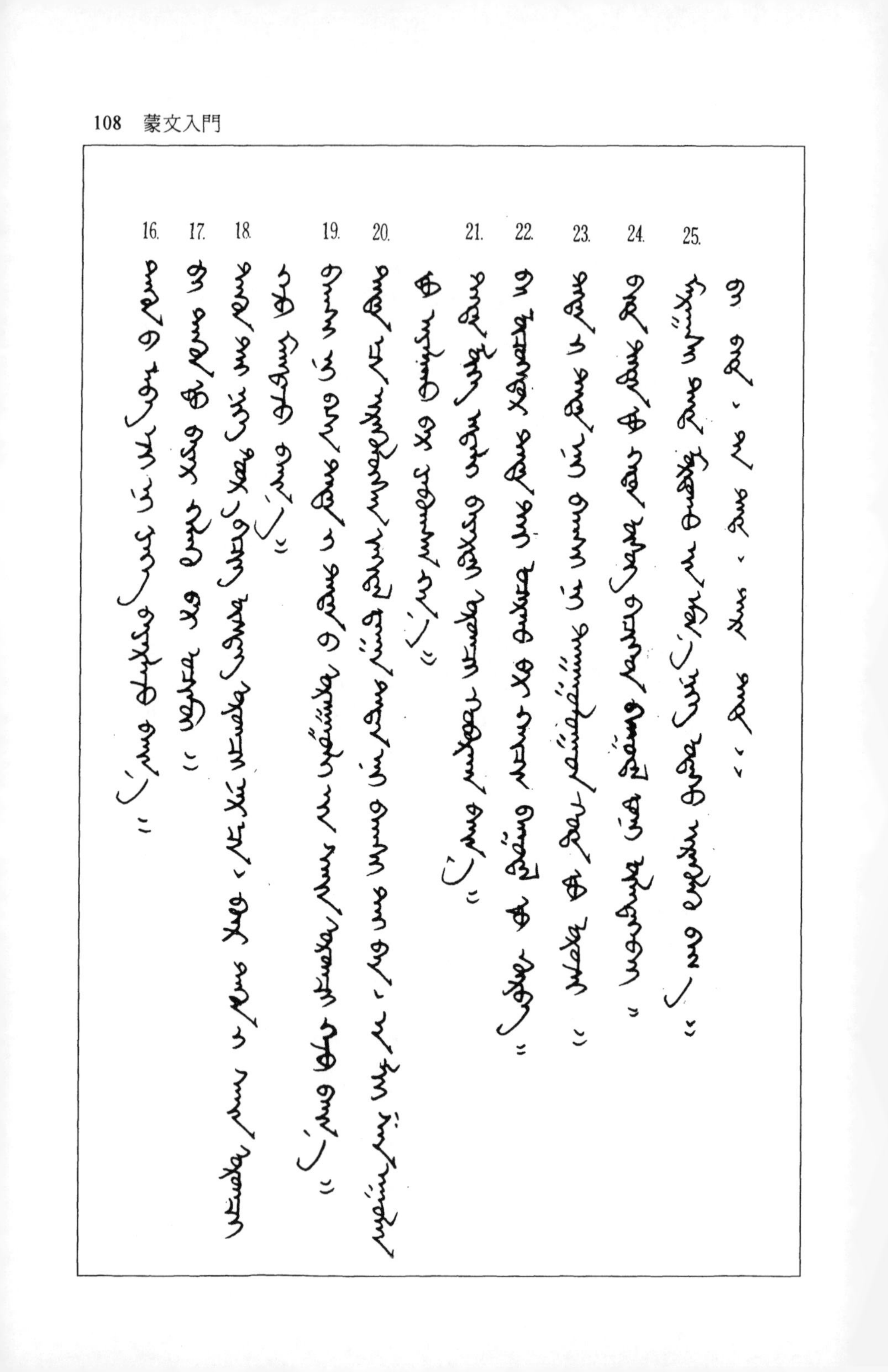

16. [illegible]

17. [illegible]

18. [illegible]

19. [illegible]

20. [illegible]

21. [illegible]

22. [illegible]

23. [illegible]

24. [illegible]

25. [illegible]

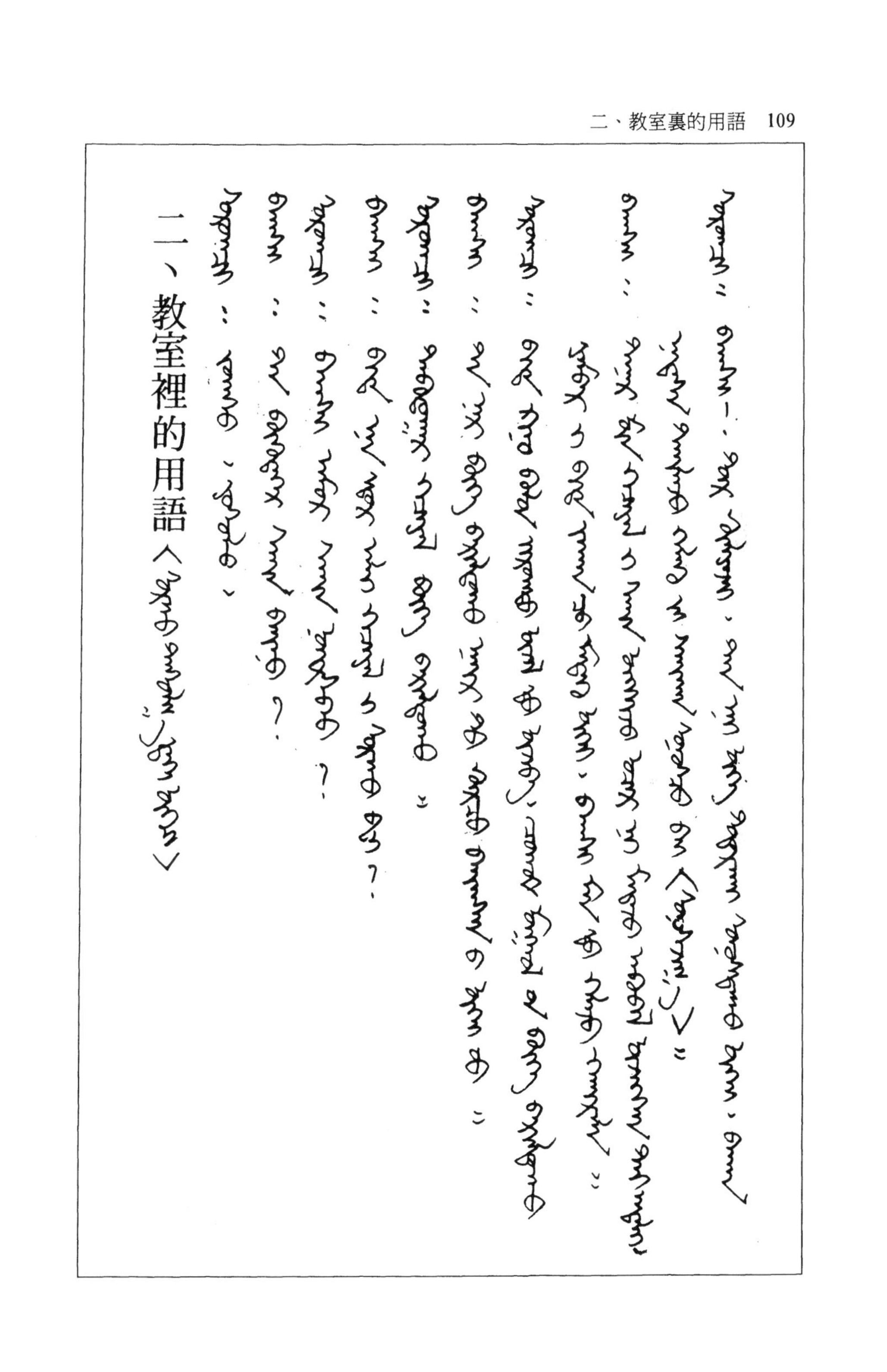

二、教室裡的用語 〈[illegible]〉

[illegible]

[illegible]

[illegible]

[illegible]

[illegible]

[illegible]

[illegible]

[illegible]

[illegible]

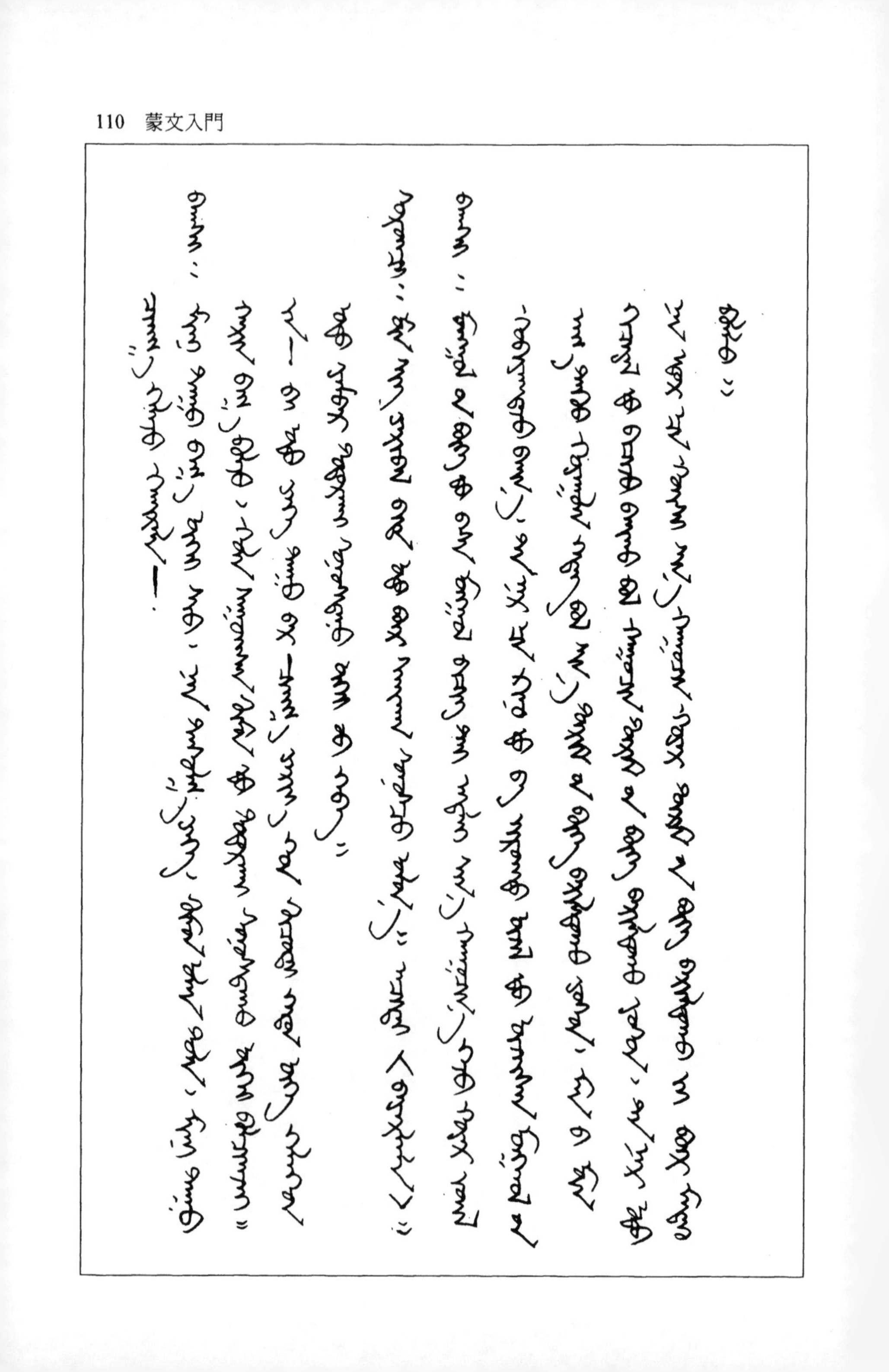

[illegible]

① ᠰᠢᠷ᠎ᠠ ᠦᠬᠡᠷ᠂（黃牛）　② ᠮᠢᠬᠠᠨ ᠦᠬᠡᠷ（肉牛）　③ ᠤᠰᠤᠨ ᠦᠬᠡᠷ（水牛）

文法提示：

三、牲畜〈ᠮᠠᠯ〉

ᠮᠠᠨ ᠤ ᠣᠷᠣᠨ ᠳᠤ [illegible] ᠮᠣᠷᠢ᠂ ᠦᠬᠡᠷ᠂ ᠲᠡᠮᠡᠭᠡ᠂ ᠬᠣᠨᠢ᠂ ᠢᠮᠠᠭ᠎ᠠ ᠲᠠᠪᠤᠨ ᠬᠣᠰᠢᠭᠤ ᠮᠠᠯ [illegible]

[illegible]

④ [illegible]　⑤ [illegible]　⑥ [illegible]

① [illegible]　② [illegible]　③ [illegible]

文法提示：

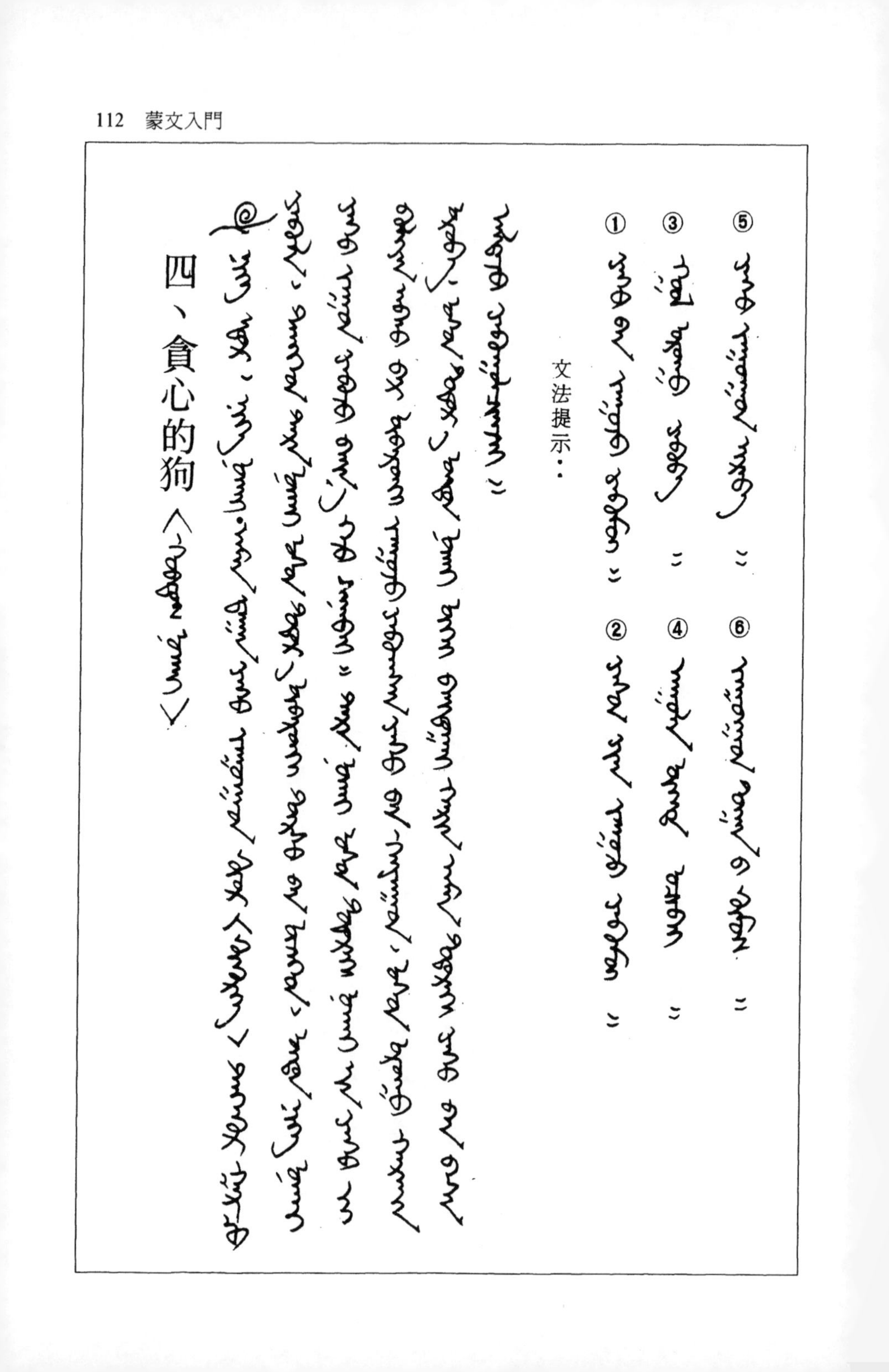

⑤ [illegible]

⑥ [illegible]

③ [illegible]

④ [illegible]

① [illegible]

② [illegible]

文法提示：

[illegible]

四、貪心的狗

[illegible]

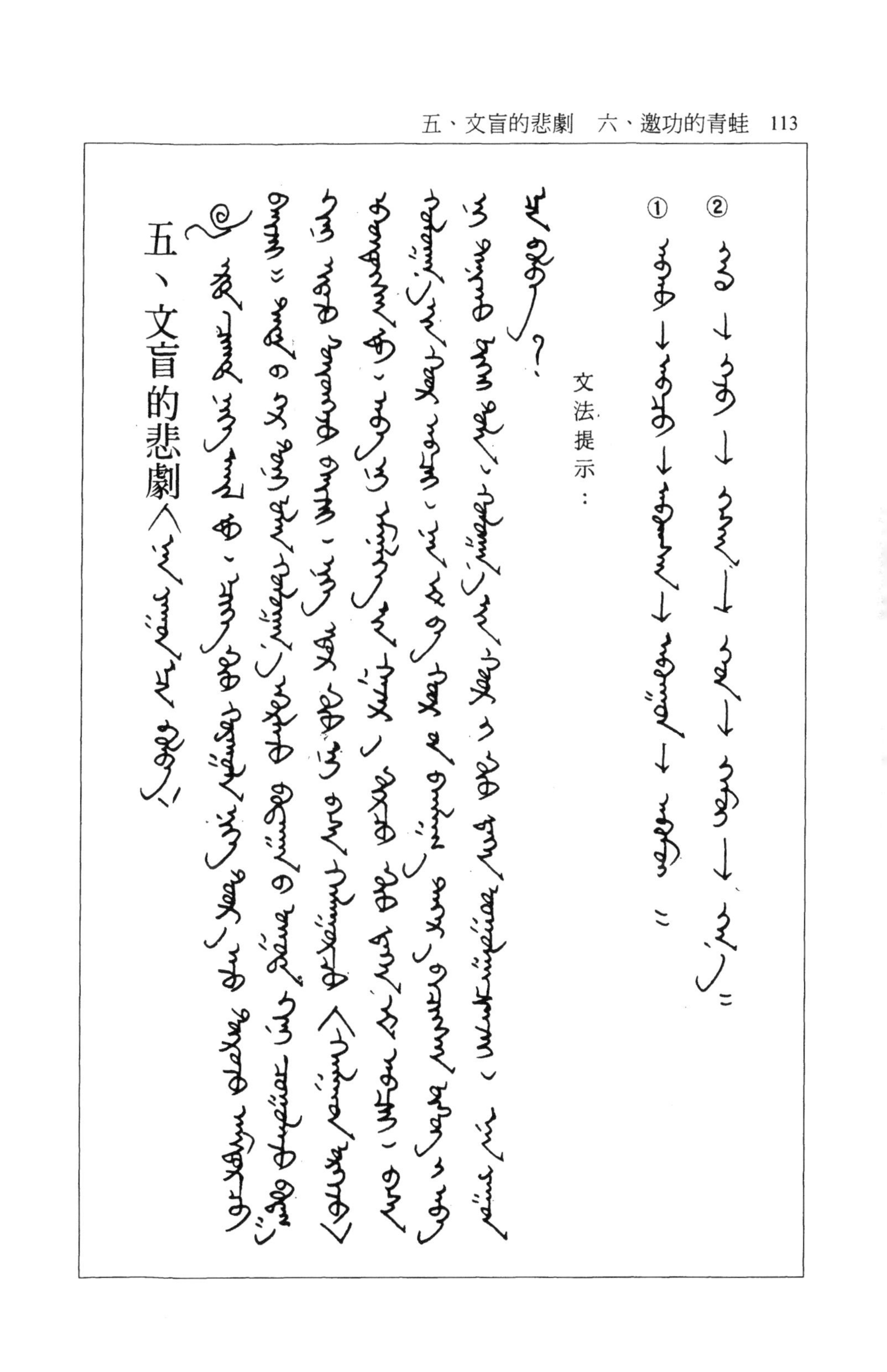

② [illegible] ← [illegible] ← [illegible] ← [illegible] ← [illegible] ← [illegible] ‖

① [illegible] ← [illegible] ← [illegible] ← [illegible] ← [illegible] ‖

文法提示：

[illegible]?

[illegible]

[illegible]

[illegible]

[illegible]

[illegible]

[illegible]

五、文盲的悲劇 〈[illegible]〉

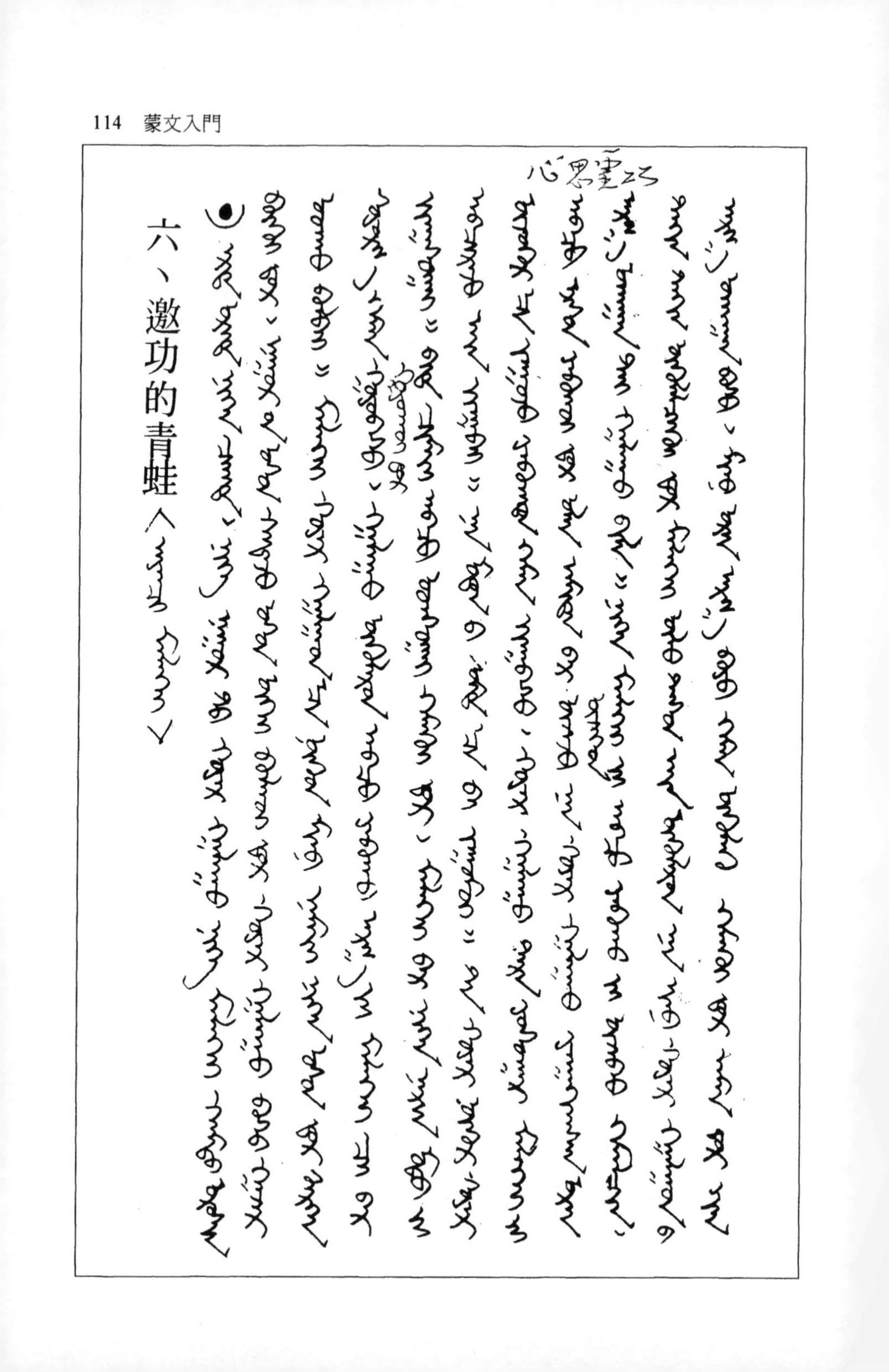

心思靈巧

[illegible]

六、邀功的青蛙 [illegible]

[illegible]

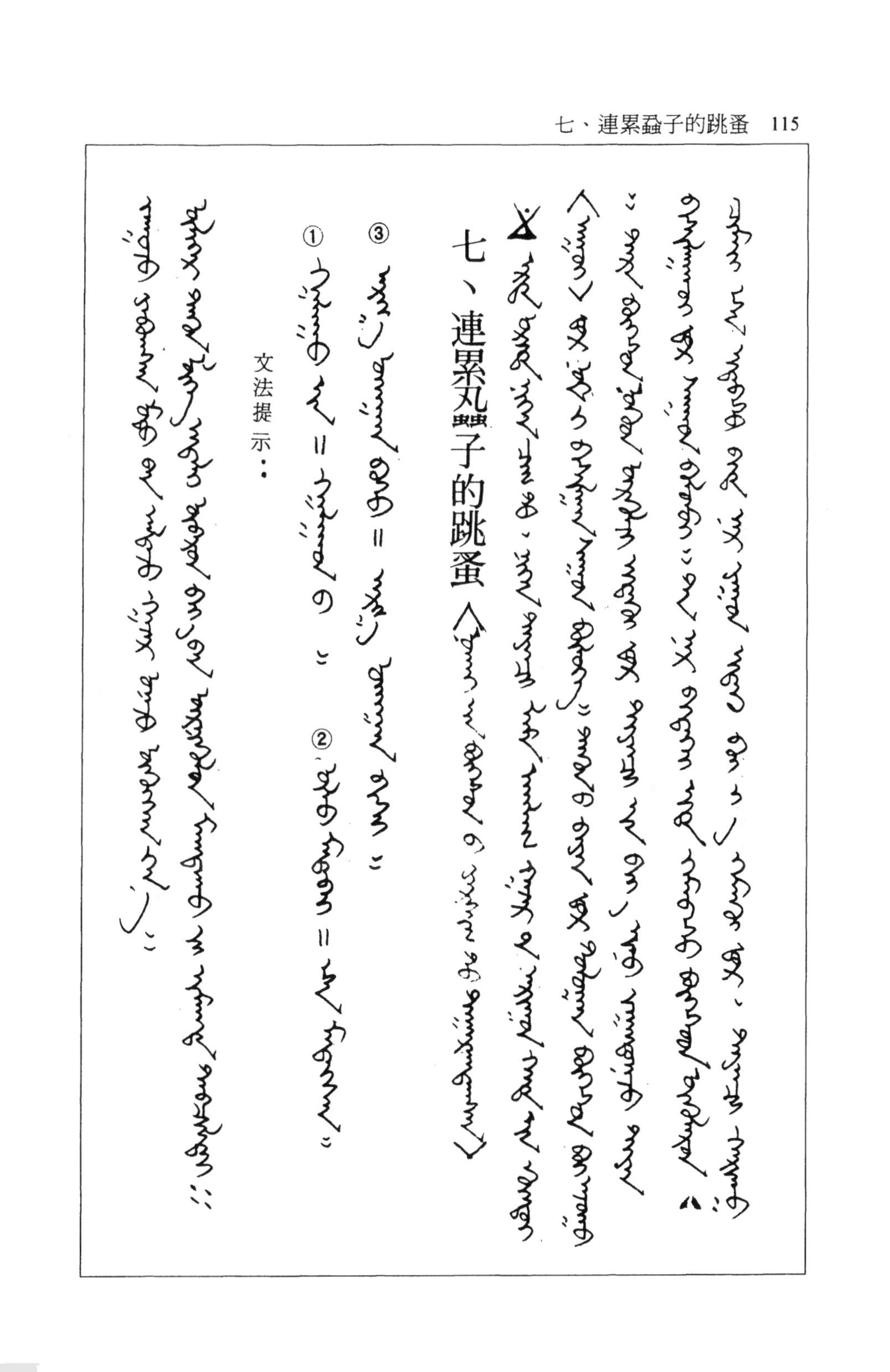

[illegible]

[illegible]

[illegible]

[illegible]

[illegible]

[illegible]

七、連累蝨子的跳蚤 [illegible]

③ [illegible] = [illegible]

① [illegible] = [illegible] ② [illegible] = [illegible]

文法提示：

[illegible]

[illegible]

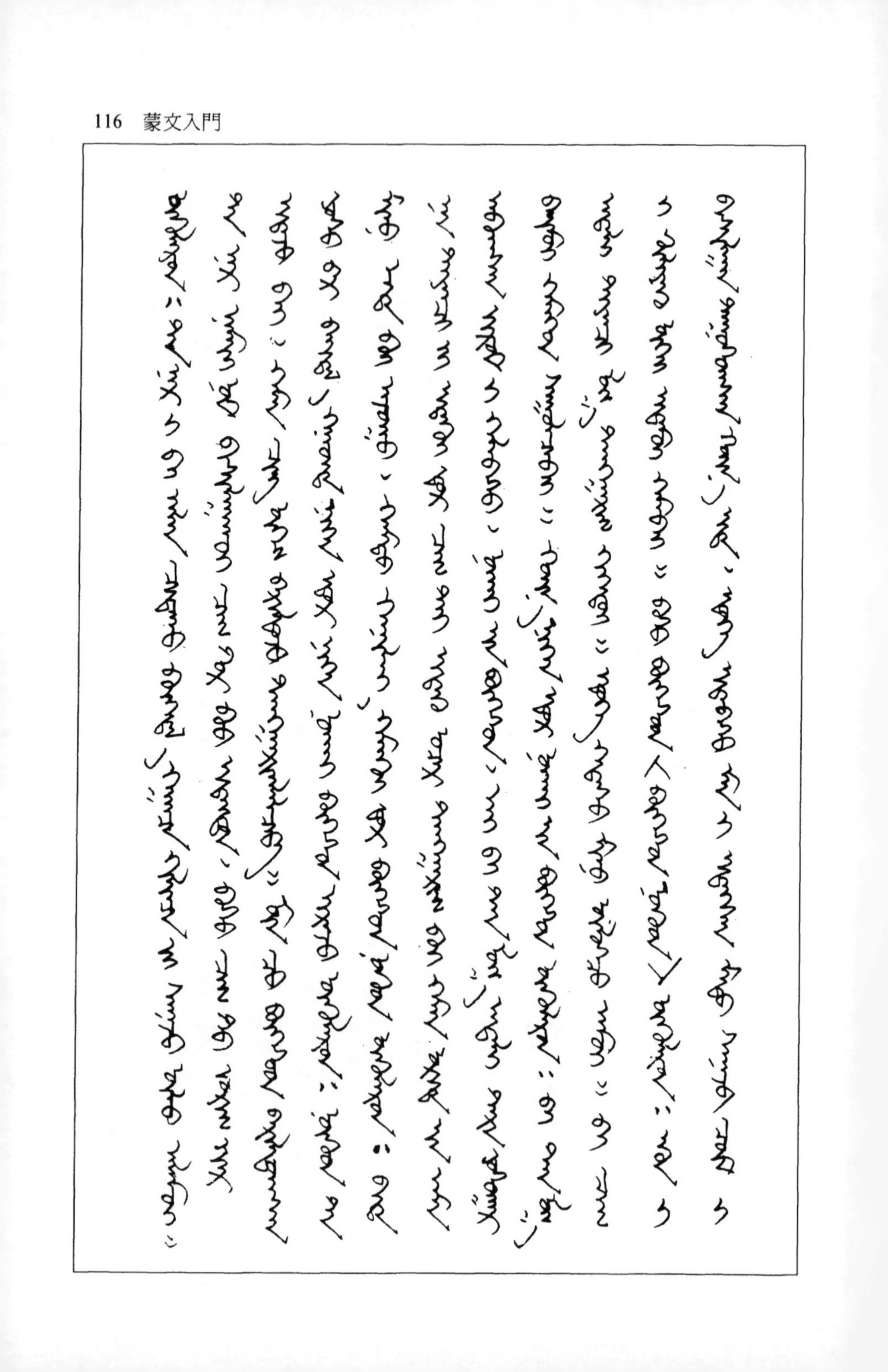

[illegible]

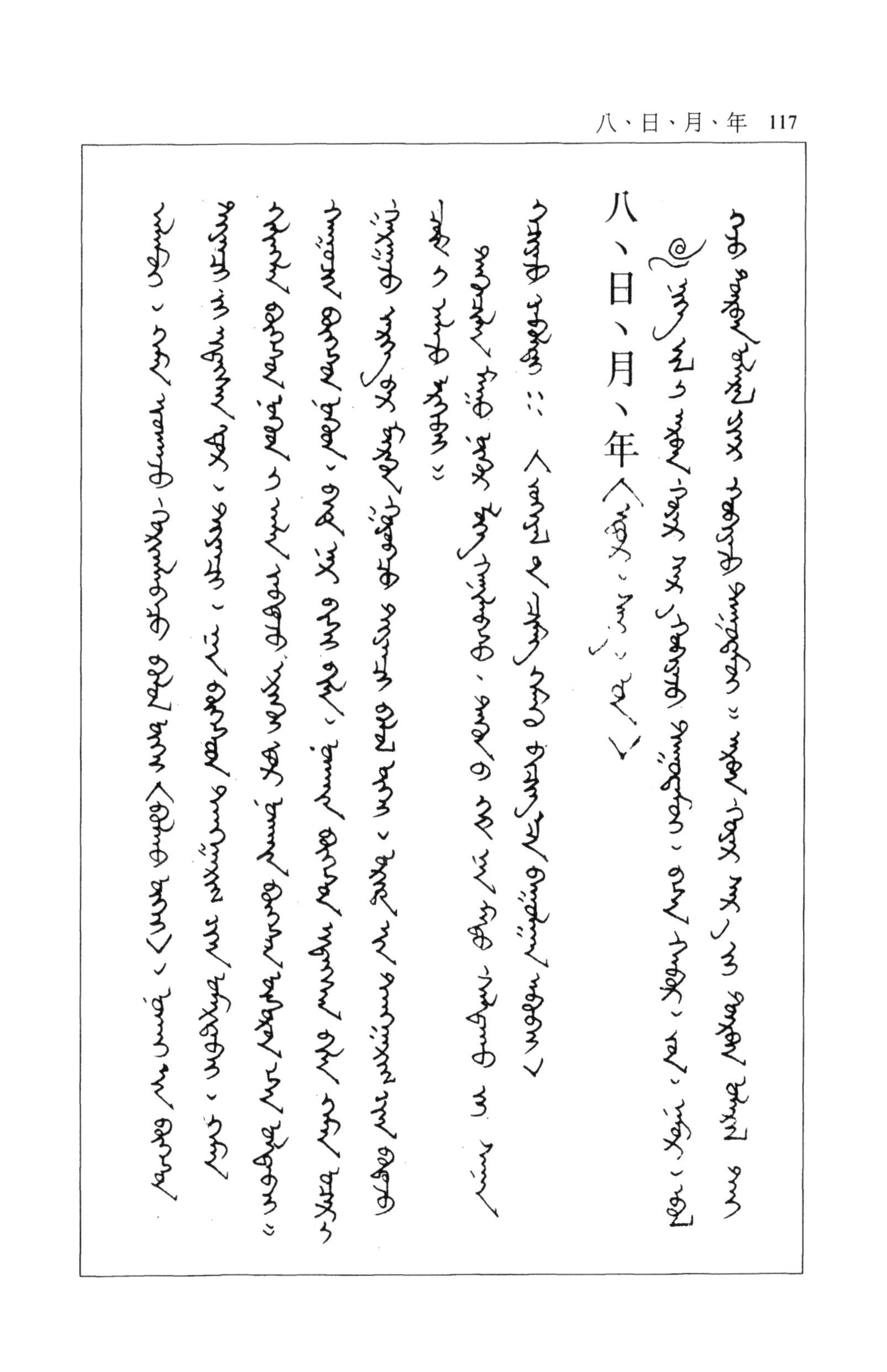

[illegible]

[illegible]

八、日、月、年〈ᡳᠨᡝᠩᡤᡳ · ᠪᡳᠶᠠ · ᠠᠨᡳᠶᠠ〉

[illegible]

[illegible]

[illegible]

[illegible]

[illegible]

[illegible]

[illegible]

[illegible]

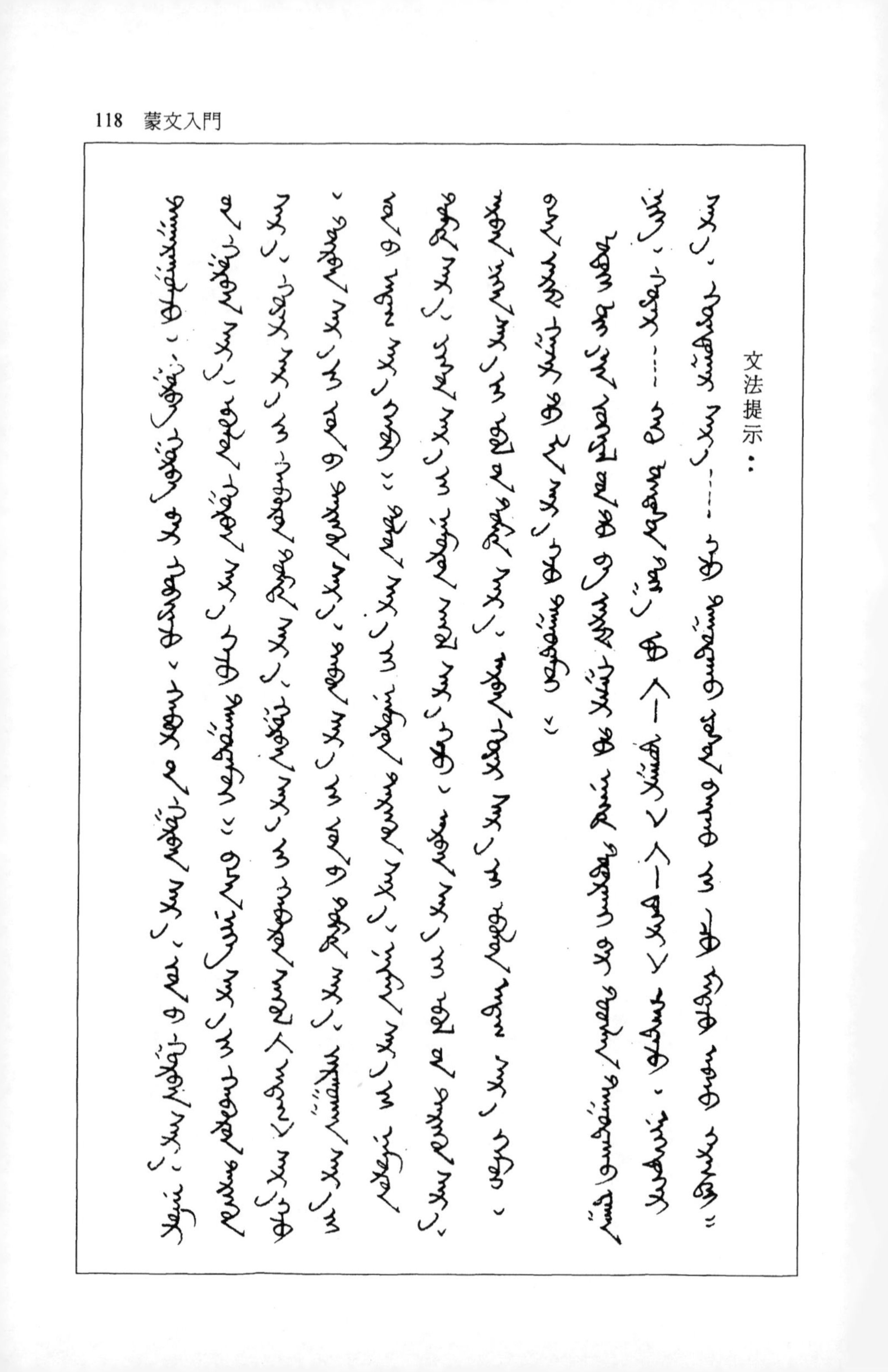

文法提示：

[illegible]

[illegible]

[illegible]

[illegible]

[illegible]

[illegible]

[illegible]

[illegible]

[illegible]

[illegible]

[illegible]

[illegible]

[illegible]

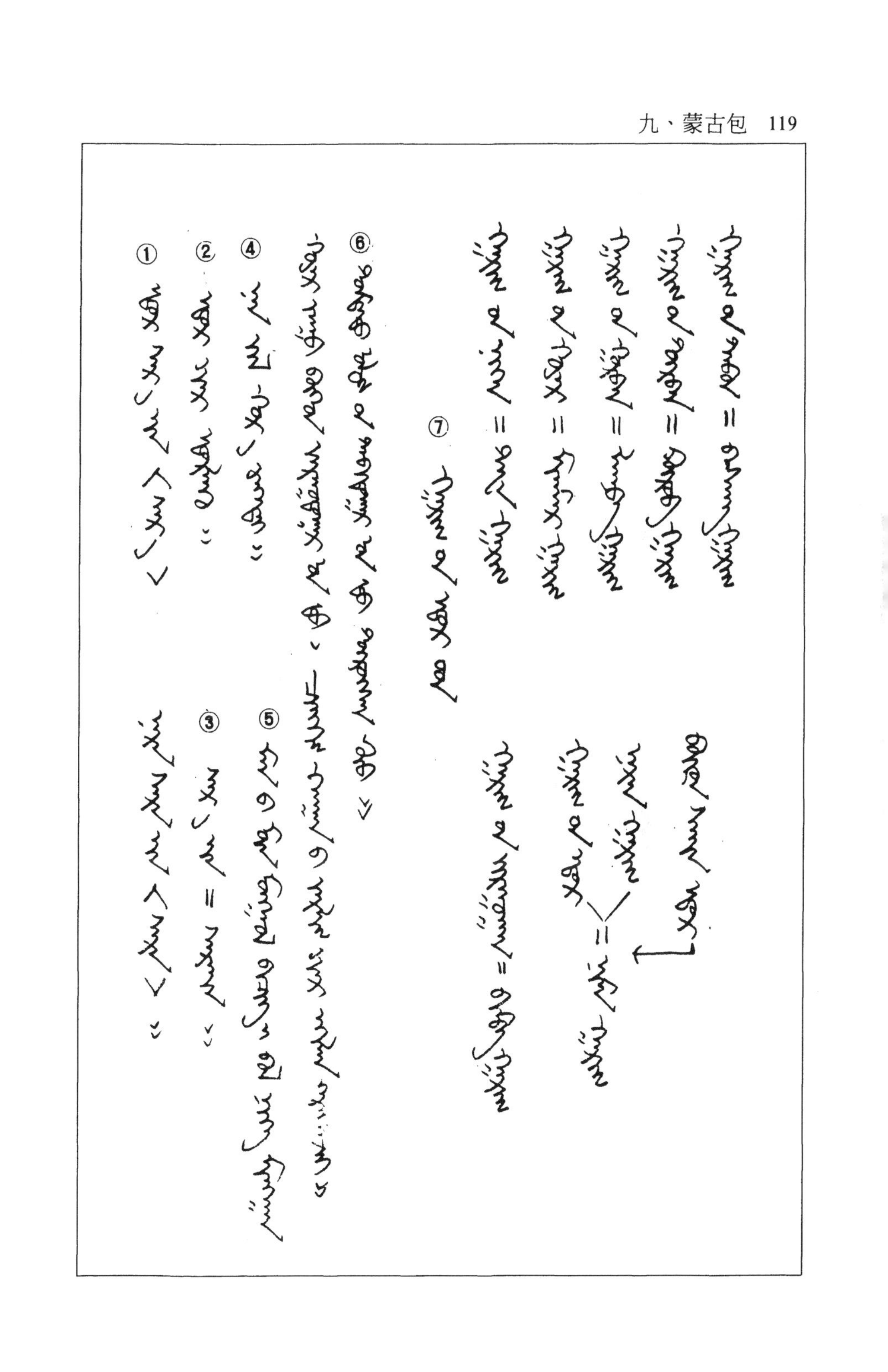

① [illegible] ③ [illegible]

② [illegible] ③ [illegible] = [illegible]

④ [illegible] ⑤ [illegible]

[illegible]

⑥ [illegible]

⑦ [illegible]

[illegible] = [illegible]

[illegible] = [illegible]

[illegible] = [illegible]

[illegible] = [illegible]

[illegible] = [illegible]

[illegible] = [illegible]

[illegible] = [illegible]

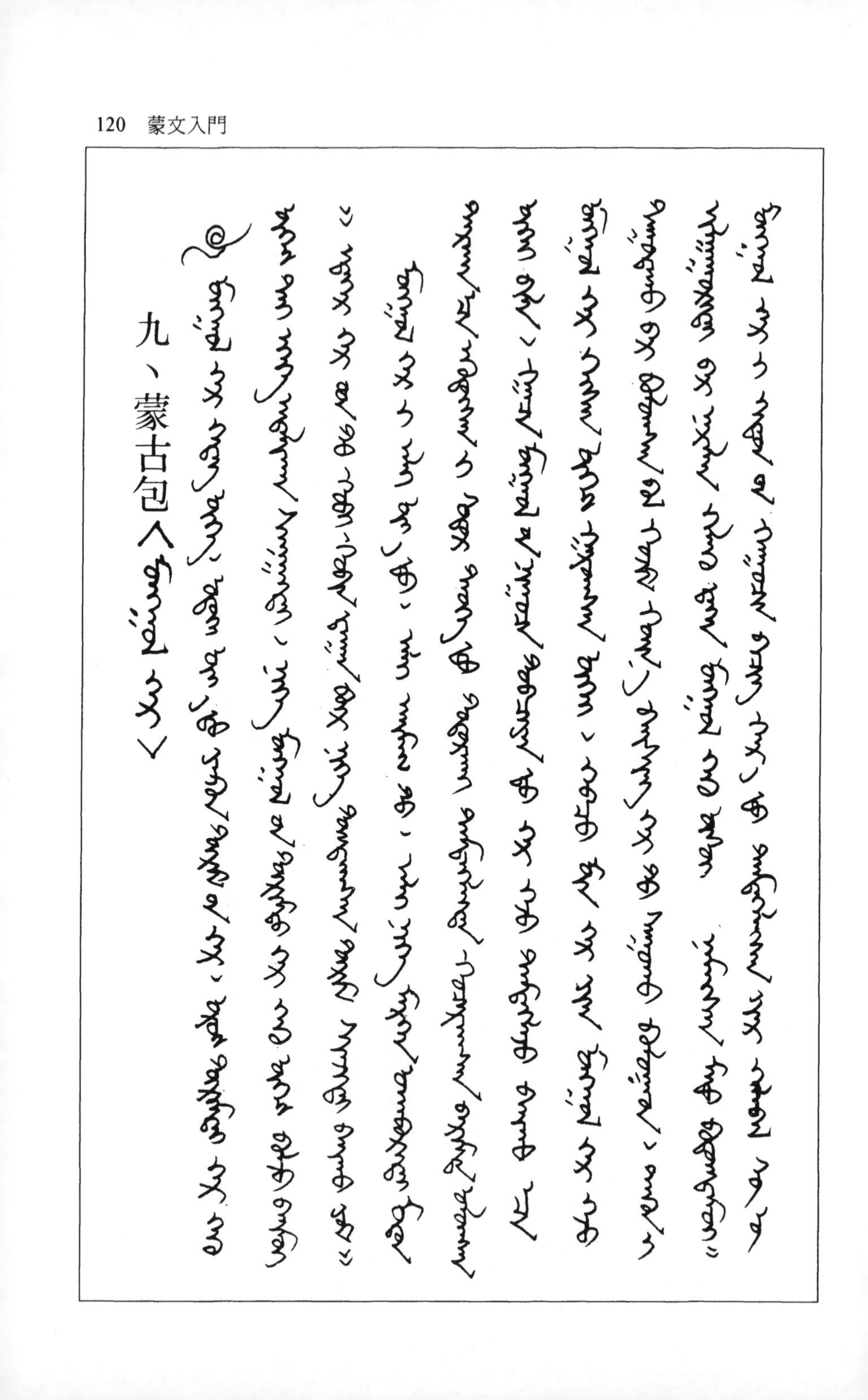

[illegible]

[illegible]

[illegible]

[illegible]

[illegible]

[illegible]

[illegible]

[illegible]

[illegible]

[illegible]

[illegible]

九、蒙古包〈ᠮᠣᠩᠭᠣᠯ ᠭᠡᠷ〉

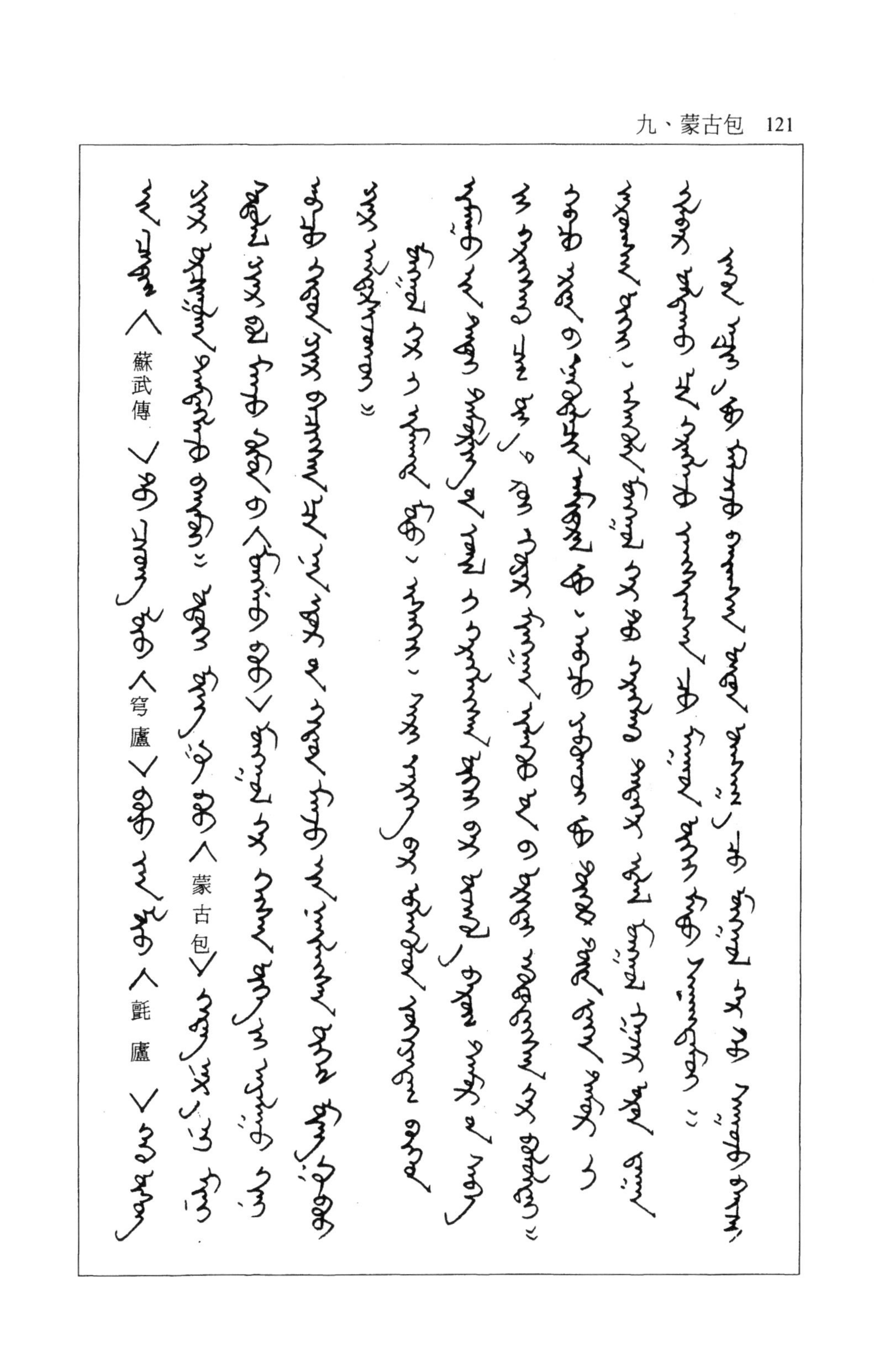

[illegible]

〈蒙古包〉

〈蘇武傳〉〈穹廬〉〈氈廬〉

[illegible]

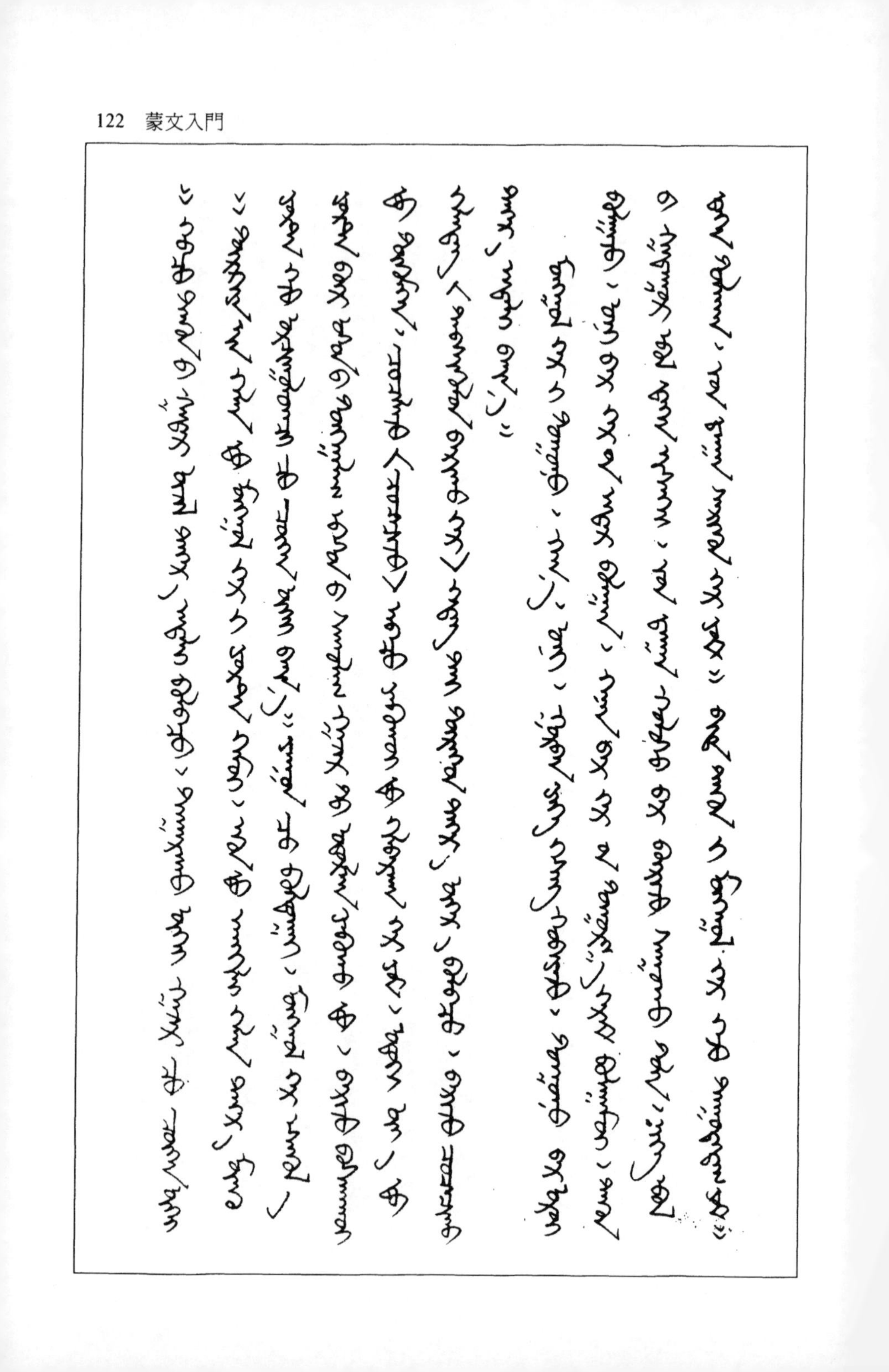

[illegible]
[illegible]
[illegible]
[illegible]
[illegible]
[illegible]
[illegible]

[illegible]
[illegible]
[illegible]
[illegible]

[illegible]

十、一封介紹信〈[illegible]〉

④ [illegible]

③ [illegible]

② [illegible]

①〈[illegible]〉有兩種意義。一爲一般木匠、鐵匠之「匠」，一爲官名意爲「自由自在官」，全蒙古秘史中只有鎖兒罕失拉等三人有此榮銜，後來滿清政府亦借用此號，稱爲「達爾罕」。

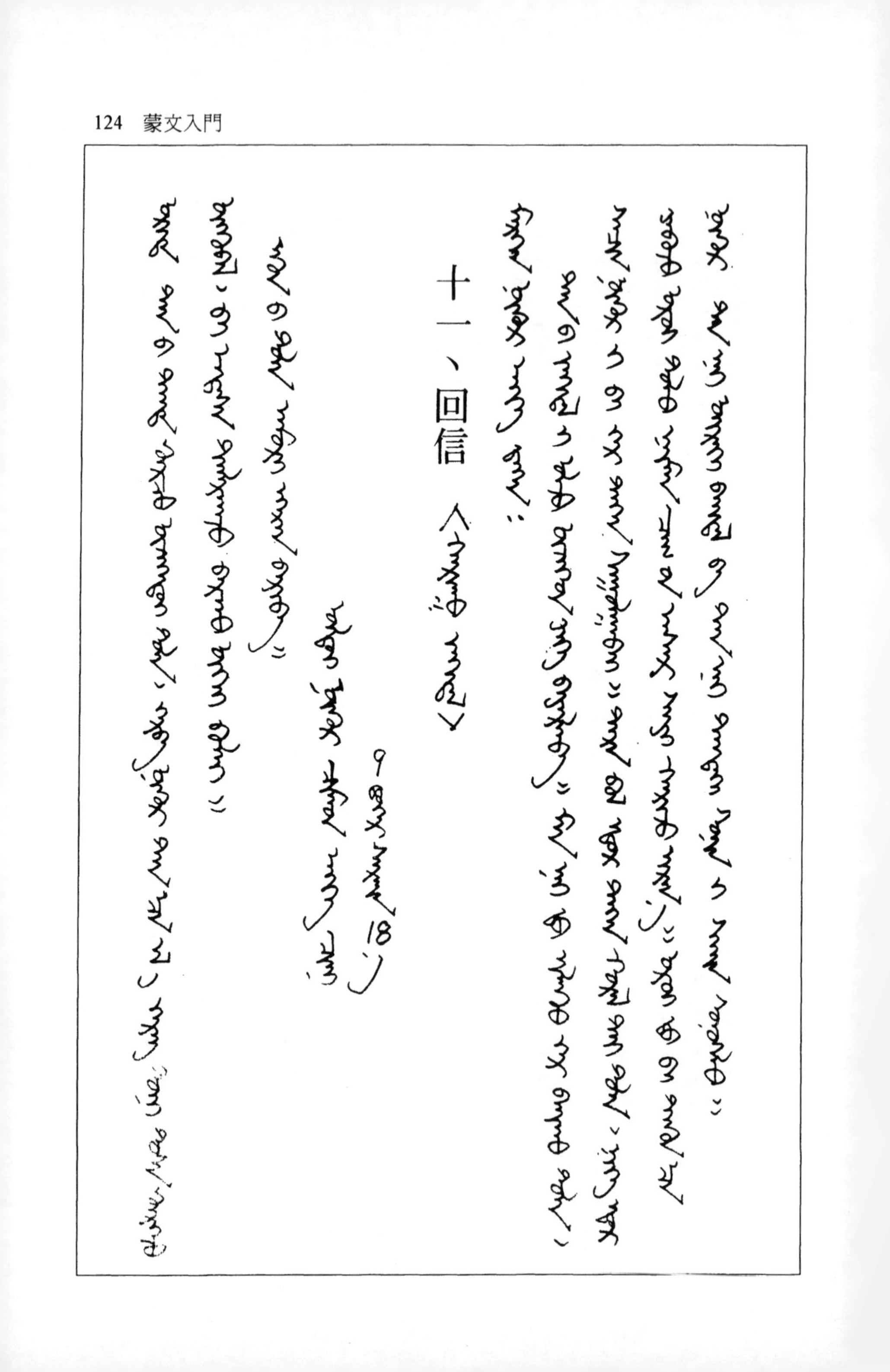

[illegible]
[illegible]
[illegible]
[illegible]
[illegible] ::

十一、回信 〈[illegible]〉

[illegible]
[illegible]

[illegible] ::

[illegible] ::

[illegible]

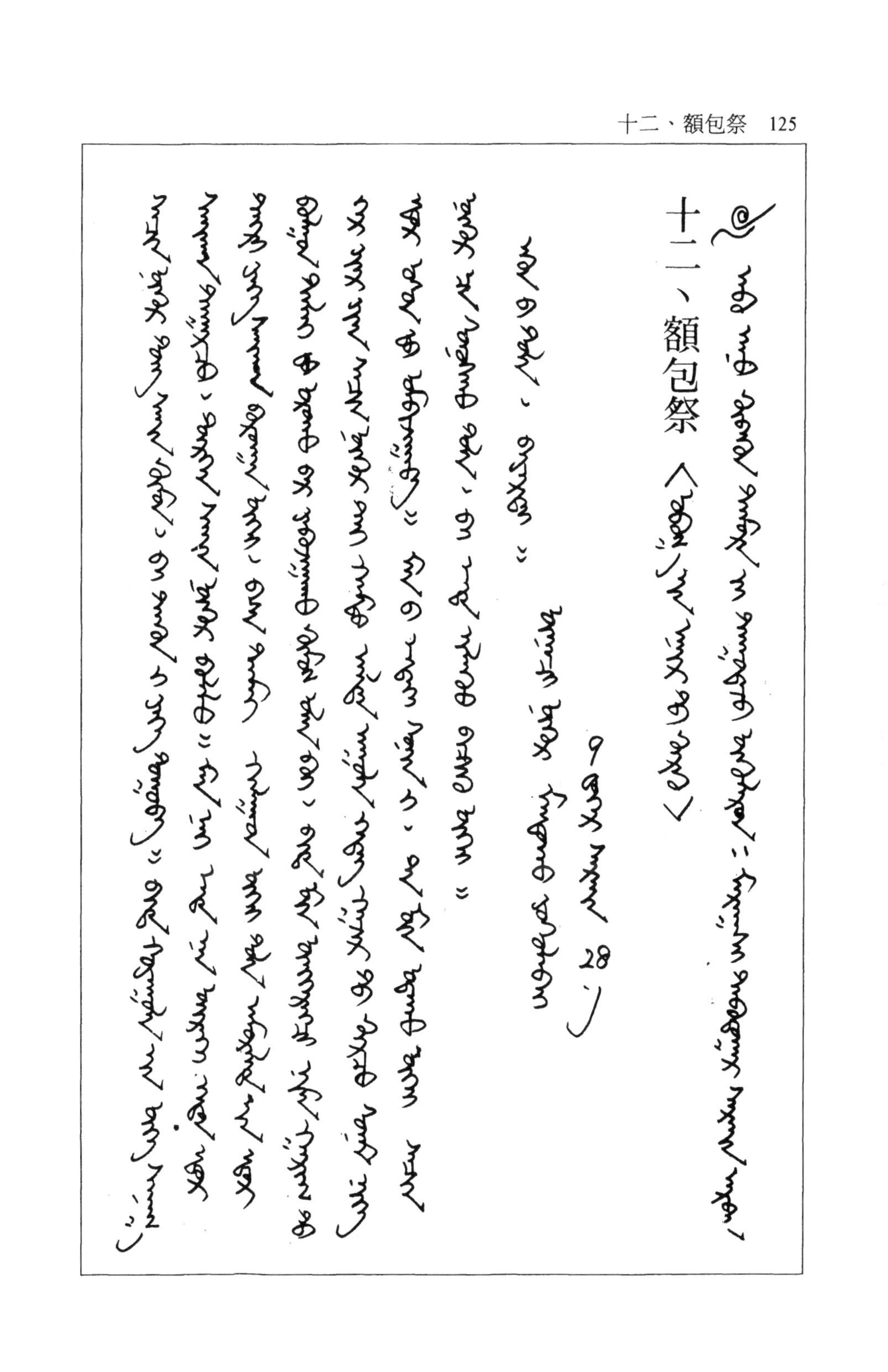

[illegible]

十二、額包祭 〈[illegible]〉

[illegible]

[illegible] 28

[illegible]

[illegible]

[illegible]

[illegible]

[illegible]

[illegible]

[illegible]

[illegible]

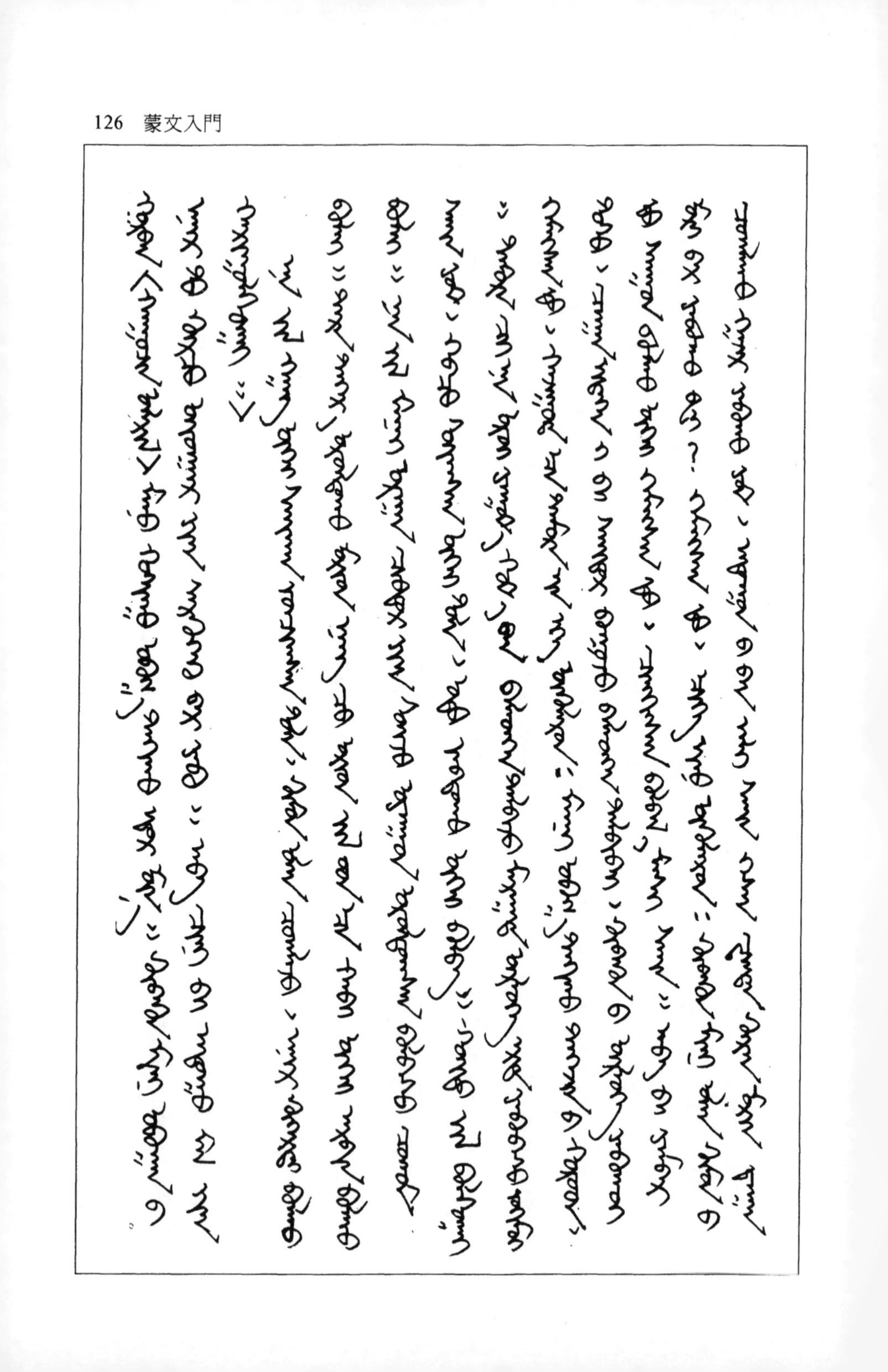

[illegible]
[illegible]
[illegible]
[illegible]
[illegible]
[illegible]
[illegible]
[illegible]
[illegible]
[illegible]
[illegible]
[illegible]
[illegible]
[illegible]
[illegible]
[illegible]

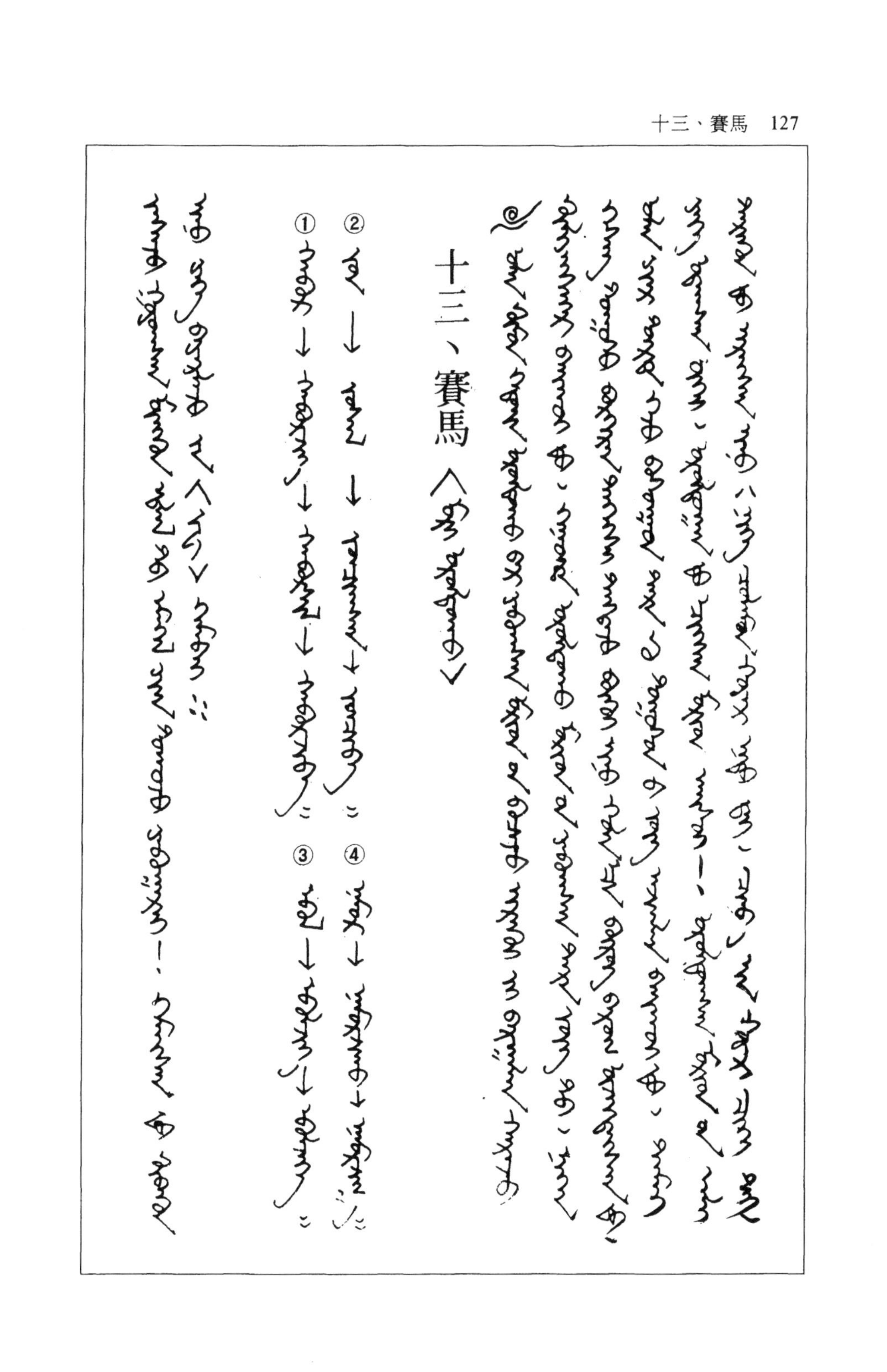

[illegible]

[illegible]

[illegible]

[illegible]

[illegible]

[illegible]

[illegible]

十三、賽馬 〈[illegible]〉

② [illegible] → [illegible] → [illegible] → [illegible] ::　④ [illegible] → [illegible] → [illegible] ::

① [illegible] → [illegible] → [illegible] → [illegible] ::　③ [illegible] → [illegible] → [illegible] ::

[illegible] 〈[illegible]〉 [illegible] ::

[illegible]

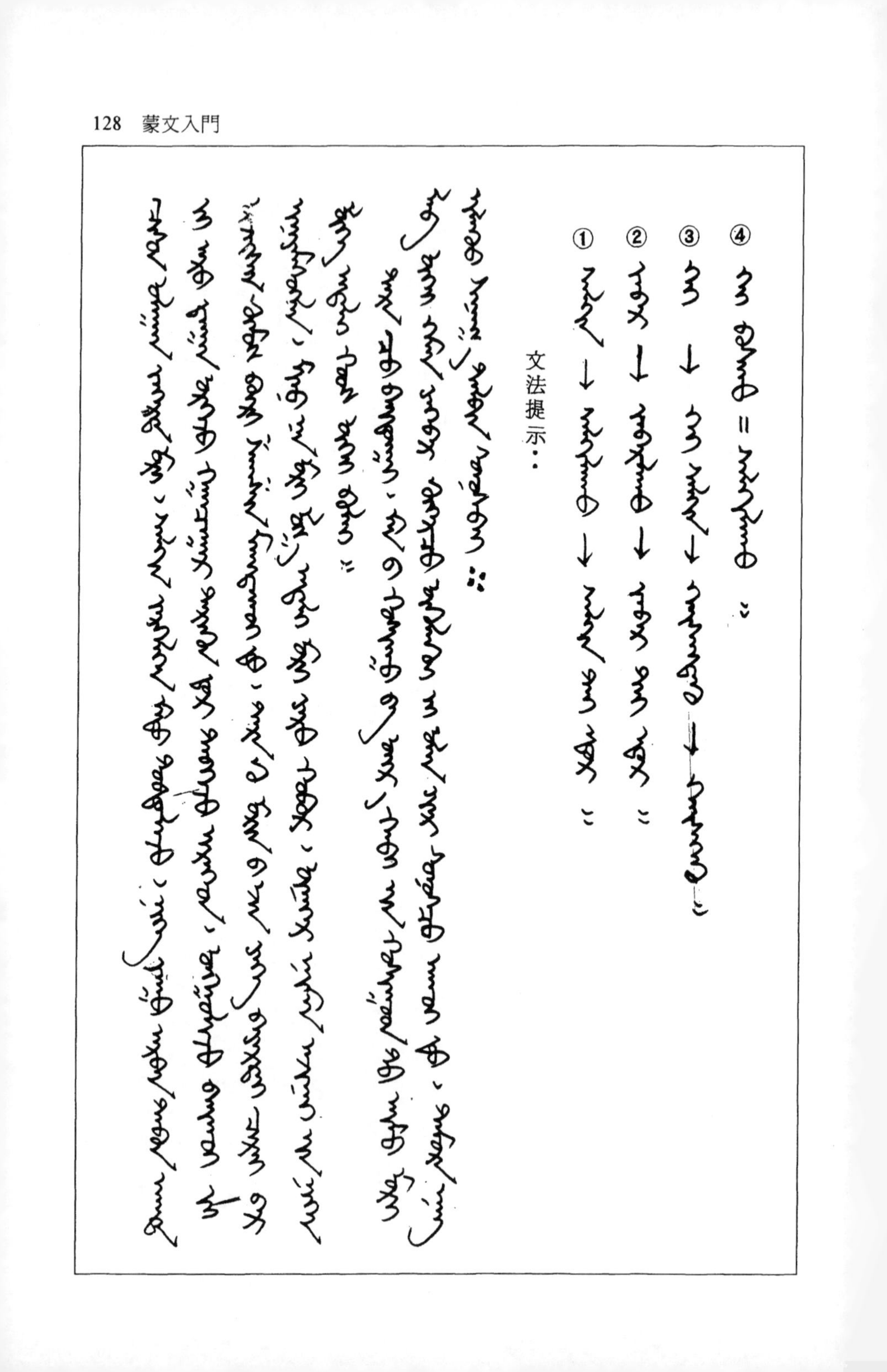

④ [illegible] = [illegible] ::

③ [illegible] → [illegible] → [illegible] → [illegible] ::

② [illegible] → [illegible] → [illegible] ::

① [illegible] → [illegible] → [illegible] ::

文法提示：

[illegible]

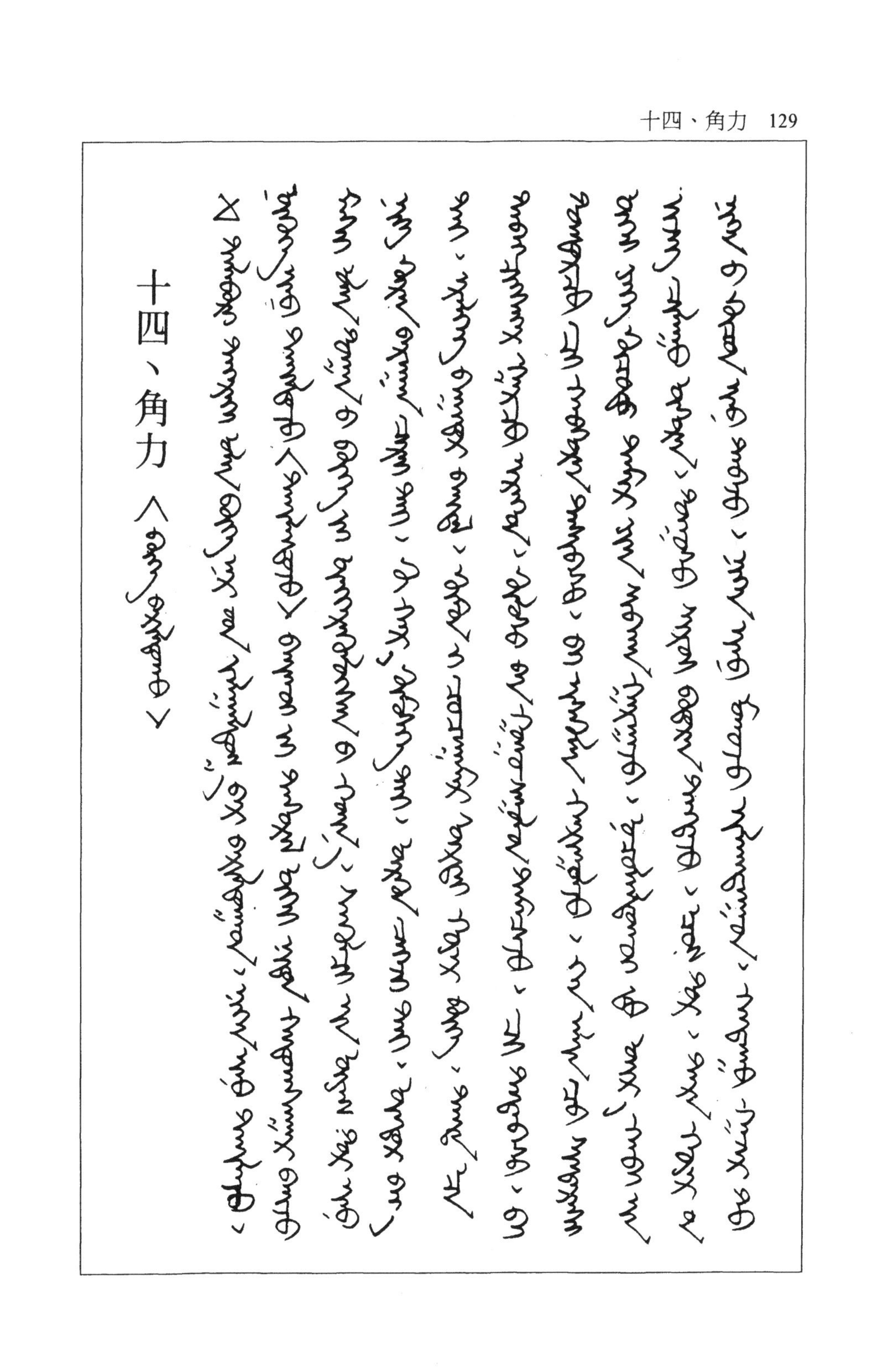

十四、角力 ‹[illegible]›

[illegible]

[illegible]

[illegible]

[illegible]

[illegible]

[illegible]

[illegible]

[illegible]

[illegible]

[illegible]

[illegible]

[illegible]

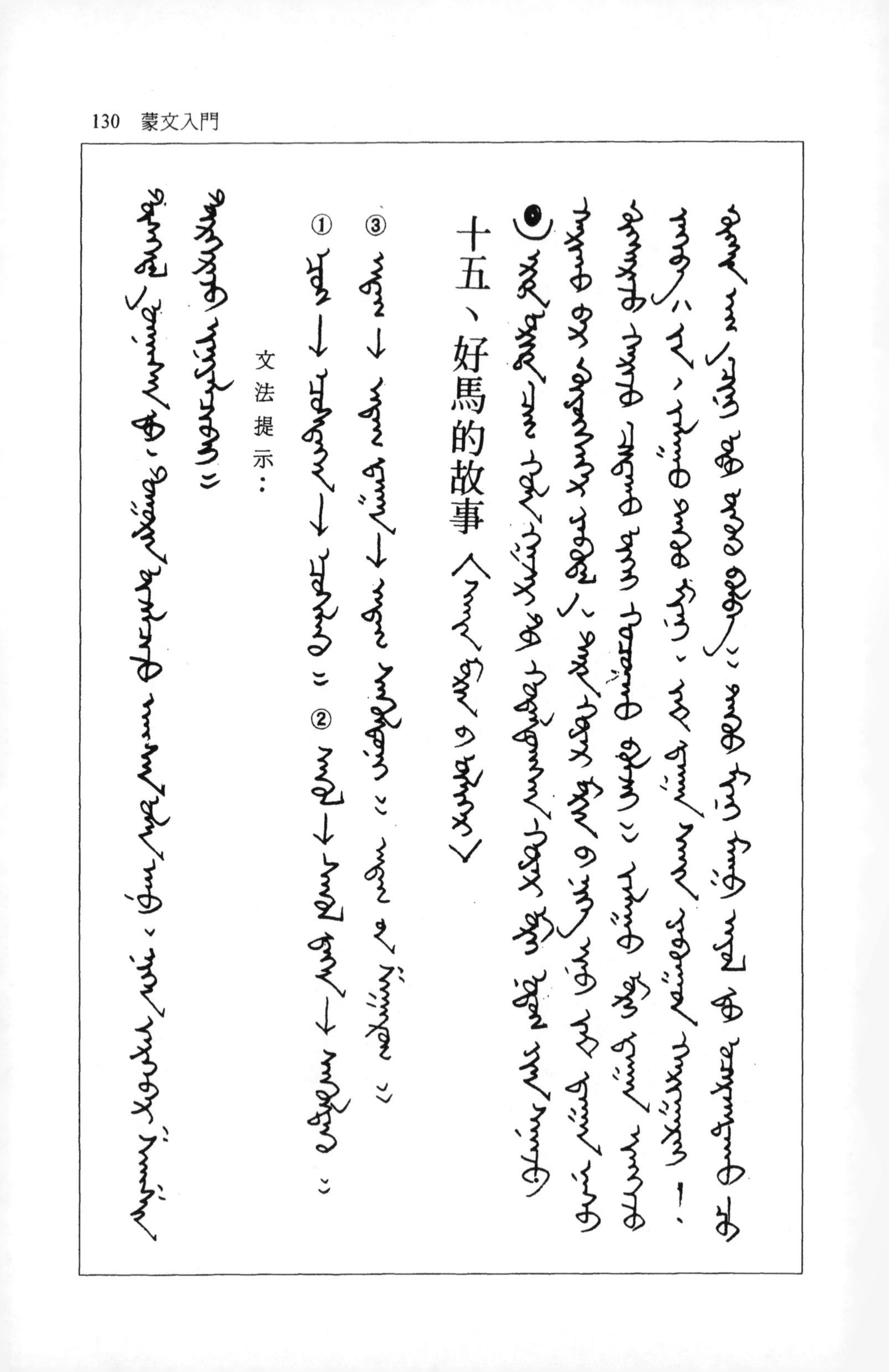

[illegible]

十五、好馬的故事 〈[illegible]〉

[illegible]

文法提示：

① [illegible]

② [illegible]

③ [illegible]

[illegible]

[illegible]
[illegible]
[illegible]
[illegible]
[illegible]
[illegible]
[illegible]
[illegible]
[illegible]
[illegible]
[illegible]
[illegible]
[illegible]
[illegible]

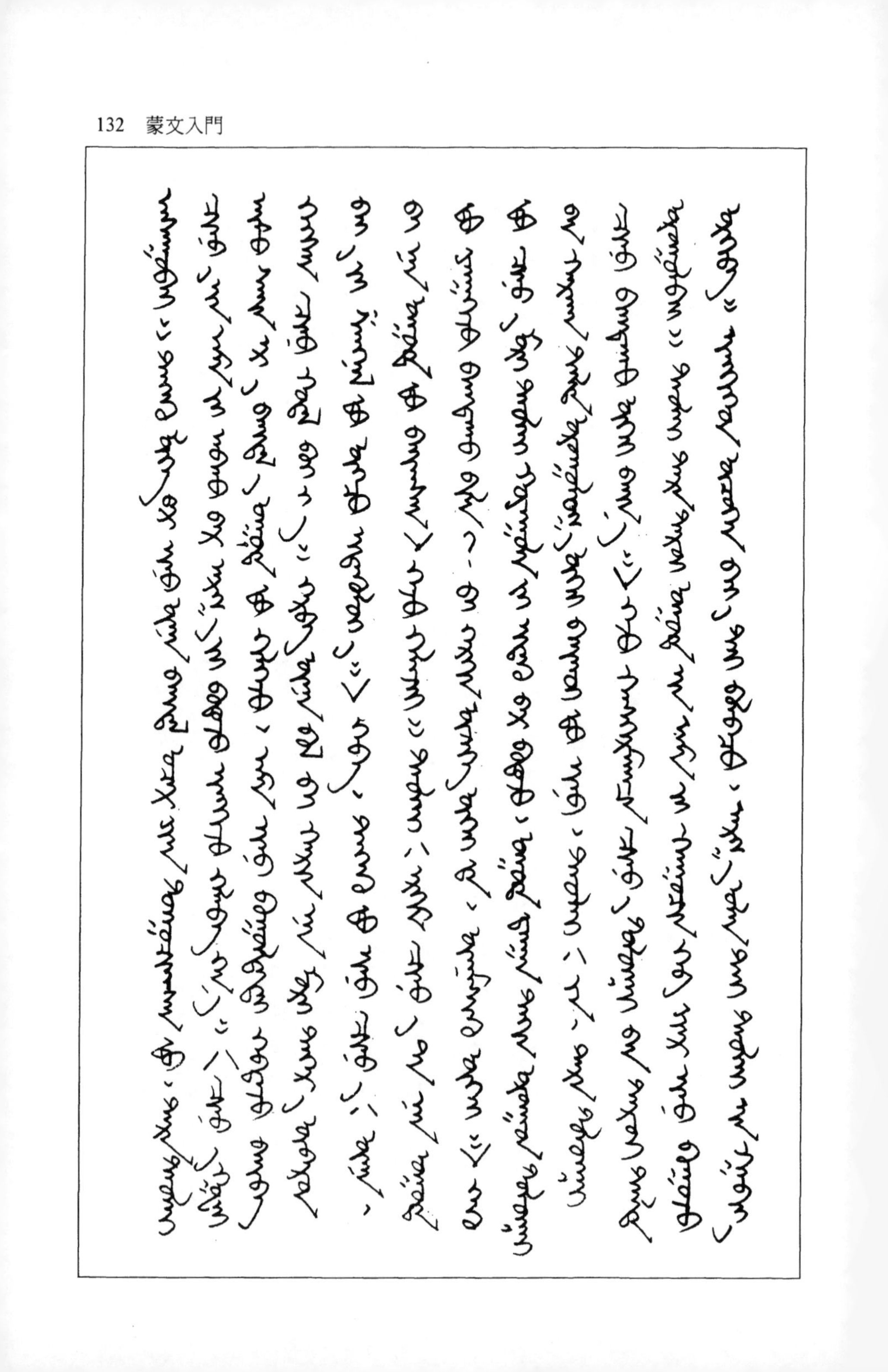

[illegible]
[illegible]
[illegible]
[illegible]
[illegible]
[illegible]
[illegible]
[illegible]
[illegible]
[illegible]
[illegible]
[illegible]

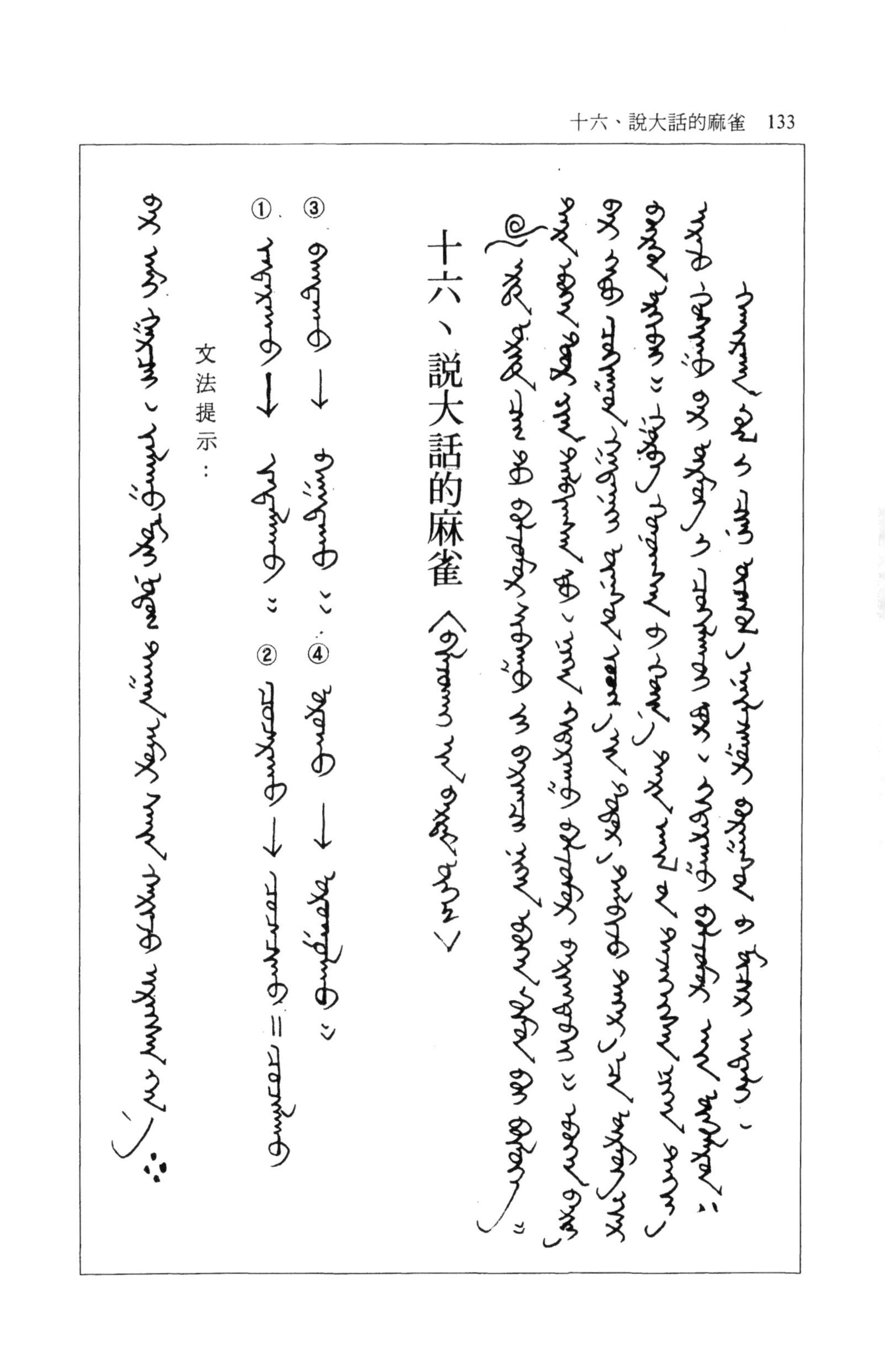

[illegible]

十六、說大話的麻雀 〈[illegible]〉

[illegible]

文法提示：

① [illegible] → [illegible] ② [illegible] → [illegible]

③ [illegible] → [illegible] ④ [illegible] → [illegible]

[illegible]

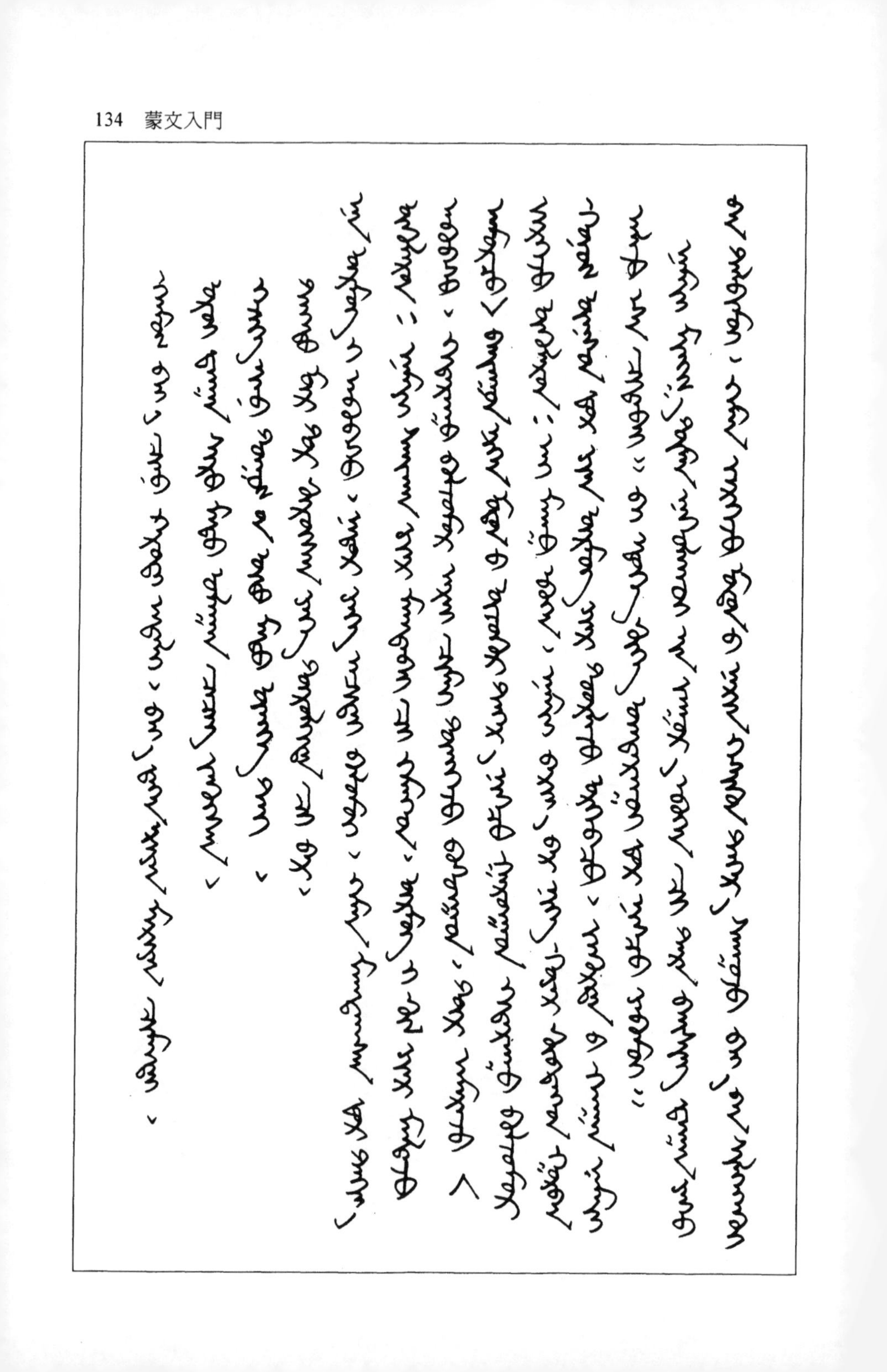

[illegible]

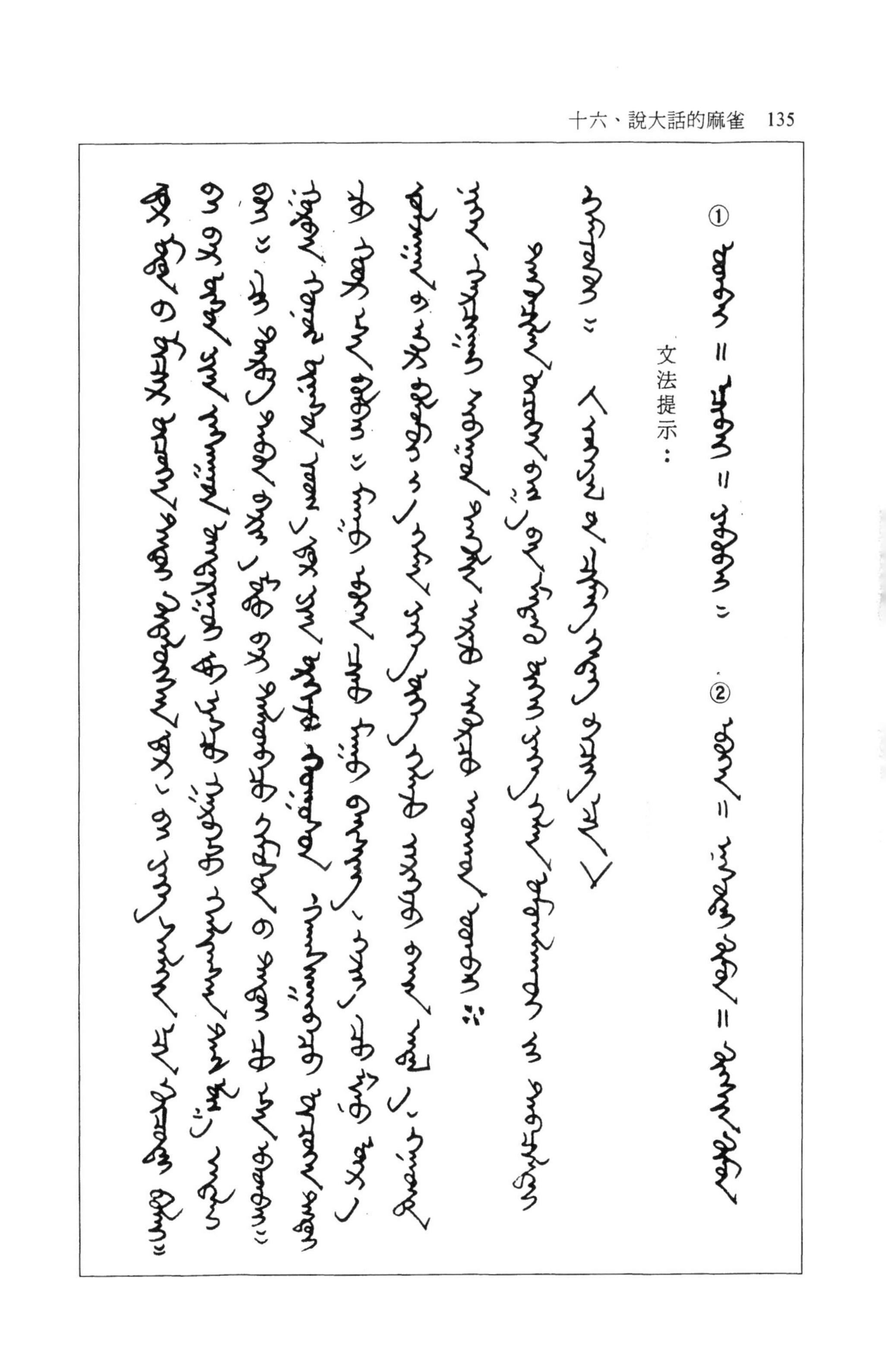

① [illegible] = [illegible] = [illegible] ② [illegible] = [illegible] = [illegible]

文法提示：

[illegible]

[illegible]

[illegible]

[illegible]

[illegible]

[illegible]

[illegible]

[illegible]

[illegible]

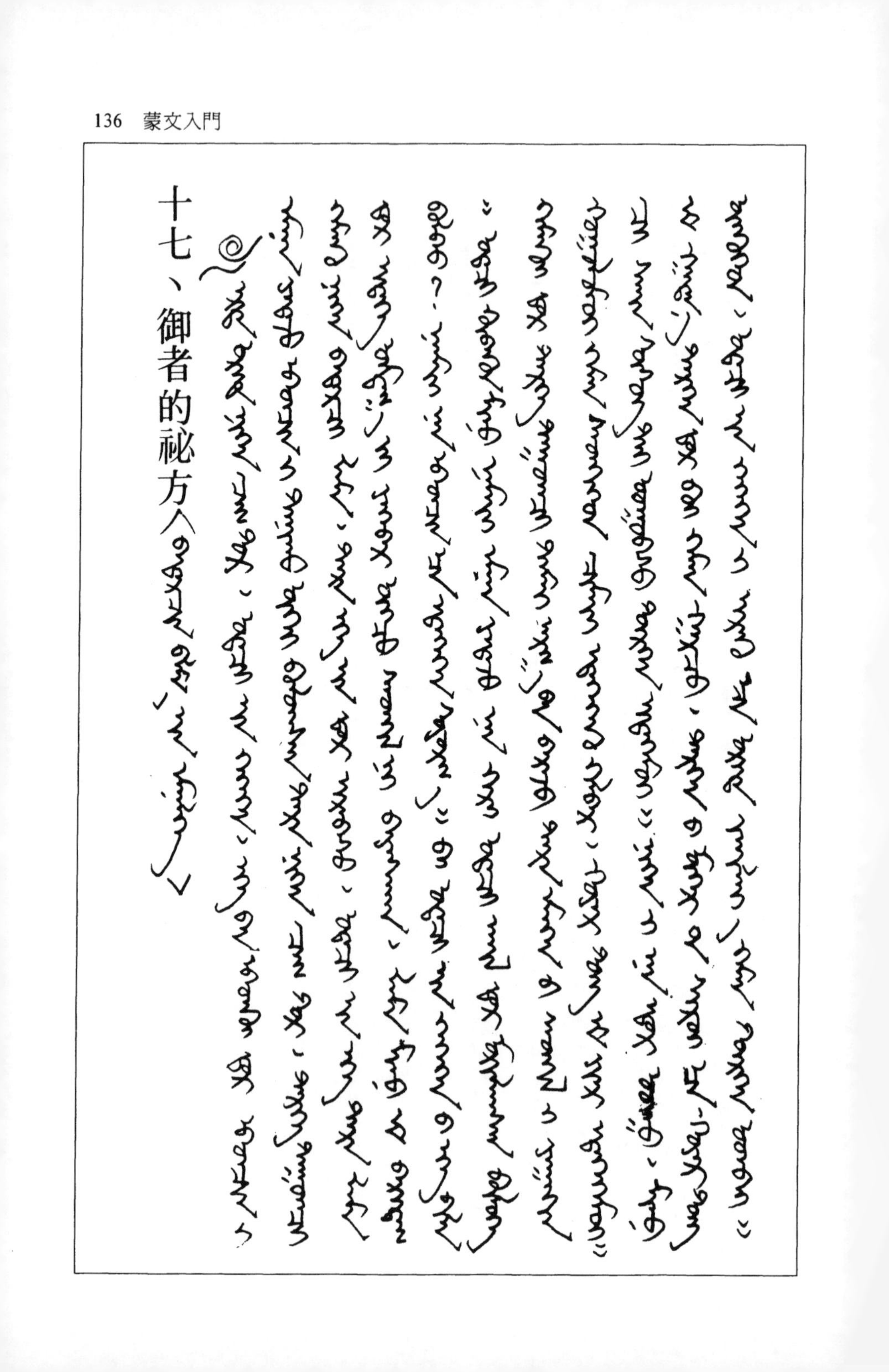

十七、御者的祕方（[illegible]）

[illegible]

[illegible]

[illegible]

[illegible]

[illegible]

[illegible]

[illegible]

[illegible]

[illegible]

[illegible]

[illegible]

[illegible]

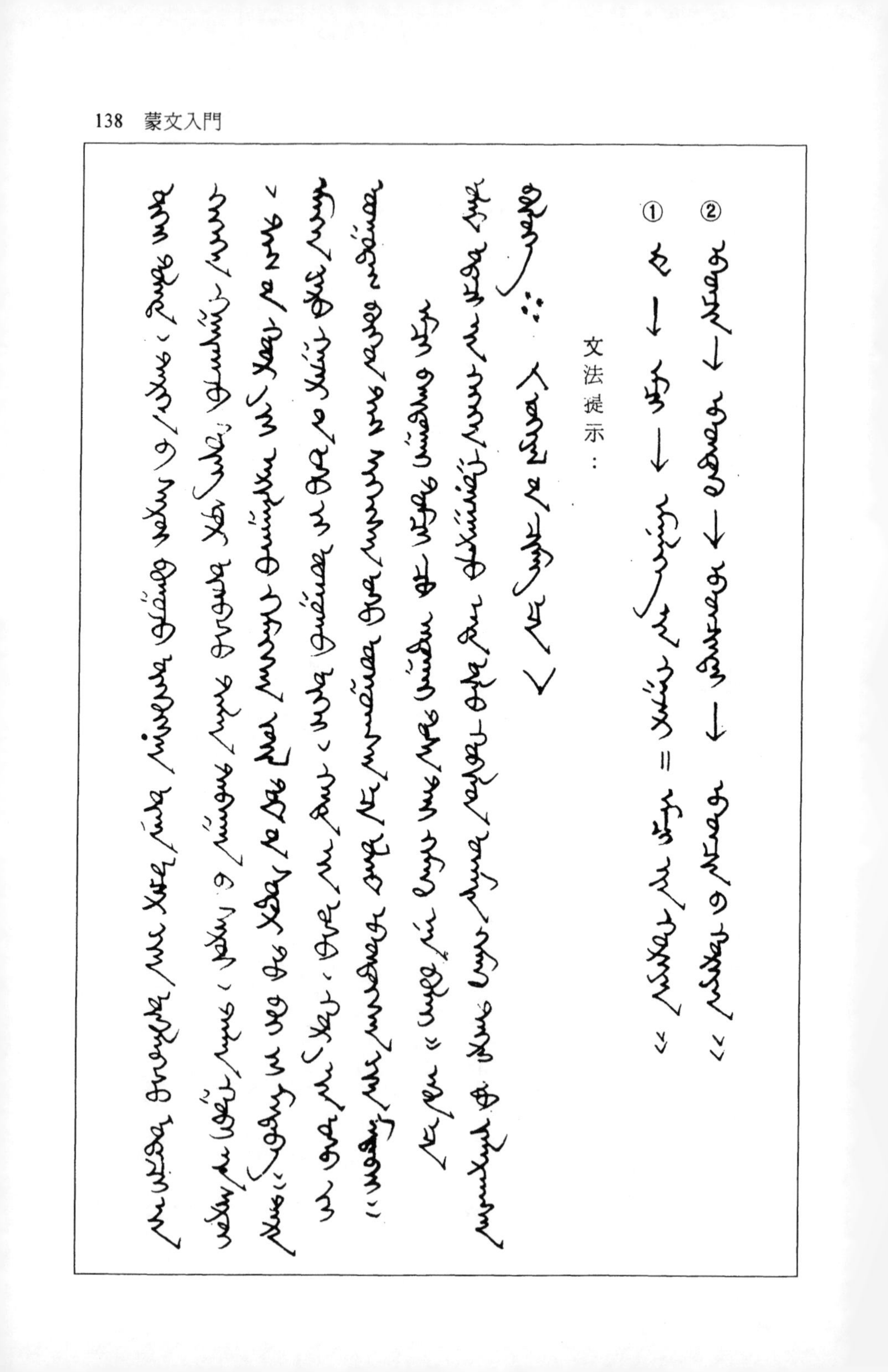

① [illegible] ← [illegible] ← [illegible] = [illegible] »

② [illegible] ← [illegible] ← [illegible] ← [illegible] »

文法提示：

〈 [illegible] 〉 [illegible] ::

[illegible]

[illegible] « [illegible] » [illegible]

« [illegible] »

[illegible]

[illegible] »

[illegible]

[illegible]

十八、數詞〈[illegible]〉

一、[illegible] 基本數詞(Cardinal)

ᠨᠢᠭᠡ᠂ ᠬᠣᠶᠠᠷ᠂ ᠭᠤᠷᠪᠠ᠂ ᠳᠥᠷᠪᠡ᠂ ᠲᠠᠪᠤ᠂ ᠵᠢᠷᠭᠤᠭ᠎ᠠ᠂ ᠳᠣᠯᠣᠭ᠎ᠠ᠂ ᠨᠠᠢᠮᠠ᠂ ᠶᠢᠰᠦ᠂ ᠠᠷᠪᠠ

1.一到十的基本數詞

ᠬᠣᠷᠢᠨ ᠨᠢᠭᠡ 蒙古語的基數共有二十一種，十以上百數以下大的位數在前，小的位數在後，大的位數語尾要加添「ᠨ」(N)如 ᠠᠷᠪᠠᠨ ᠨᠢᠭᠡ (11)。

2.形式不同的基本數詞。蒙古人所用的基本數詞，因地方而略有不同，以其形式可分爲三種・茲說明如下：

形式1.	形式2.	形式3.
[illegible]	[illegible]	[illegible]
[illegible]	[illegible]	[illegible]
[illegible]	[illegible]	[illegible]
[illegible]	[illegible]	[illegible]
[illegible]	[illegible]	10 [illegible]
[illegible]	10 [illegible]	100 [illegible]
[illegible]	1000 [illegible]	10 10 [illegible]
[illegible]	[illegible]	100 100 [illegible]

註：第一種形式係蒙古固有的數詞，有些牧人迄今仍以此種數詞數其馬、牛、羊等。

時，則在添寫「[Mongolian]」、「[Mongolian]」字尾之先，要刪去它的「[Mongolian]」字尾。

[Mongolian]」、「[Mongolian]」或「[Mongolian]」的時候亦有。又基本數詞的字尾如果是「[Mongolian]」「[Mongolian]

註1.「[Mongolian]」、「[Mongolian]」二字由基本數詞改為分配數詞時，不拘上述的規則，而寫如「[Mongolian]

→[Mongolian]（各四）。

寫「[Mongolian]」，陰性字則加寫「[Mongolian]」即可。例如[Mongolian]（三）→[Mongolian]（各三）[Mongolian]（四）

基本數詞改為分配數詞時，把基本數詞的「[Mongolian]」「[Mongolian]」「[Mongolian]」等字尾刪去，陽性字則加

四、「[Mongolian]」（INSTRUMENTAL GROUP）分配數詞

（二人）、[Mongolian]（三）→[Mongolian]（三人）[Mongolian]（七）→[Mongolian]（七人）。

其陽性字則加寫「[Mongolian]」，陰性字則加寫「[Mongolian]」即成。例如[Mongolian]（二）→[Mongolian]

基本數詞改為人稱數詞時，只要把基本數詞的「[Mongolian]」、「[Mongolian]」、「[Mongolian]」等字尾刪去，

三、「[Mongolian]」（INCLUSIVE）人稱數詞。

「[Mongolian]」「[Mongolian]」「[Mongolian]」「[Mongolian]」。

註：[Mongolian]、[Mongolian]、[Mongolian]、[Mongolian]、[Mongolian]……等次第數詞又可以寫如「[Mongolian]」或

其陽性字則聯寫「[Mongolian]」陰性字則聯寫「[Mongolian]」即可。例如[Mongolian]→[Mongolian]。[Mongolian]→[Mongolian]、[Mongolian]→[Mongolian]。

基本數詞要變為次第數詞時，只要把基本數詞的「[Mongolian]」、「[Mongolian]」、「[Mongolian]」等字尾刪去，

二、「[Mongolian]」（ORDINALS）次第數詞

第三種形式係今日在外蒙使用的數詞，這種數法很顯然的受着歐美各國的影響。

第二種形式係今日在內蒙普遍使用的數詞。

2.在會話裏人們習慣上不講「ᠬᠣᠶᠠᠳᠤᠭᠠᠷ」而用分配數詞「ᠨᠢᠭᠡ ᠨᠢᠭᠡ ᠪᠡᠷ」，來表達其分配之意。例如「ᠭᠤᠷᠪᠠᠳᠤᠭᠠᠷ」為「ᠨᠢᠭᠡ ᠨᠢᠭᠡ」，「ᠳᠥᠷᠪᠡᠳᠦᠭᠡᠷ」為「ᠬᠣᠶᠠᠷ ᠬᠣᠶᠠᠷ ᠪᠠᠷ」，「ᠲᠠᠪᠤᠳᠤᠭᠠᠷ」為「ᠭᠤᠷᠪᠠ ᠭᠤᠷᠪᠠ ᠪᠠᠷ」。

五、「ᠣᠢᠷᠠᠯᠴᠠᠭ᠎ᠠ ᠲᠣᠭ᠎ᠠ」（APPROXIMATE）概略數詞。

基本數詞改為概略數詞時，如「近乎」者，只要在基本數詞後添寫「ᠠᠳ ᠡᠳ」字尾即可。如「超過」者，則加「ᠢᠯᠡᠭᠦᠦ」字尾，例如ᠮᠢᠩᠭ᠎ᠠ（千）→ᠮᠢᠩᠭᠠᠳ（近千），ᠵᠠᠭᠤ（百）→ᠵᠠᠭᠤᠳ（近百）ᠵᠠᠭᠤ ᠢᠯᠡᠭᠦᠦ（過百）。

註1.這些近乎的概略數詞時，雖然在字形上與分配數詞無異，但有其語詞來判明之。概略數詞是對問句人「ᠬᠡᠳᠦ ᠣᠷᠴᠢᠮ」（大概多少）的答語。

2.概略數詞以「ᠵᠠᠭᠤ ᠰᠢᠬᠠᠮ」（近百）「ᠮᠢᠩᠭ᠎ᠠ ᠰᠢᠬᠠᠮ」（近千）的字樣來表達的也不少。

3不足百的數詞則叫做「ᠵᠠᠭᠤ ᠬᠦᠷᠬᠦᠢ」意思是「近百」。如超過一百的數詞則叫做「ᠵᠠᠭᠤ ᠢᠯᠡᠭᠦᠦ」意思是「過百」，例如：ᠵᠠᠭᠤ（百）→ᠵᠠᠭᠤᠳ（近百）ᠵᠠᠭᠤ（百）→ᠵᠠᠭᠤ ᠢᠯᠡᠭᠦᠦ（過百）。

六、「ᠪᠤᠲᠠᠷᠬᠠᠢ ᠲᠣᠭ᠎ᠠ」（TRACTIONAL）分數數詞。

分數數詞係對問句「ᠬᠡᠳᠦᠨ ᠦ ᠬᠡᠳᠦ？」（幾分之幾）的答語，例如ᠵᠠᠭᠤᠨ ᠤ ᠭᠤᠴᠢ（百分之三十）ᠭᠤᠷᠪᠠᠨ ᠤ ᠨᠢᠭᠡ（三分之一）ᠳᠥᠷᠪᠡᠨ ᠦ ᠭᠤᠷᠪᠠ（四分之三）。

七、「ᠳᠠᠬᠢᠨ ᠤ ᠲᠣᠭ᠎ᠠ」（MULTIPLICATIVE）次數數詞。

在基本數詞「ᠨᠢᠭᠡ」後加添「ᠲᠠ」字尾時，便成為次數數詞。

次數數詞係對問句（[Mongolian script]？）（幾次）「[Mongolian script]？」（多少次）的答語。

例如 ᠨᠢᠭᠡ（一）→ ᠨᠢᠭᠡᠨᠲᠡ（一次）。ᠬᠣᠶᠠᠷ（二）→ ᠬᠣᠶᠠᠷᠲᠠ（二次）ᠭᠤᠷᠪᠠ（三）→ ᠭᠤᠷᠪᠠᠨᠲᠠ（三次）ᠳᠥᠷᠪᠡ（四）→ ᠳᠥᠷᠪᠡᠨᠲᠡ（四次）。

註：蒙古語裏數助詞不甚發達。像英語有限的名詞帶有數助詞如「[Mongolian script]」「[Mongolian script]」「[Mongolian script]」……等。

蒙古數詞除了蒙古文本身的數詞之外，亦普遍應用下面兩種數詞，前者係世界各國普遍應用的阿拉伯數字，後者係蒙古喇嘛廟的喇嘛算完天文後出版的時憲書（曆書）用字，民間亦普遍應用，例如：

0	1	2	3	4	5	6	7	8	9
᠐	᠑	᠒	᠓	᠔	᠕	᠖	᠗	᠘	᠙
᠐	᠑	᠒	᠓	᠔	᠕	᠖	᠗	᠘	᠙

[Mongolian script] 1946

1946 duγār on dur

一九四六 第 年 在

（在第一九四六年）

10	᠑᠐
20	᠒᠐
30	᠓᠐
40	᠔᠐
50	᠕᠐
60	᠖᠐
70	᠗᠐
80	᠘᠐
90	᠙᠐
100	᠑᠐᠐

[illegible]
[illegible]
[illegible]
[illegible]
[illegible]
[illegible]

[illegible]
[illegible]
[illegible]
[illegible]
[illegible]
[illegible]

[illegible]
[illegible]
[illegible]

[illegible]
[illegible]

十九、新聞

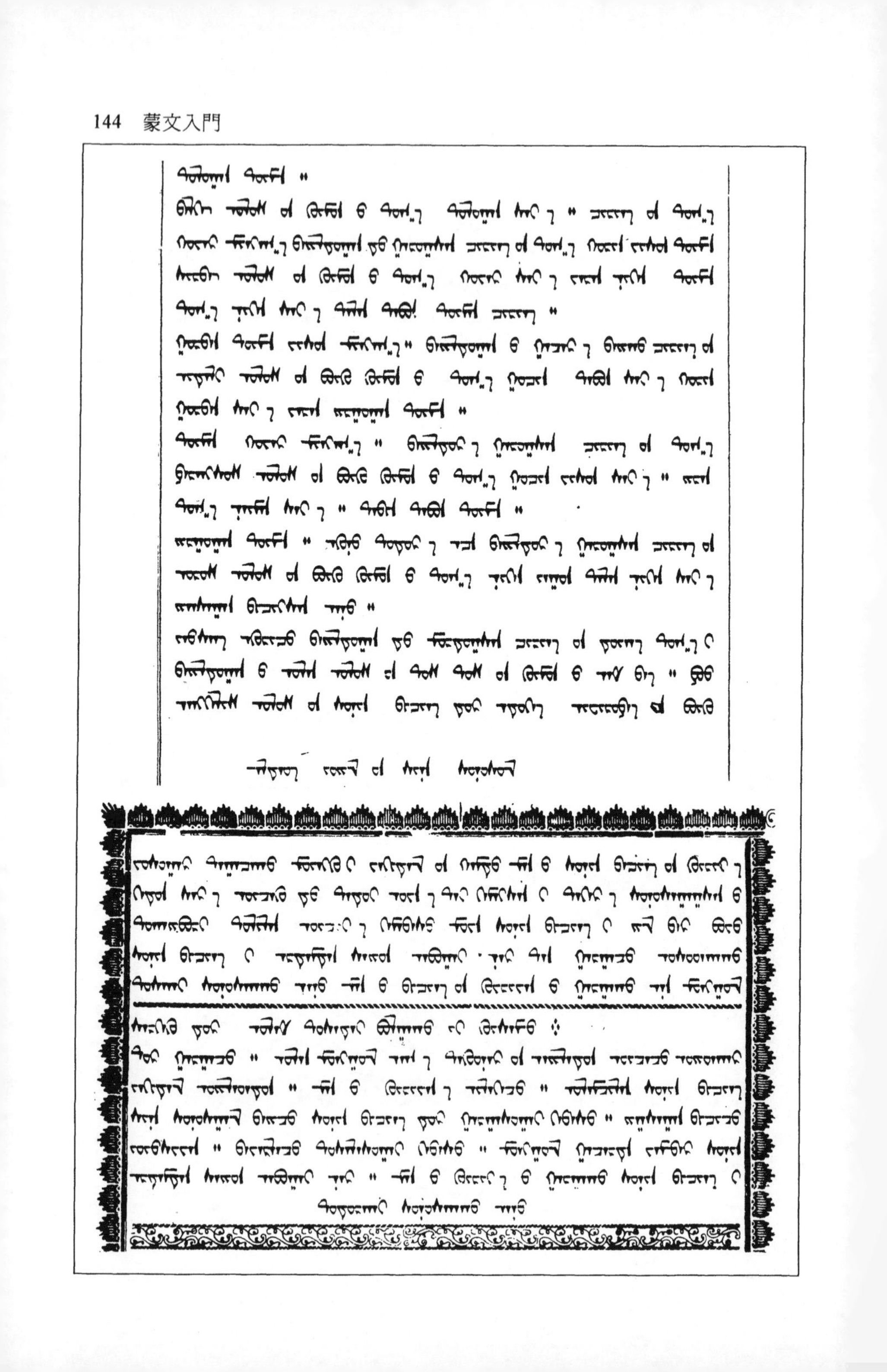

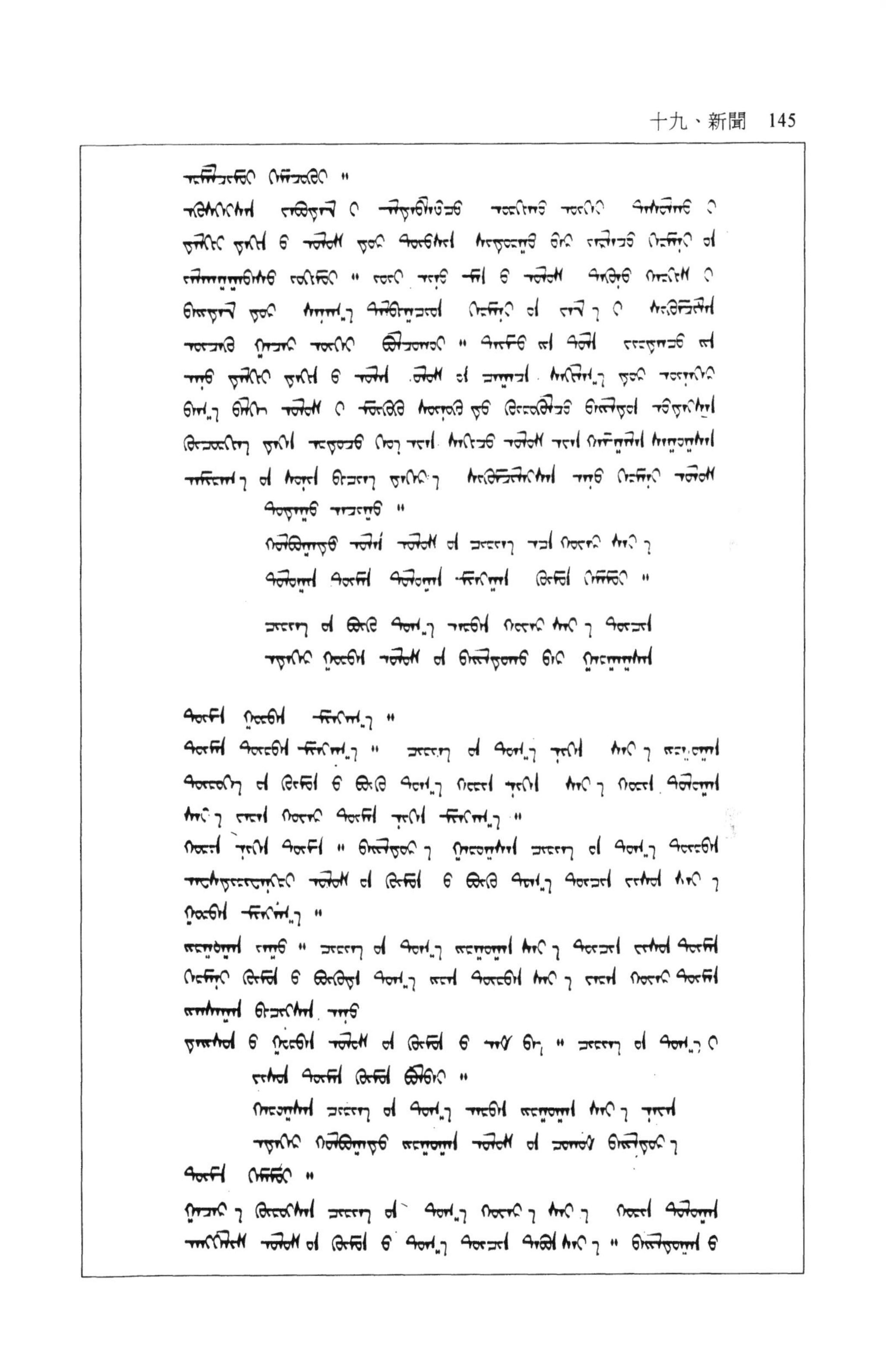

[illegible] ᠉

[illegible]
[illegible]
[illegible]
[illegible]
[illegible]
[illegible]
[illegible]
[illegible]
[illegible]

[illegible] ᠉

[illegible]
[illegible] ᠉

[illegible]
[illegible]

[illegible] ᠉

[illegible]
[illegible]
[illegible] ᠉

[illegible]
[illegible]
[illegible] ᠉

[illegible]
[illegible]
[illegible]

[illegible] ᠉

[illegible]
[illegible] ᠉

[illegible]
[illegible]

[illegible] ᠉

[illegible]
[illegible]

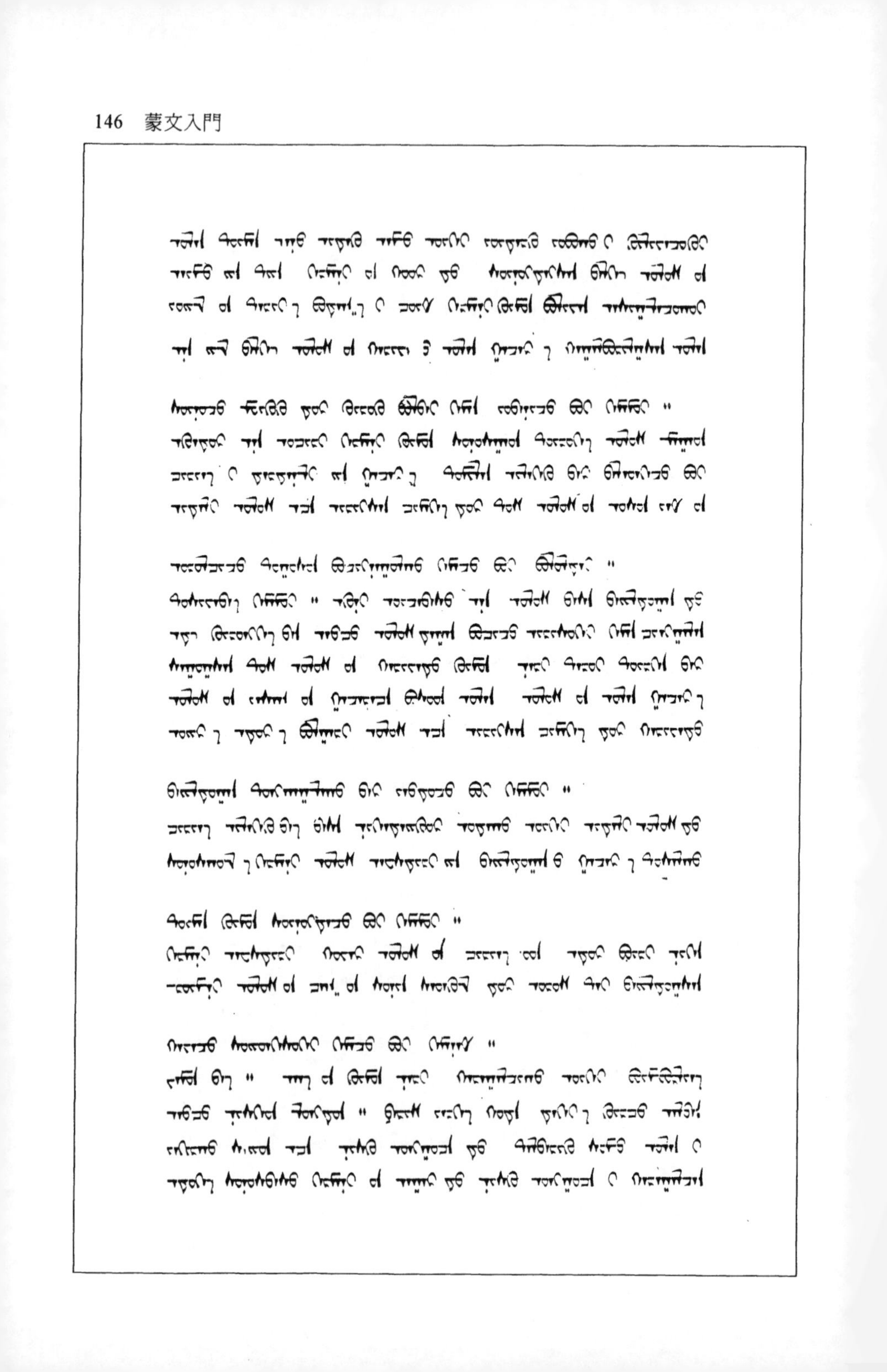

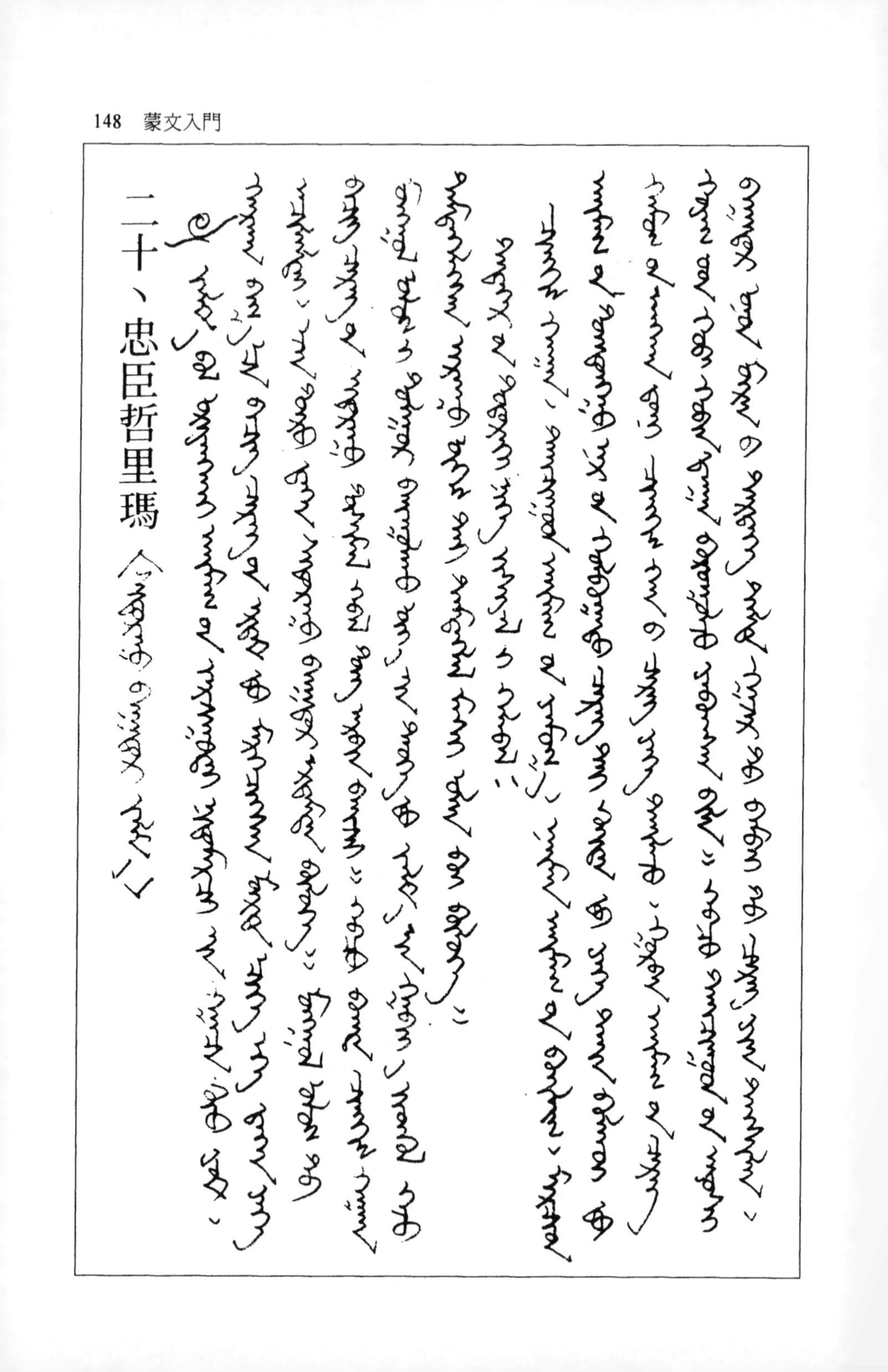

二十、忠臣哲里瑪 ([illegible])

[illegible]

[illegible]

[illegible]

[illegible]

[illegible]

[illegible]

[illegible]

[illegible]

[illegible]

[illegible]

[illegible]

[illegible]

[illegible]

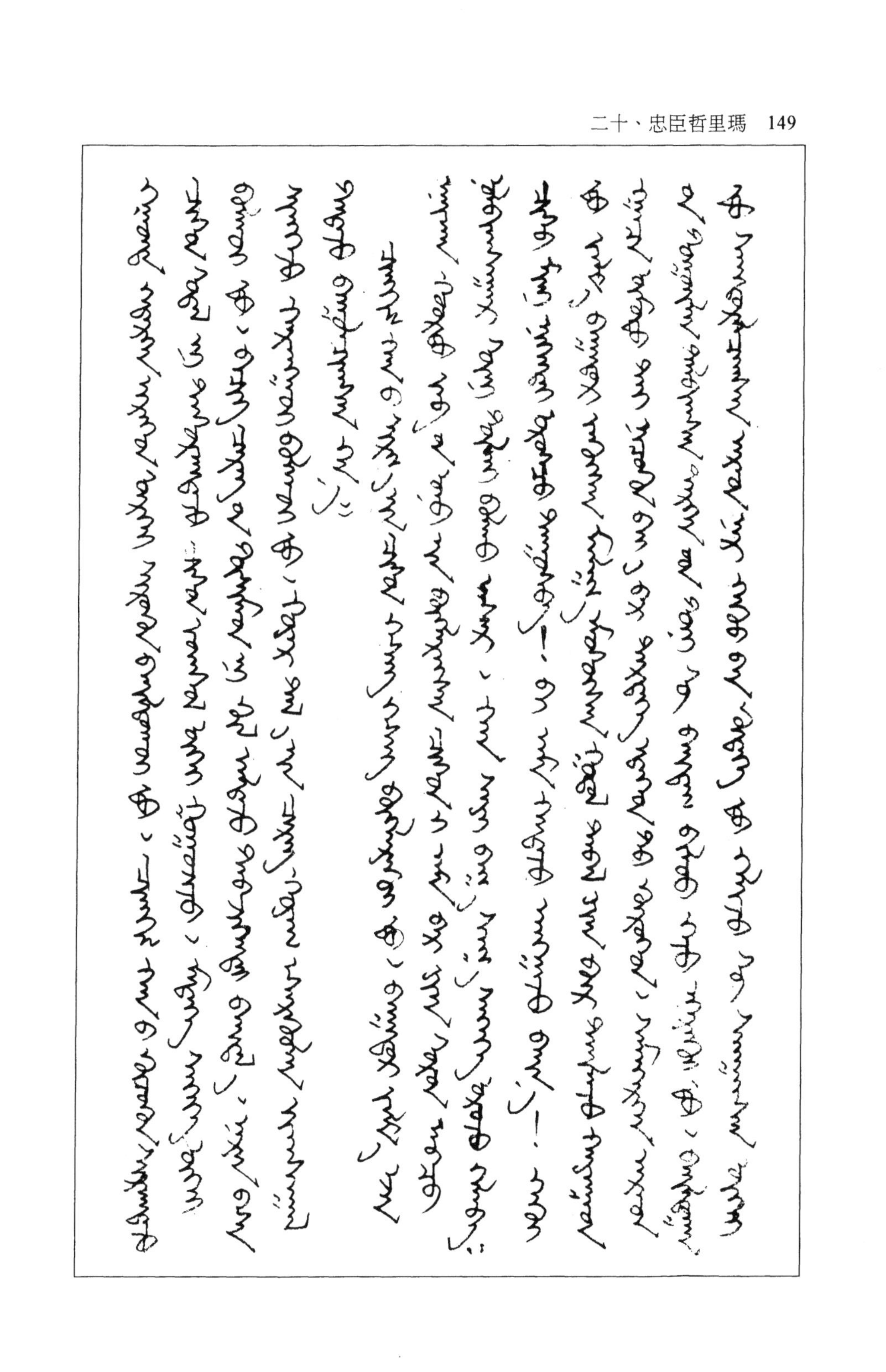

[illegible]

[illegible]

[illegible]

[illegible]

[illegible]

[illegible]

[illegible]

[illegible]

[illegible]

[illegible]

[illegible]

[illegible]

[illegible]

[illegible]

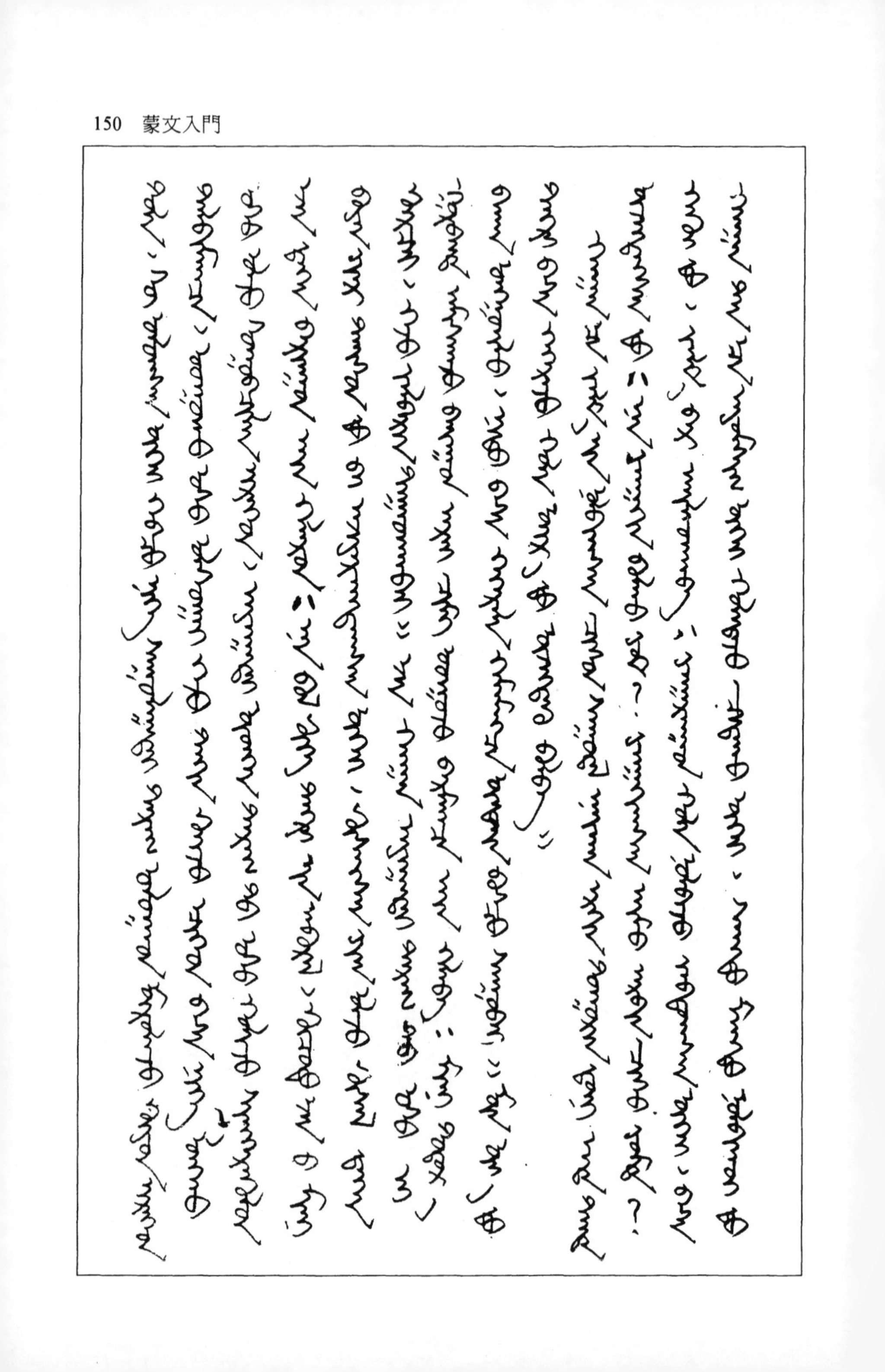

[illegible]

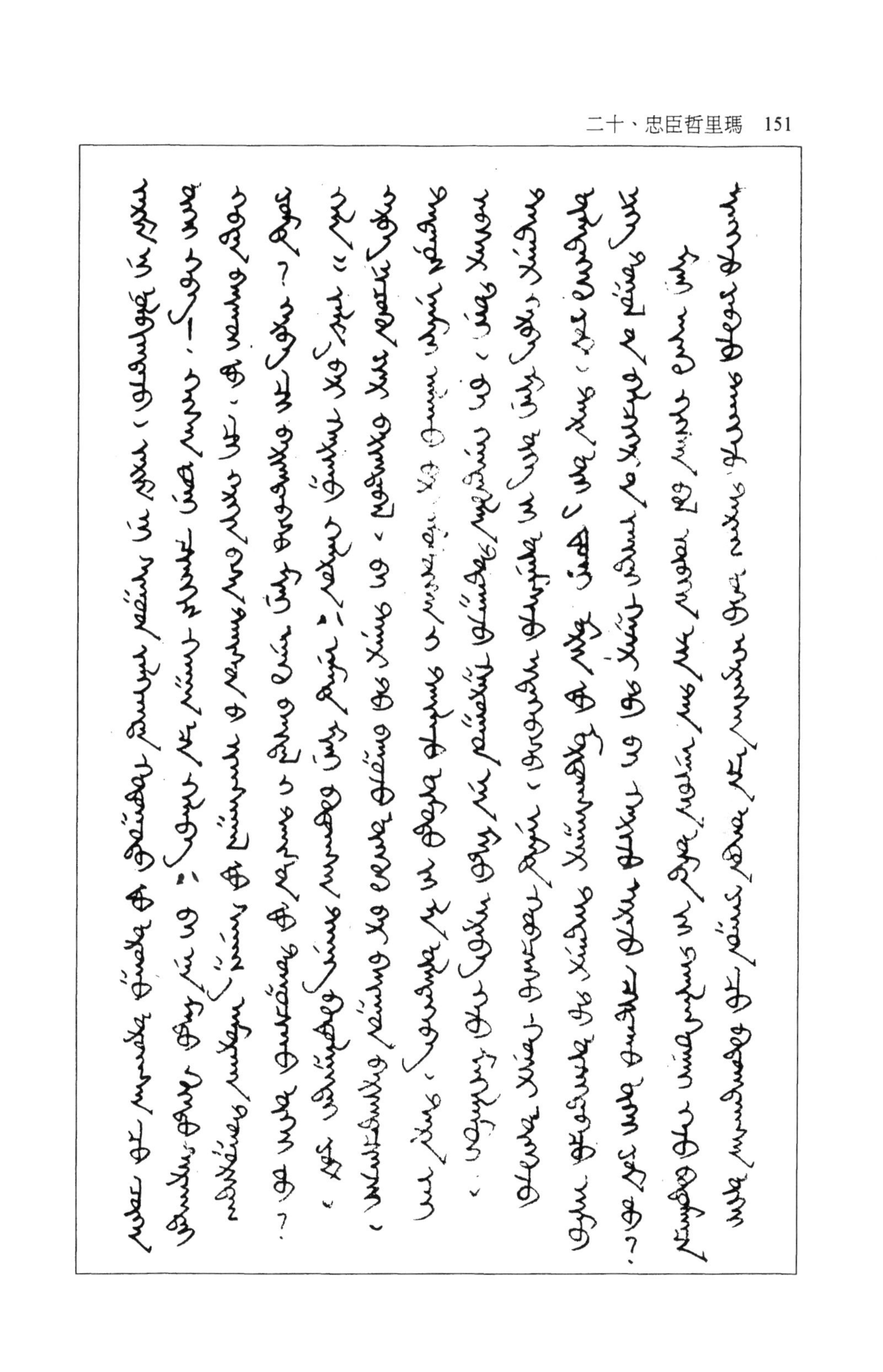

[illegible]

[illegible]

[illegible]

[illegible]

[illegible]

[illegible]

[illegible]

[illegible]

[illegible]

[illegible]

[illegible]

[illegible]

[illegible]

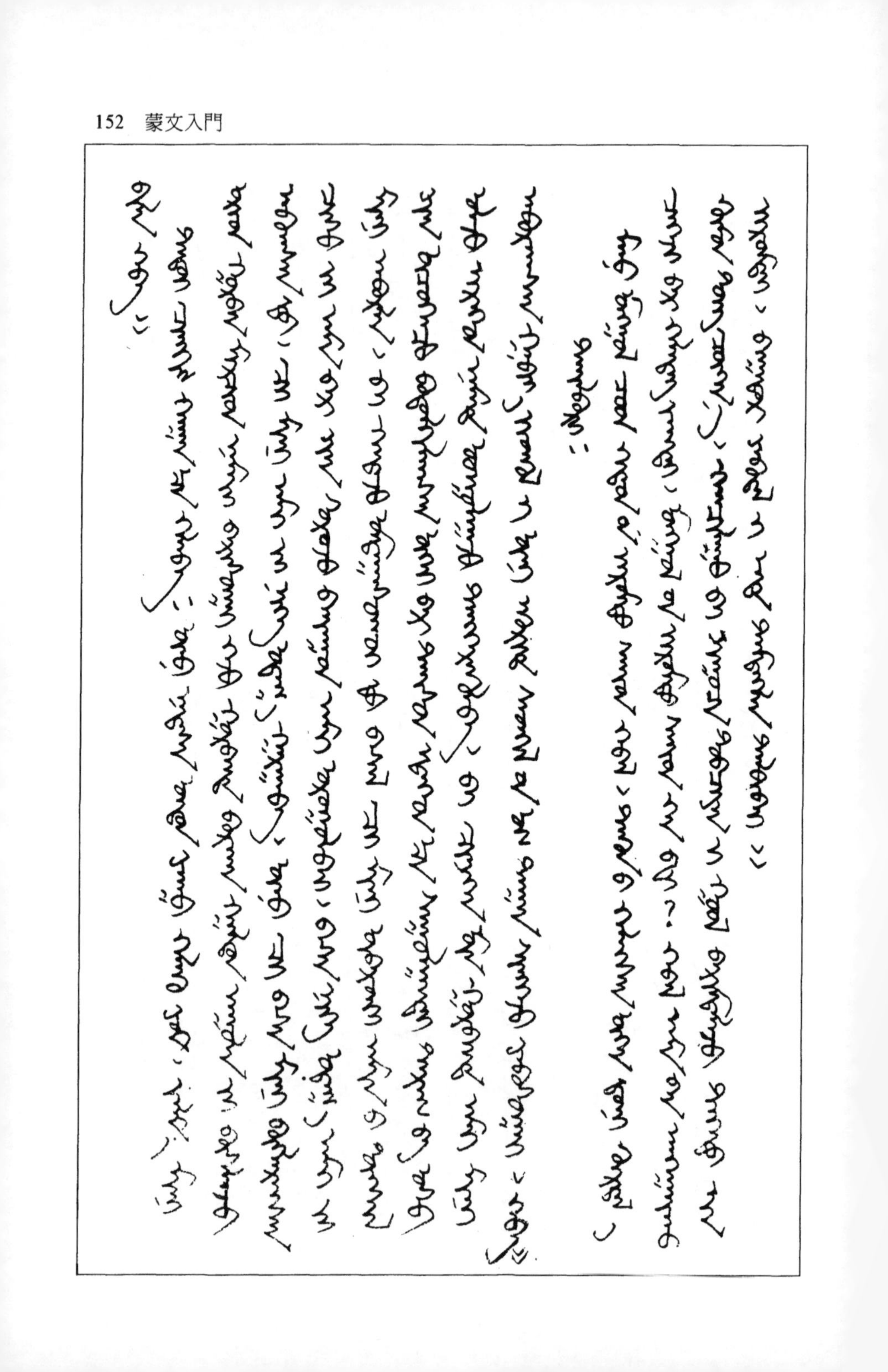

[illegible]
[illegible]
[illegible]
[illegible]
[illegible]
[illegible]
[illegible]
[illegible]
[illegible]
[illegible]
[illegible]
[illegible]
[illegible]

二十一、成陵——八座白宮

本文摘自「蒙文蒙古史記」，該書書名下有「MONGOL CHRONICLE ČINGGIS QAGAN U ČIDIG」及「INCLUDING ALTAN TOBČI」等字樣。作者、出版年、出版者均無記載。其文體與薩岡斯欽之「蒙古源流」類似。且「A」與「NA」字母不分「HA」與「GA」字母亦不分。該書係「成吉思汗傳」及「蒙古史記」二部合編而成，全書共計一九六頁。每篇文首及文尾均有祈禱詞；如文前多有「妙音天女賜予靈感啓佳奏功」。文後則多附有「福吉瑞祥賜予完稿」等吉利之語句。

▲

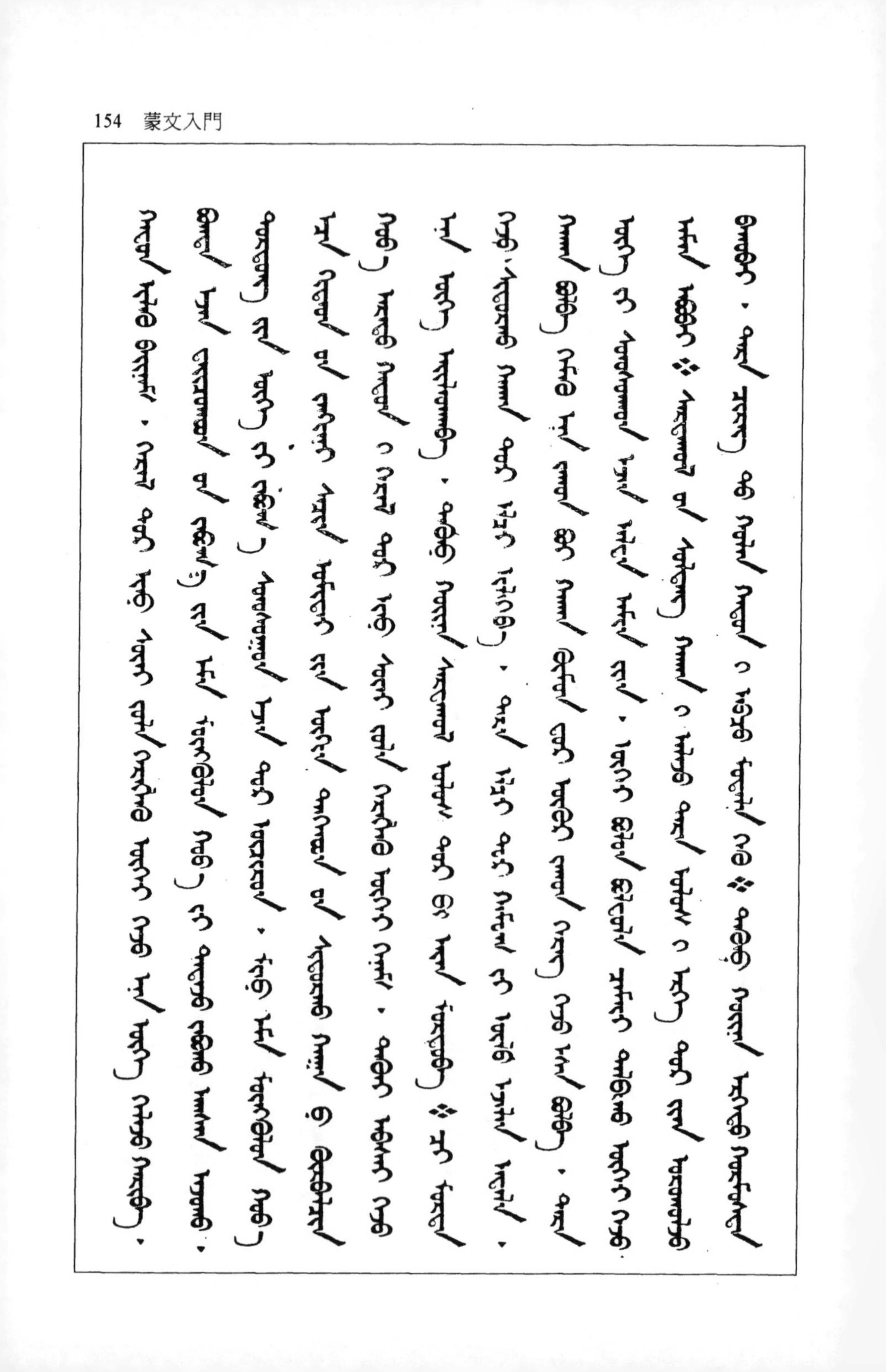

[illegible]
[illegible]
[illegible]
[illegible]
[illegible]
[illegible]
[illegible]
[illegible]
[illegible]
[illegible]
[illegible]

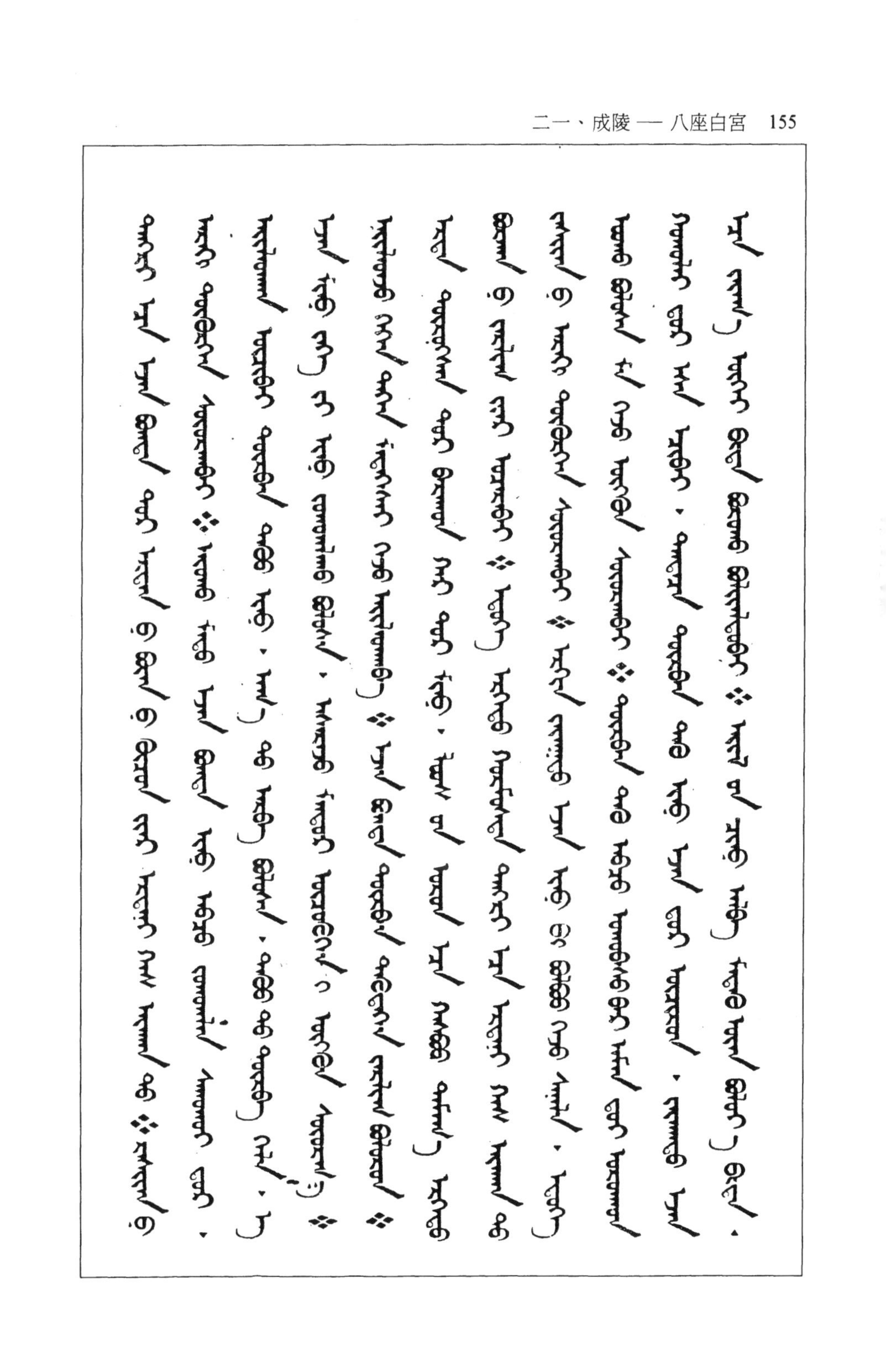

[illegible]

[illegible]

[illegible]

[illegible]

[illegible]

[illegible]

[illegible]

[illegible]

[illegible]

[illegible]

[illegible]

[illegible]

[illegible]

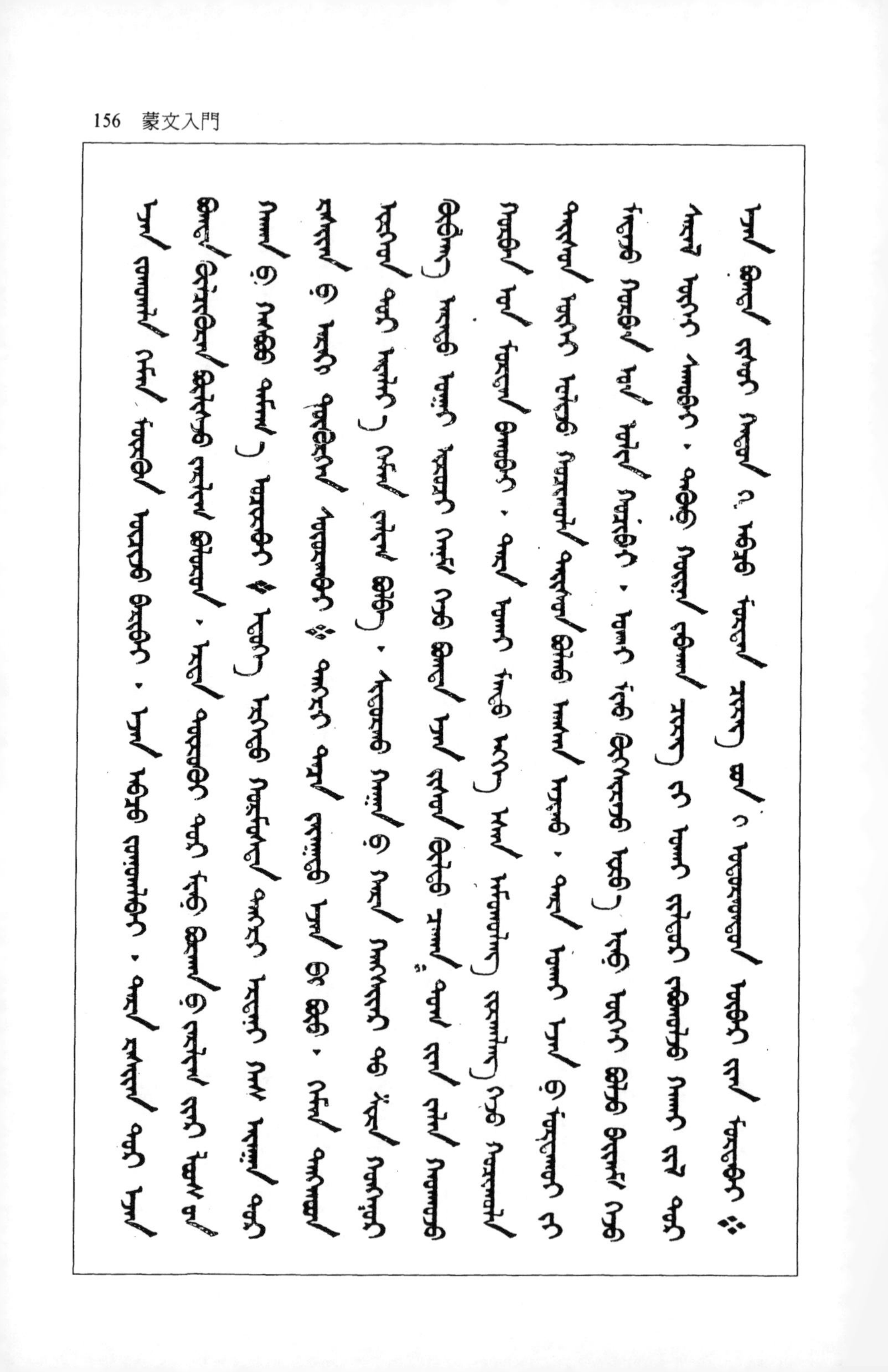

[illegible]

[illegible]
[illegible]
[illegible]
[illegible]
[illegible]
[illegible]
[illegible]
[illegible]
[illegible]
[illegible]
[illegible]

[illegible]
[illegible]
[illegible]
[illegible]
[illegible]
[illegible]
[illegible]
[illegible]
[illegible]
[illegible]
[illegible]
[illegible]

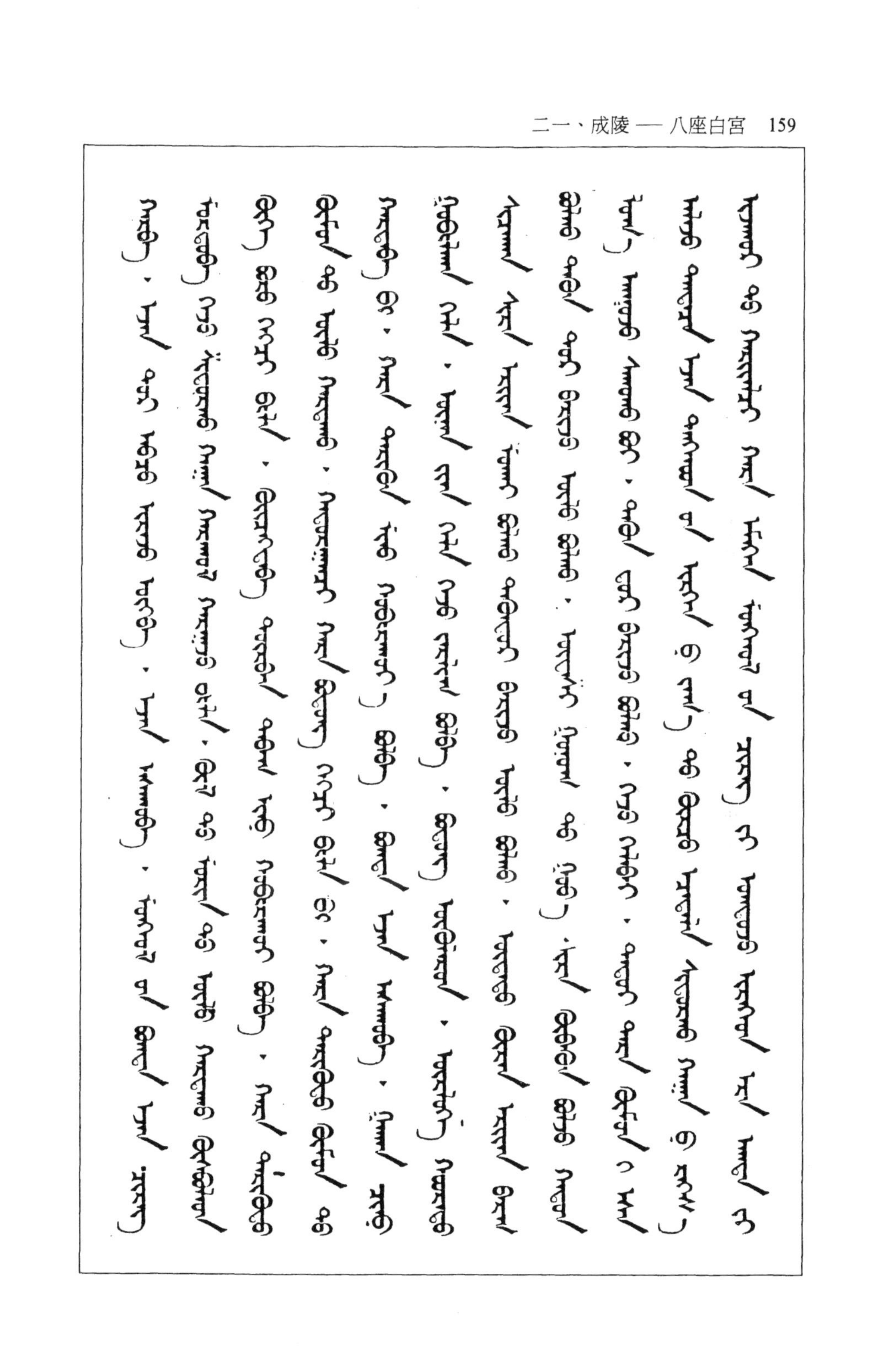

[illegible]
[illegible]
[illegible]
[illegible]
[illegible]
[illegible]
[illegible]
[illegible]
[illegible]
[illegible]
[illegible]
[illegible]

[illegible]

[illegible]

[illegible]

[illegible]

[illegible]

[illegible]

[illegible]

[illegible]

[illegible]

[illegible]

[illegible]

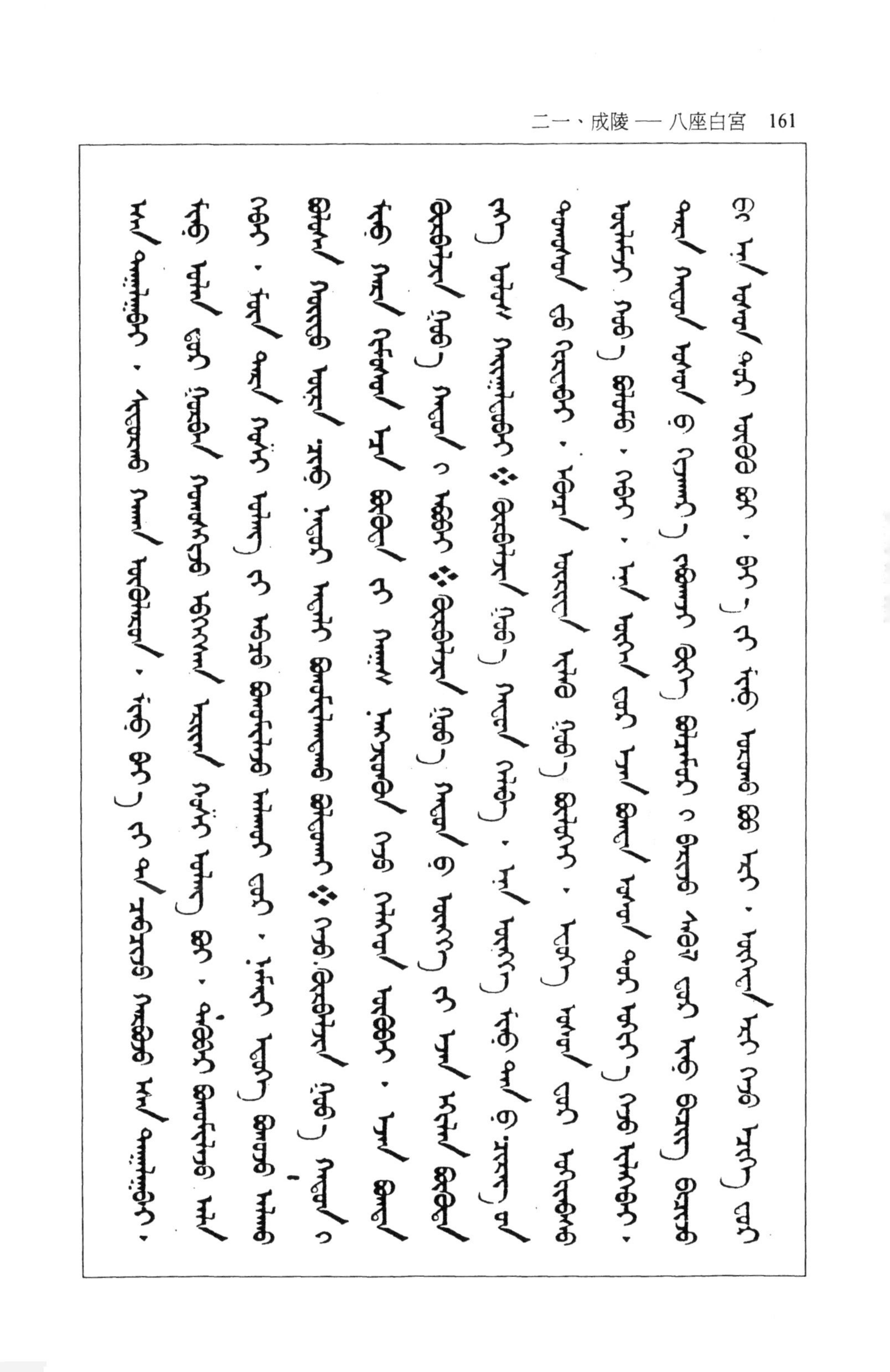

[illegible]

[illegible]

[illegible]

[illegible]

[illegible]

[illegible]

[illegible]

[illegible]

[illegible]

[illegible]

[illegible]

[illegible]

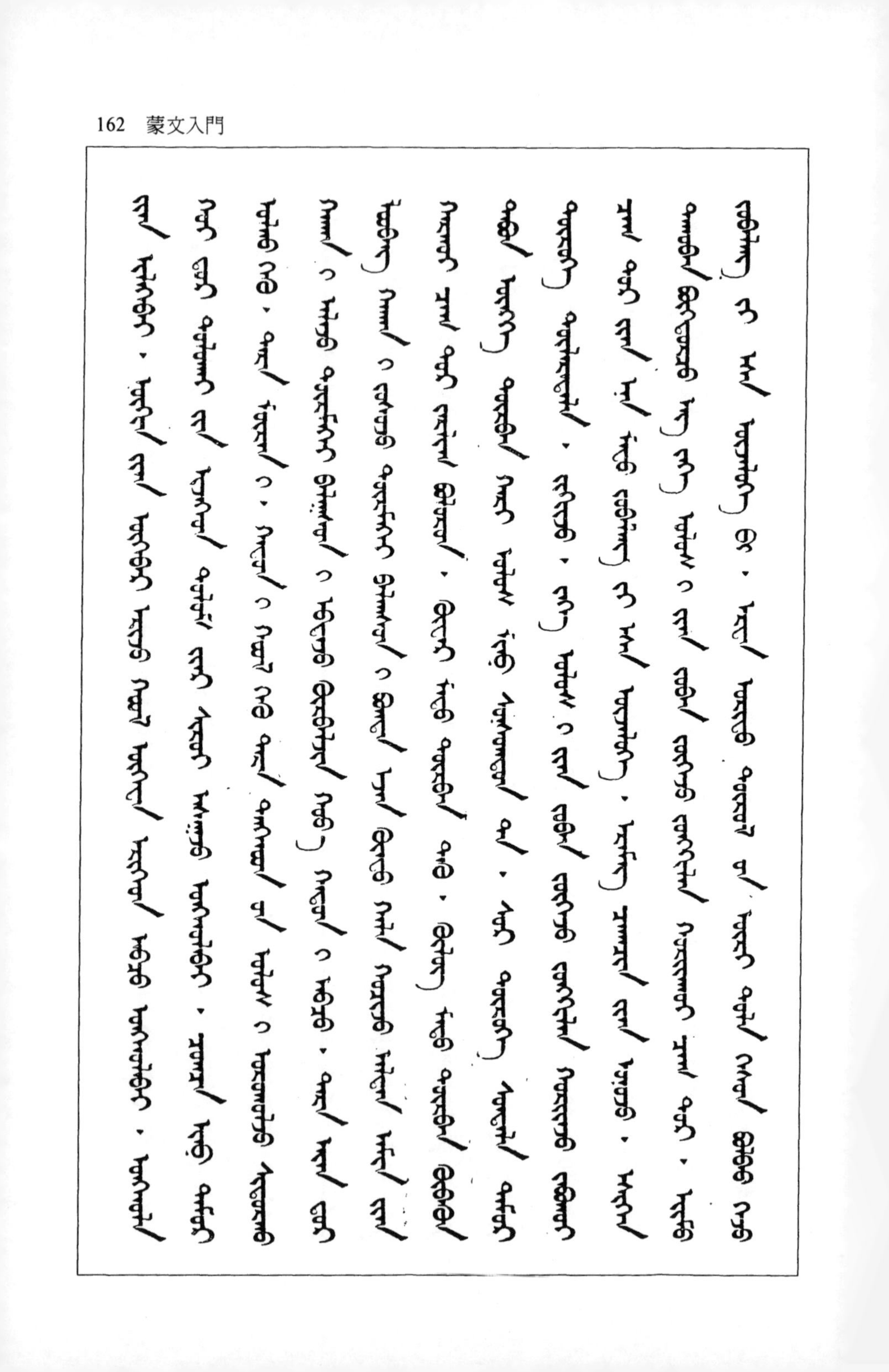

[illegible]
[illegible]
[illegible]
[illegible]
[illegible]
[illegible]
[illegible]
[illegible]
[illegible]
[illegible]
[illegible]
[illegible]
[illegible]
[illegible]

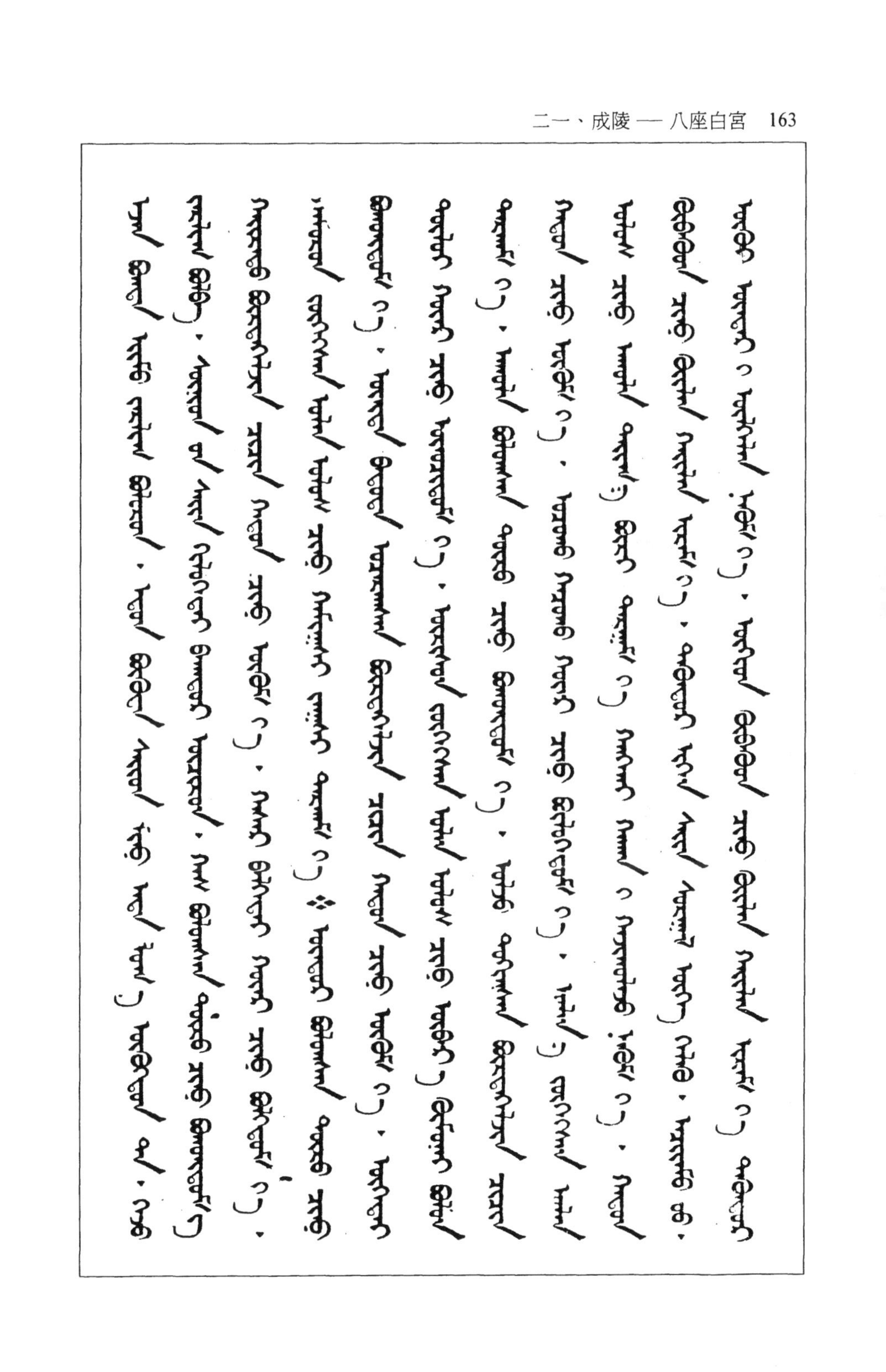

[illegible]
[illegible]
[illegible]
[illegible]
[illegible]
[illegible]
[illegible]
[illegible]
[illegible]
[illegible]
[illegible]

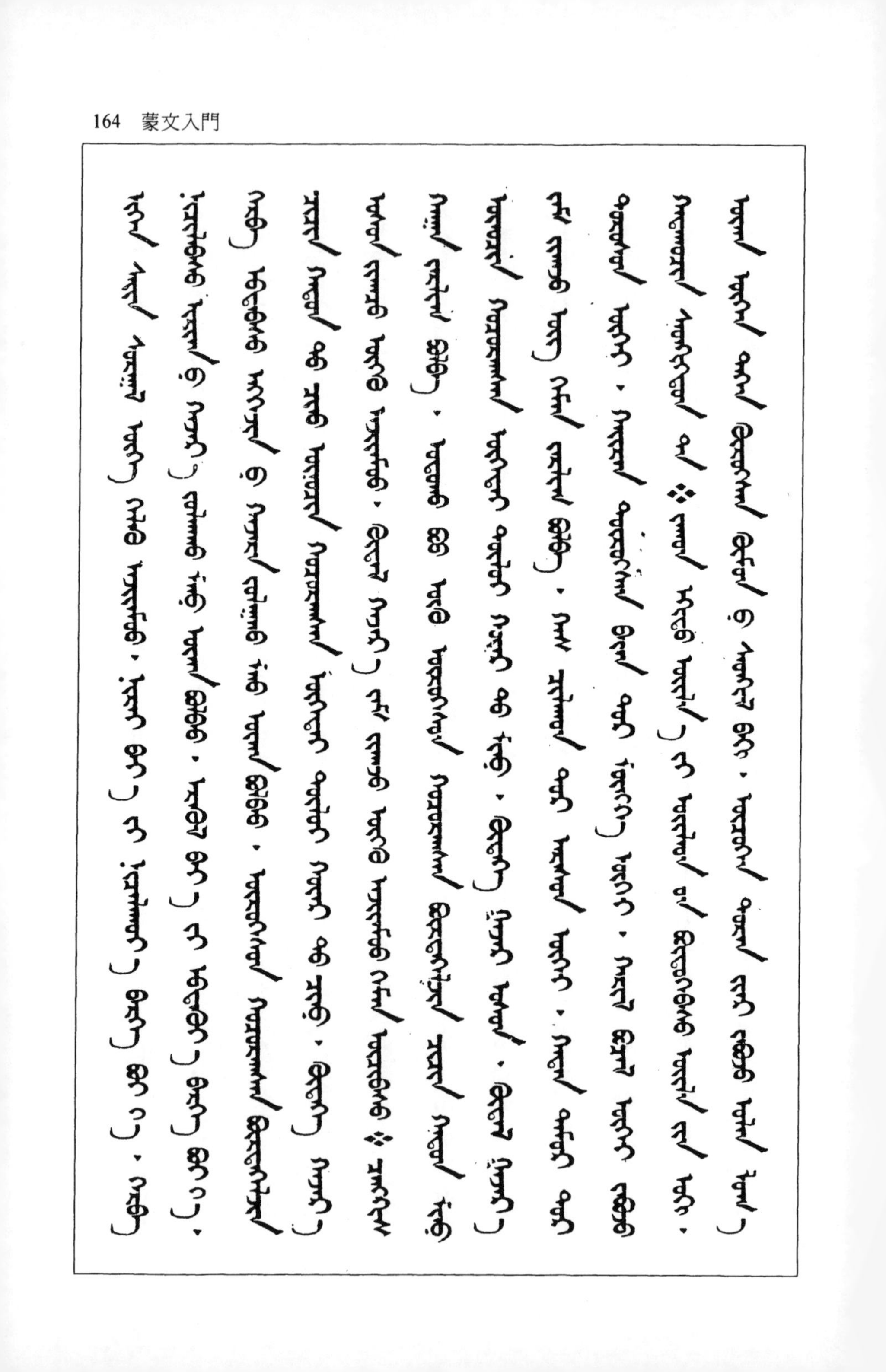

[illegible]

[illegible]

[illegible]

[illegible]

[illegible]

[illegible]

[illegible]

[illegible]

[illegible]

[illegible]

[illegible]

[illegible]

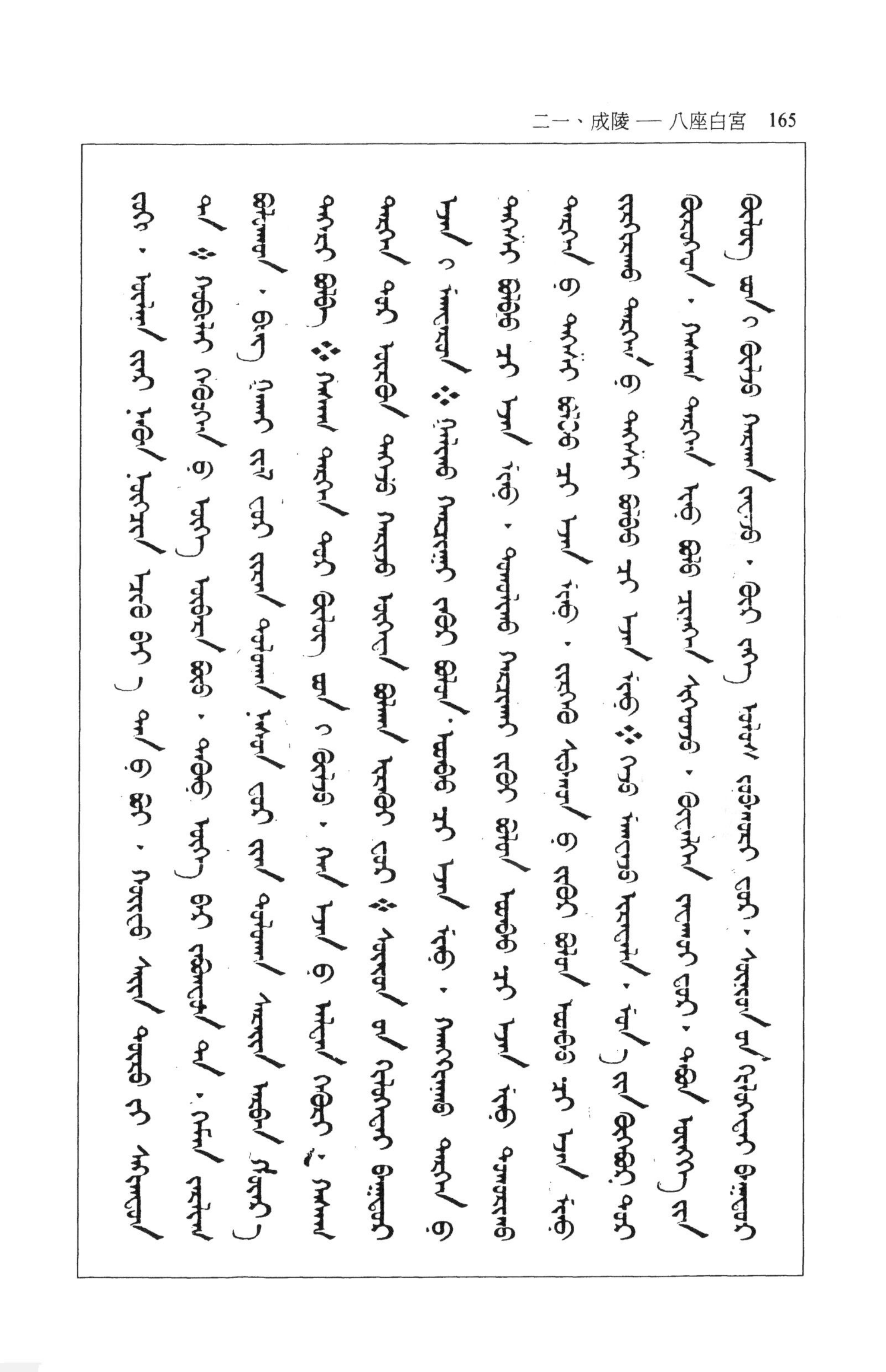

[illegible]
[illegible]
[illegible]
[illegible]
[illegible]
[illegible]
[illegible]
[illegible]
[illegible]
[illegible]
[illegible]

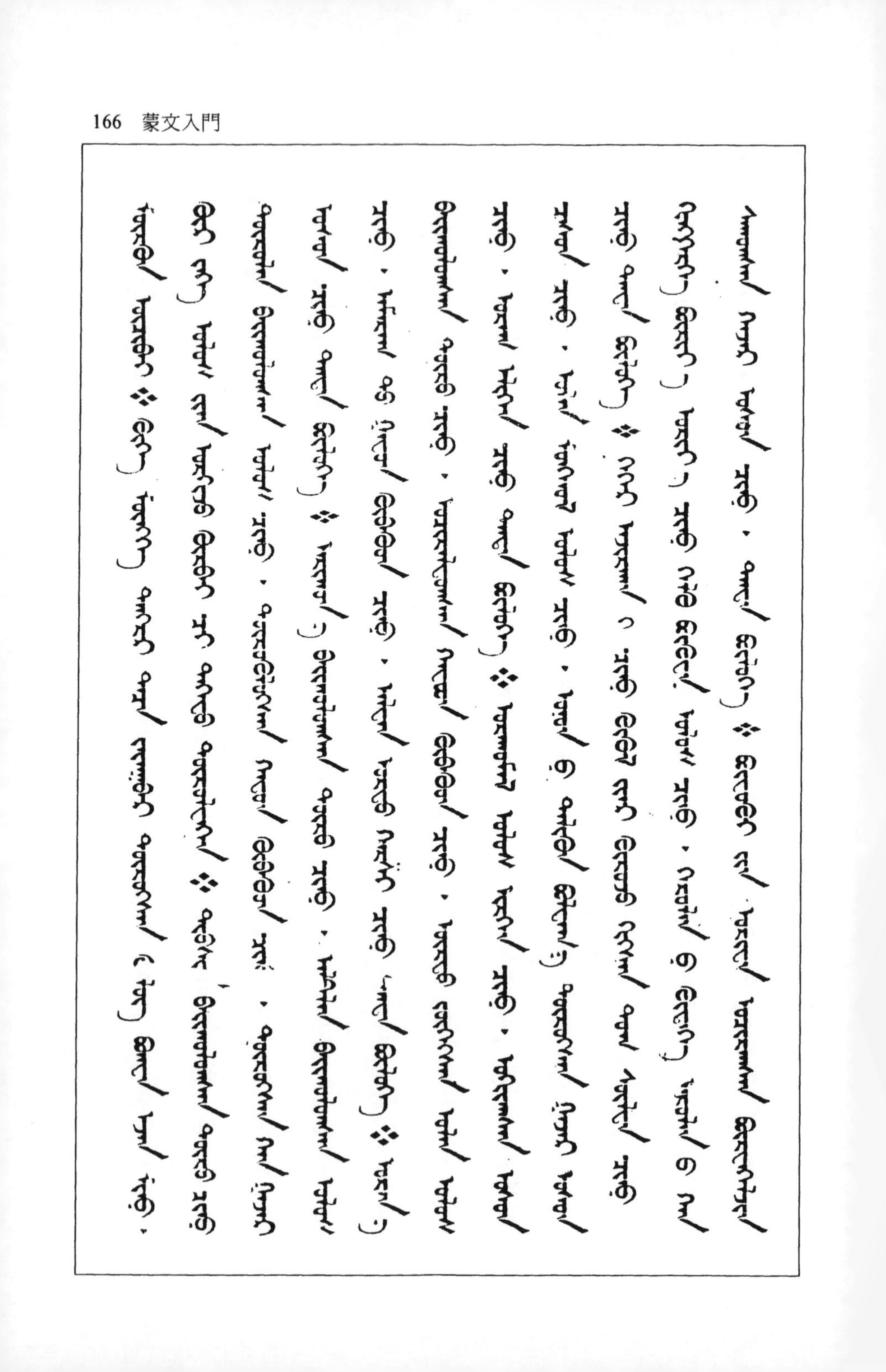

[illegible]
[illegible]
[illegible]
[illegible]
[illegible]
[illegible]
[illegible]
[illegible]
[illegible]
[illegible]
[illegible]
[illegible]

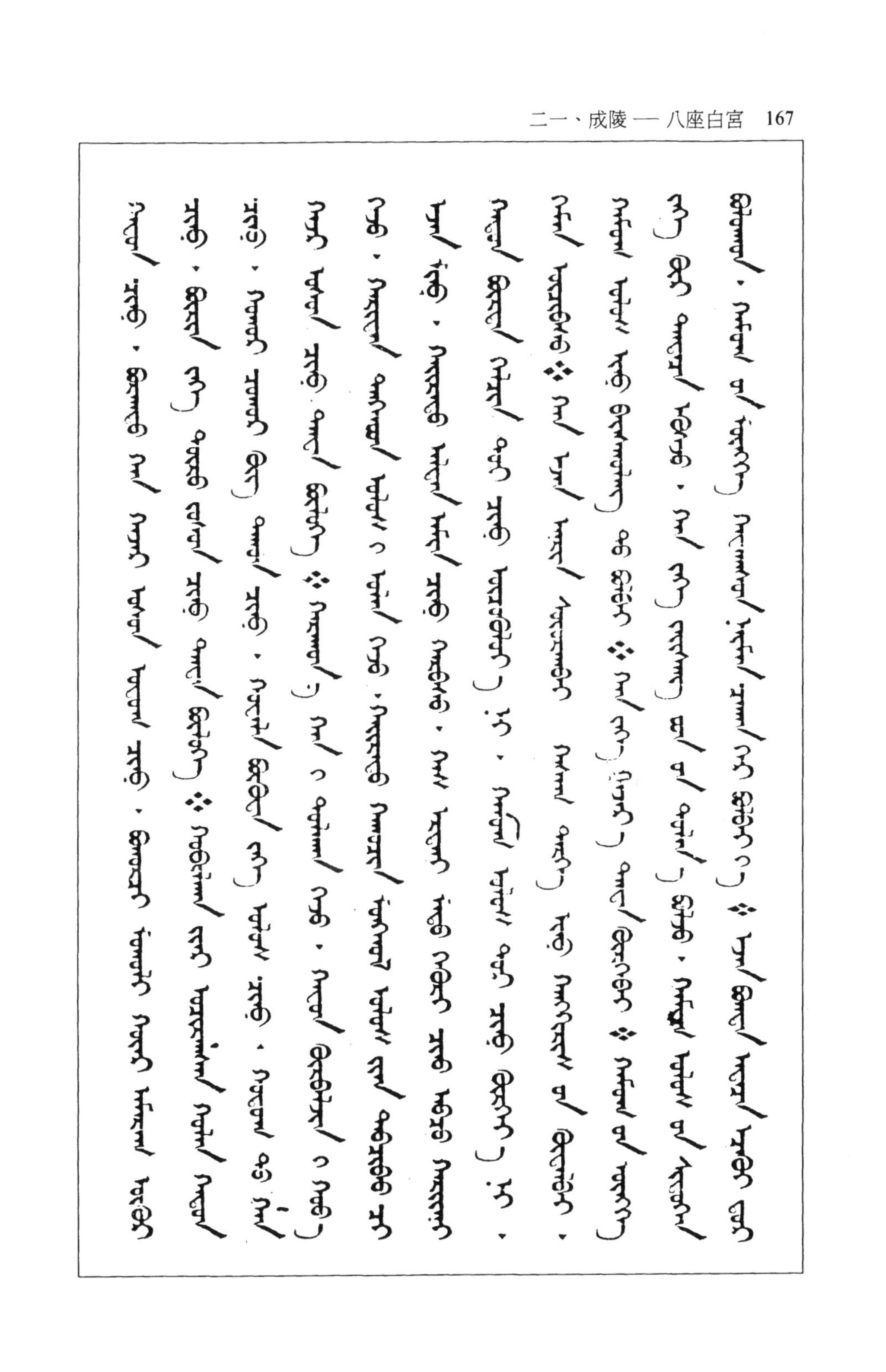

[illegible]

[illegible]

[illegible]

[illegible]

[illegible]

[illegible]

[illegible]

[illegible]

[illegible]

[illegible]

[illegible]

[illegible]

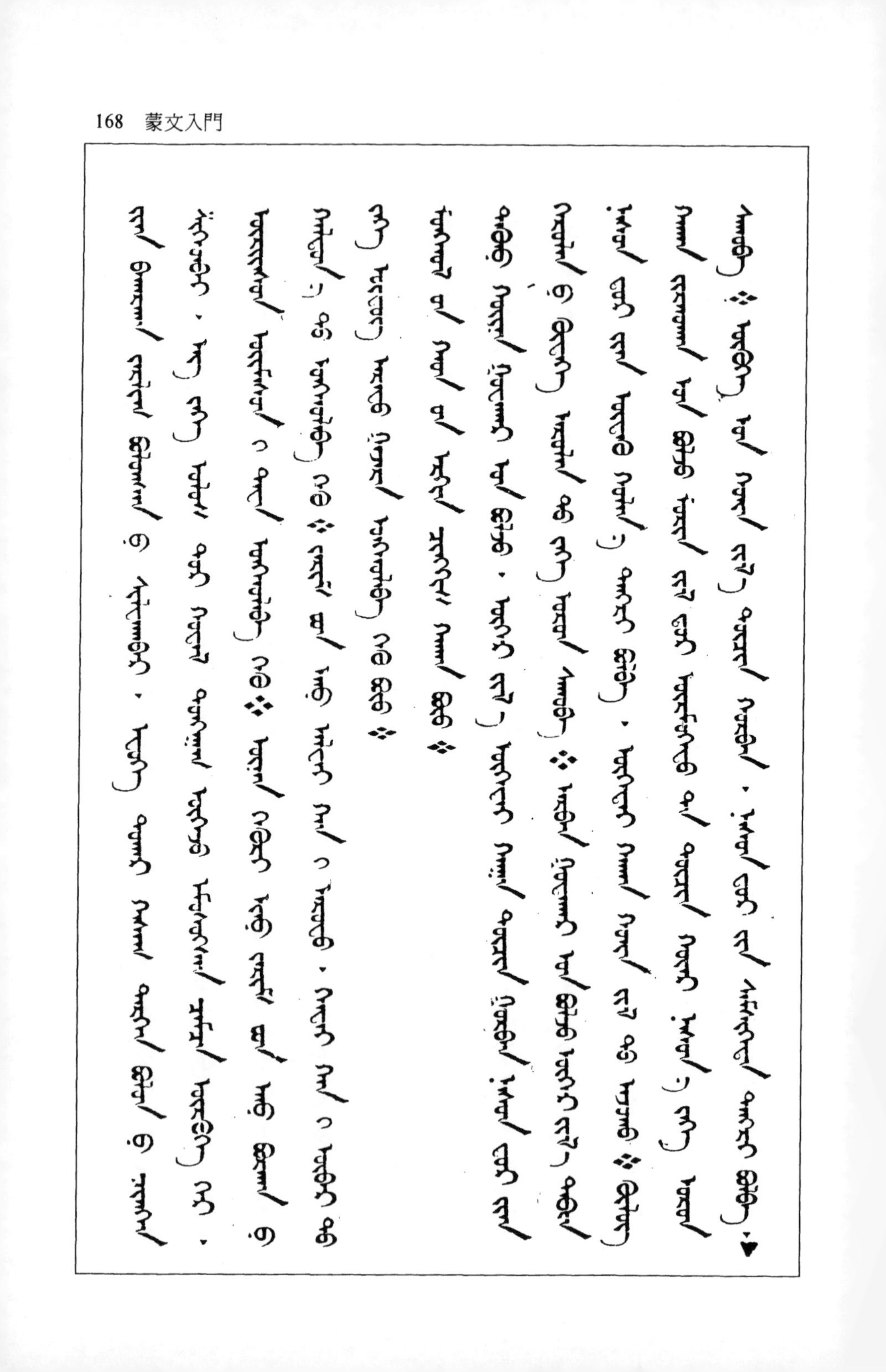

[illegible]

[illegible]

[illegible]

[illegible]

[illegible]

[illegible]

[illegible]

[illegible]

[illegible]

[illegible]

[illegible]

[illegible]

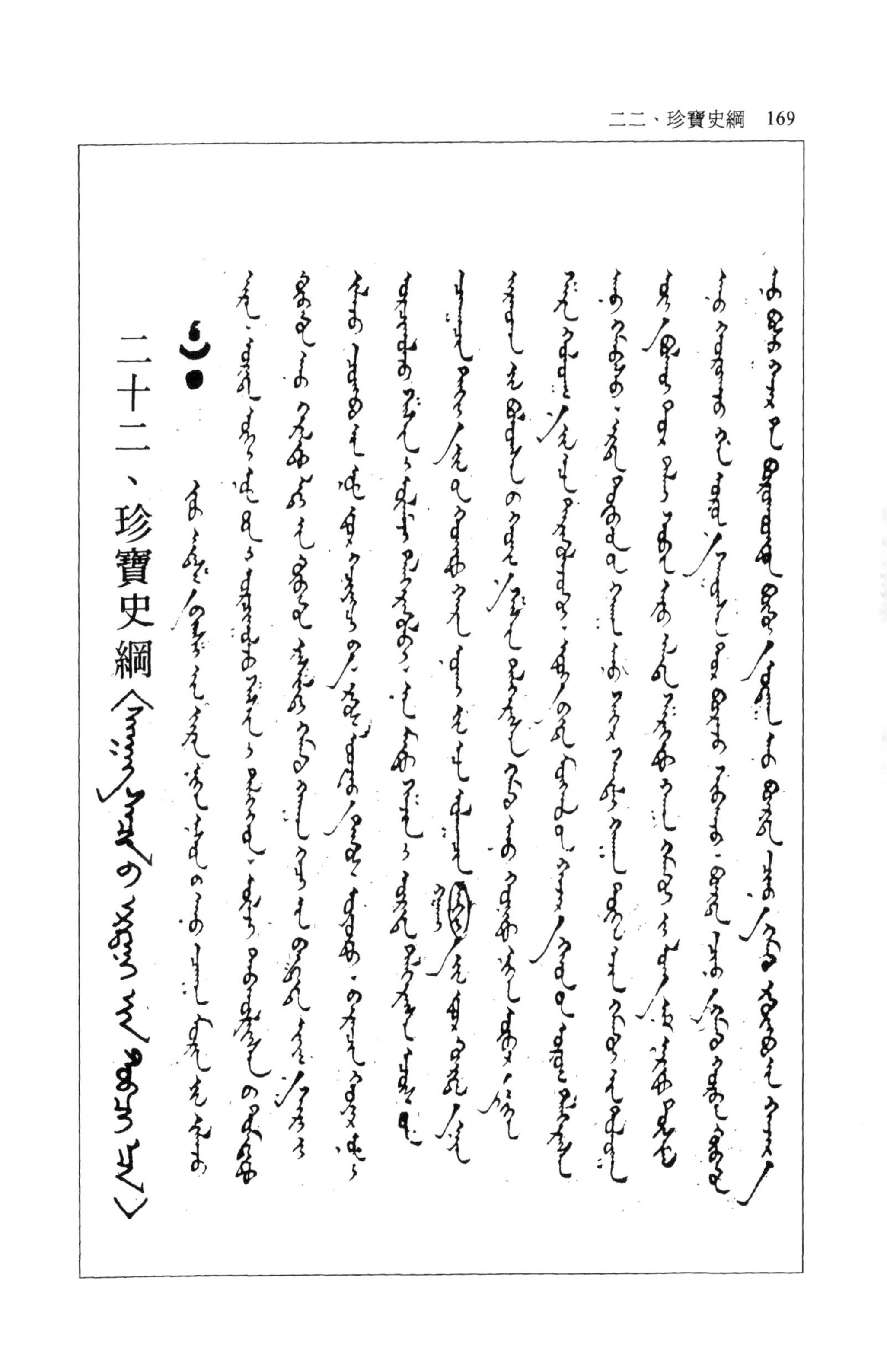

[illegible]

[illegible]

[illegible]

[illegible]

[illegible]

[illegible]

[illegible]

[illegible]

[illegible]

[illegible]

[illegible]

[illegible]

二十二、珍寶史綱〈[illegible]〉

[illegible]

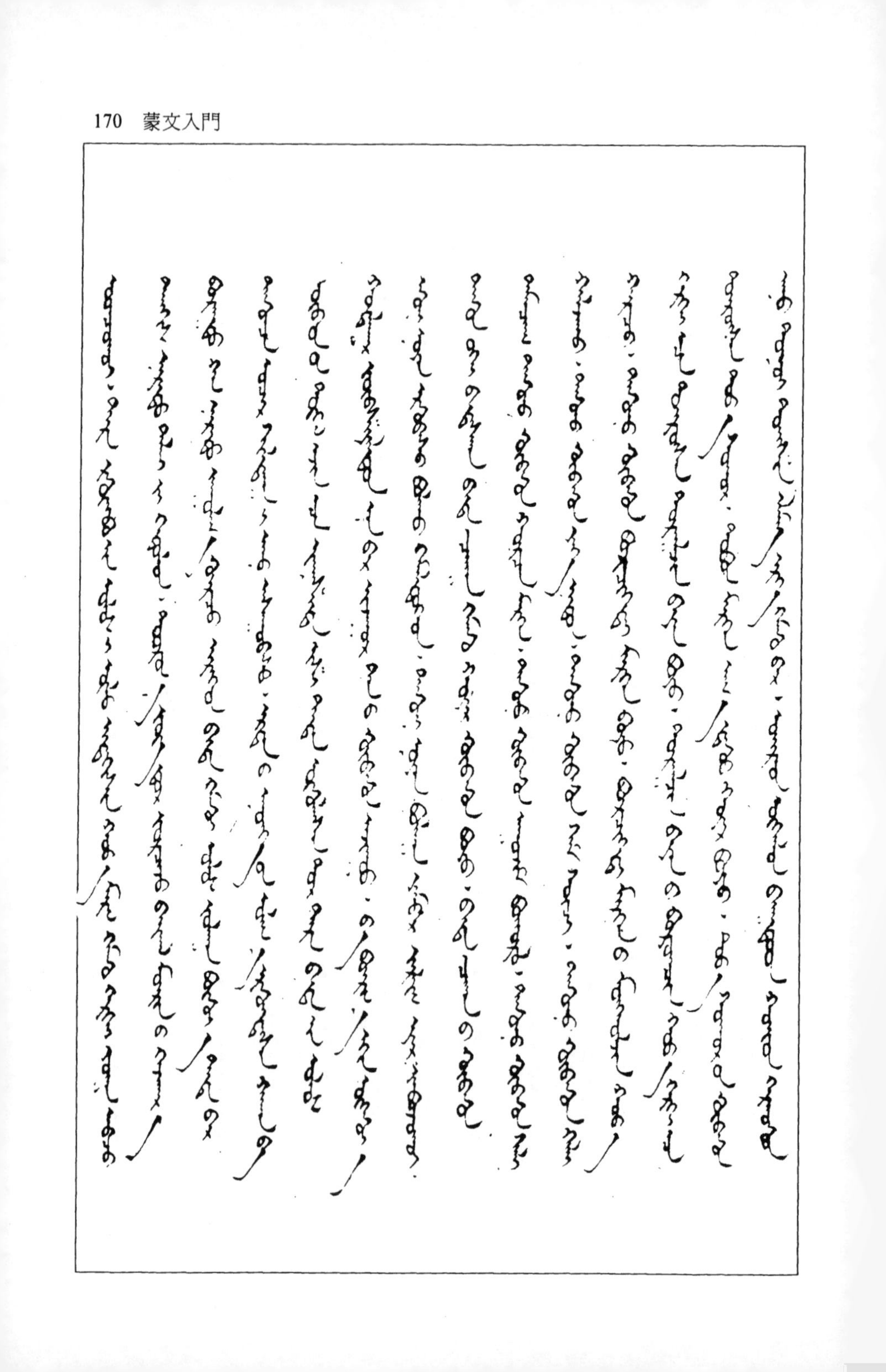

[illegible]

[illegible]

[illegible]

[illegible]

[illegible]

[illegible]

[illegible]

[illegible]

[illegible]

[illegible]

[illegible]

[illegible]

[illegible]

[illegible]

[illegible]

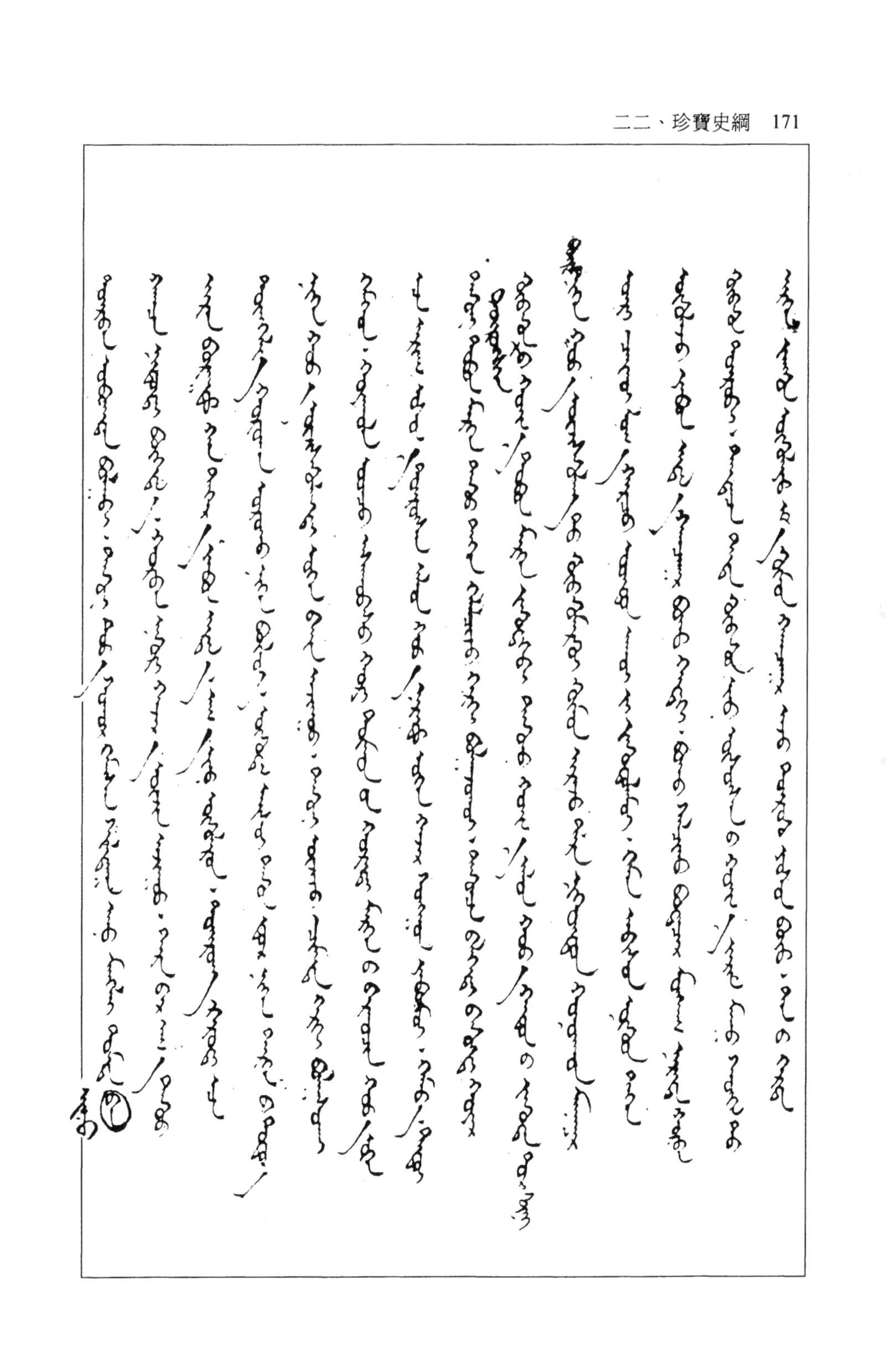

[illegible]

[illegible]

[illegible]

[illegible]

[illegible]

[illegible]

[illegible]

[illegible]

[illegible]

[illegible]

[illegible]

[illegible]

[illegible]

[illegible]

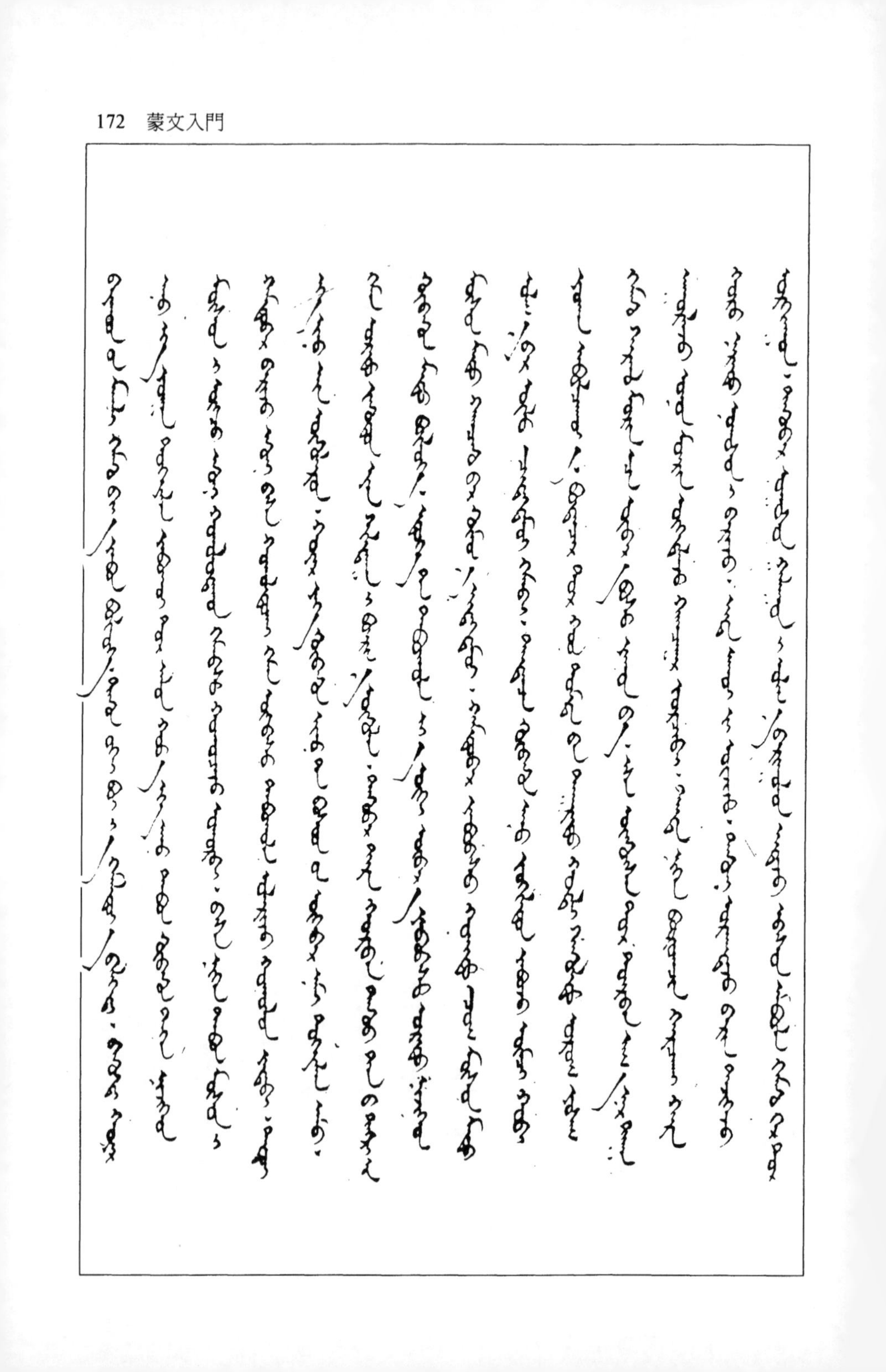

[illegible]

[illegible]

[illegible]

[illegible]

[illegible]

[illegible]

[illegible]

[illegible]

[illegible]

[illegible]

[illegible]

[illegible]

[illegible]

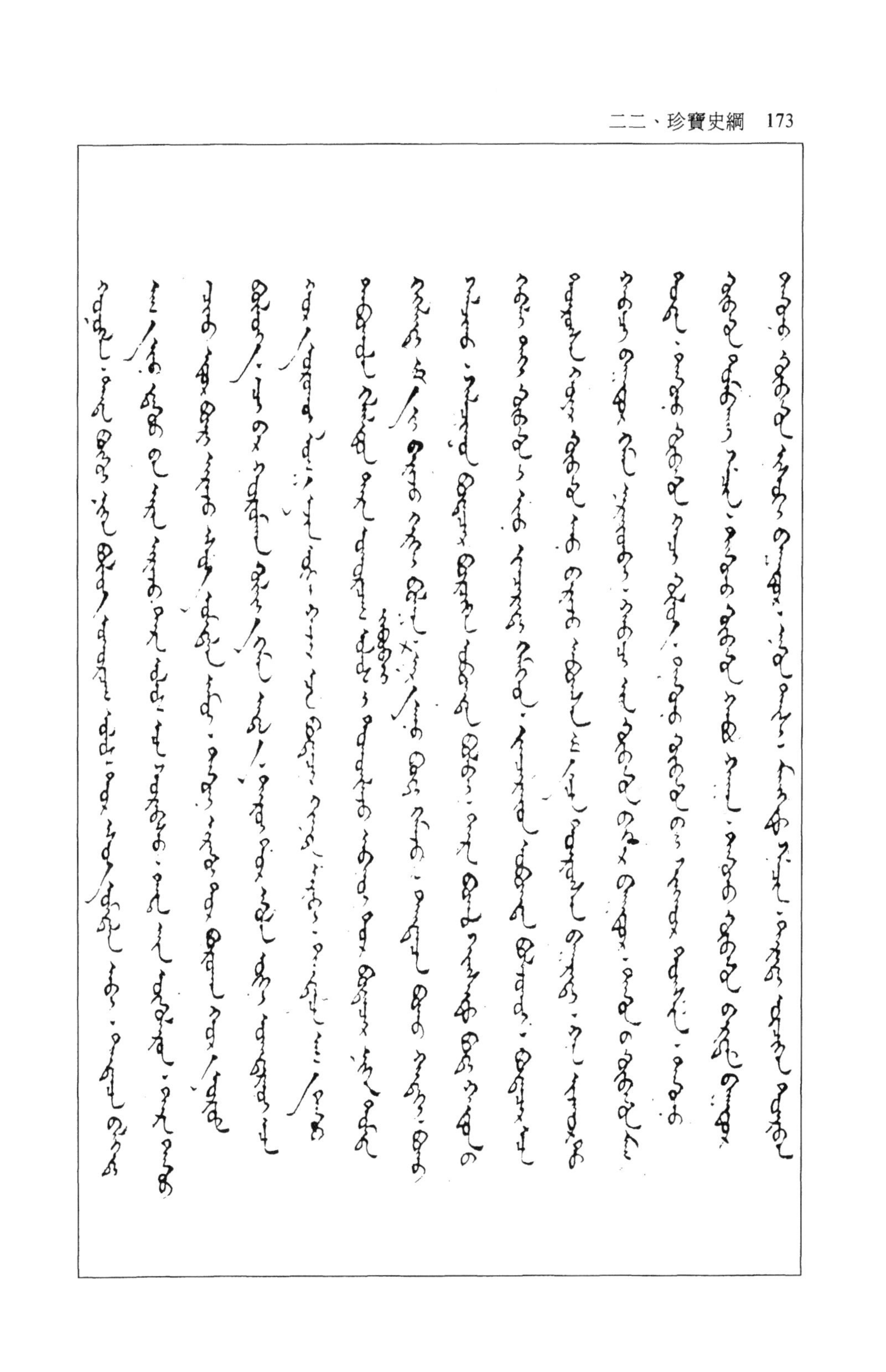

[illegible]

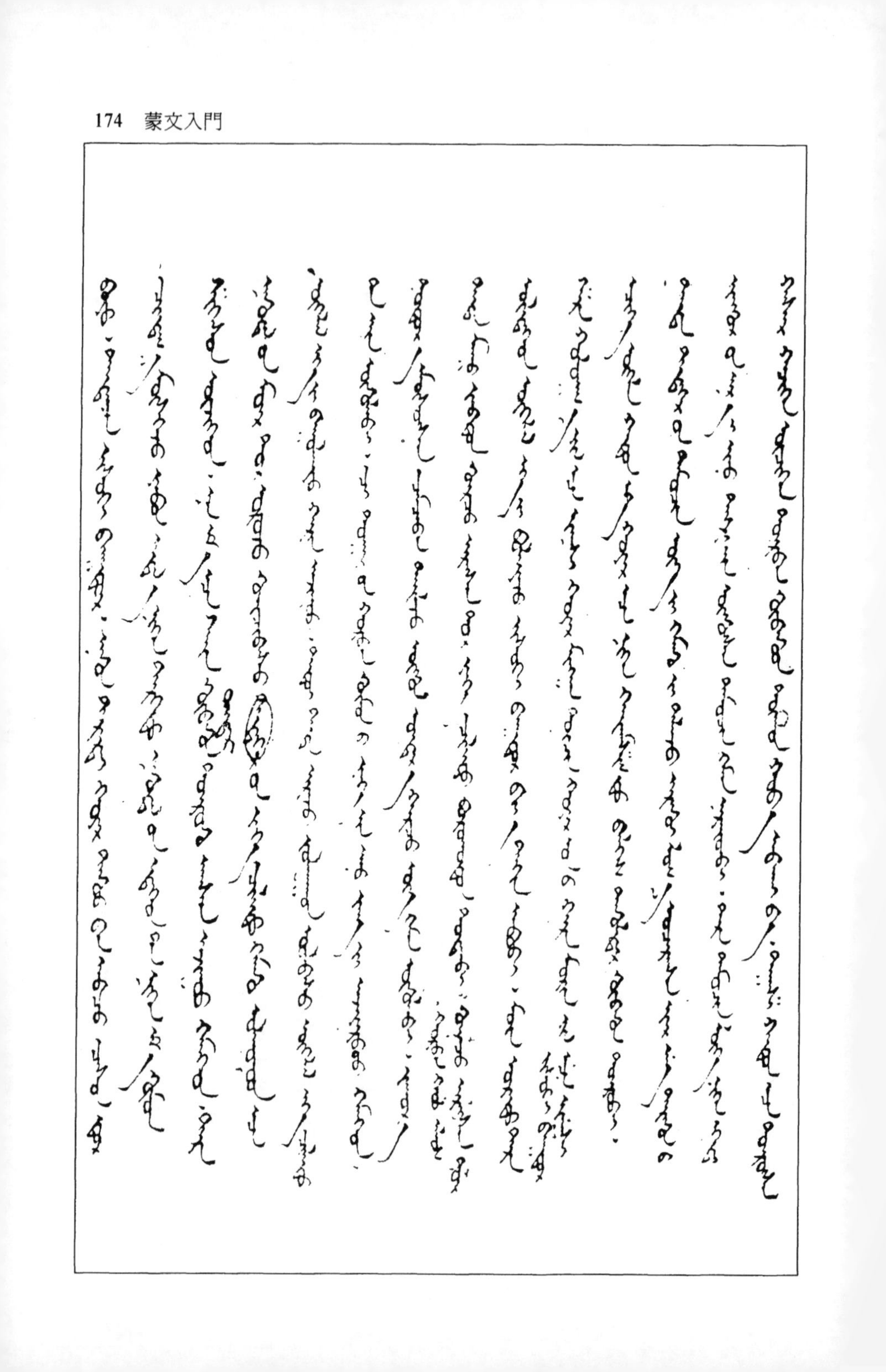

[illegible]

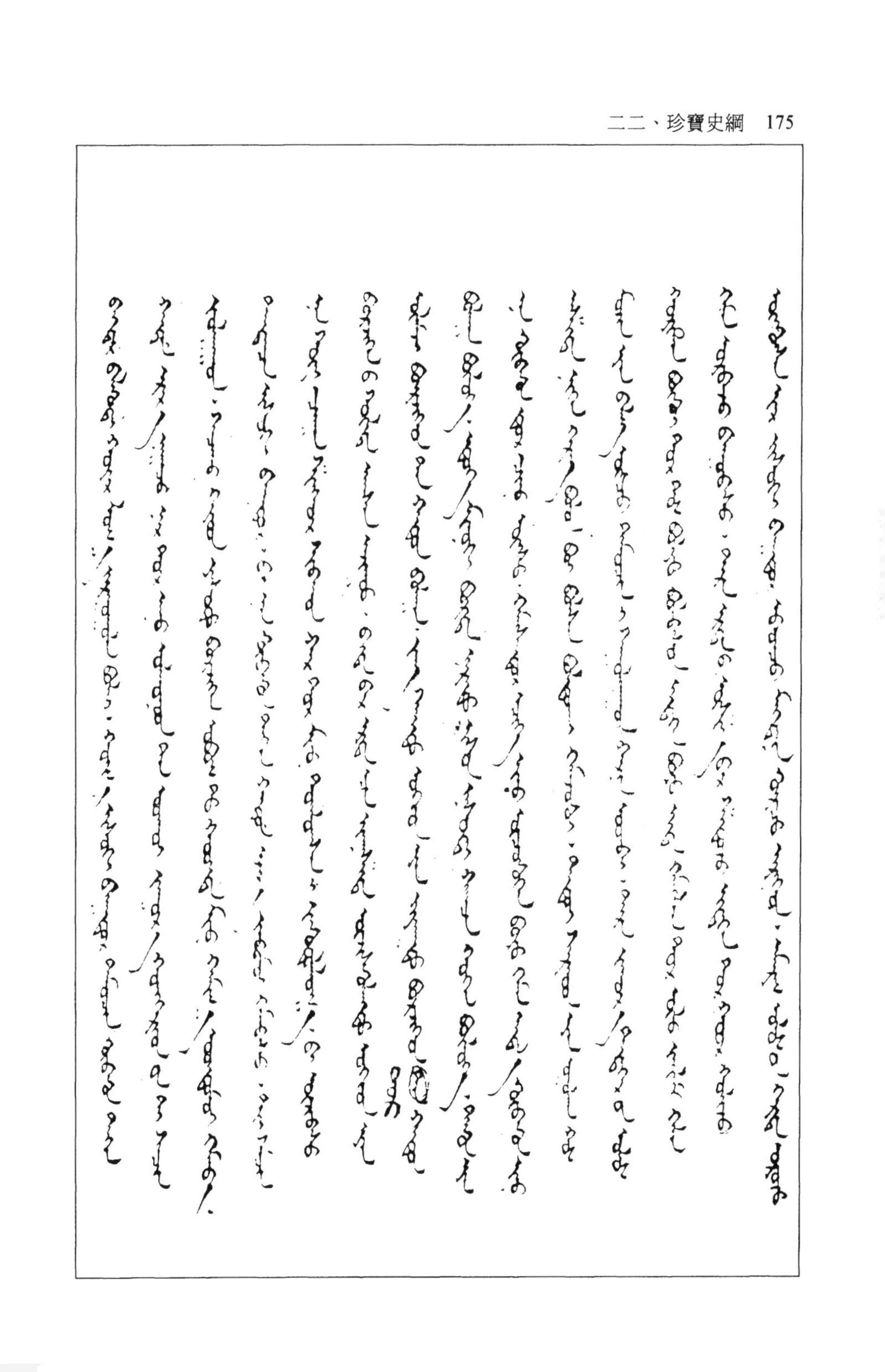

[illegible]

[illegible]

[illegible]

[illegible]

[illegible]

[illegible]

[illegible]

[illegible]

[illegible]

[illegible]

[illegible]

[illegible]

[illegible]

[illegible]

[illegible]

[illegible]
[illegible]
[illegible]
[illegible]
[illegible]
[illegible]
[illegible]
[illegible]
[illegible]
[illegible]
[illegible]
[illegible]
[illegible]
[illegible]
[illegible]

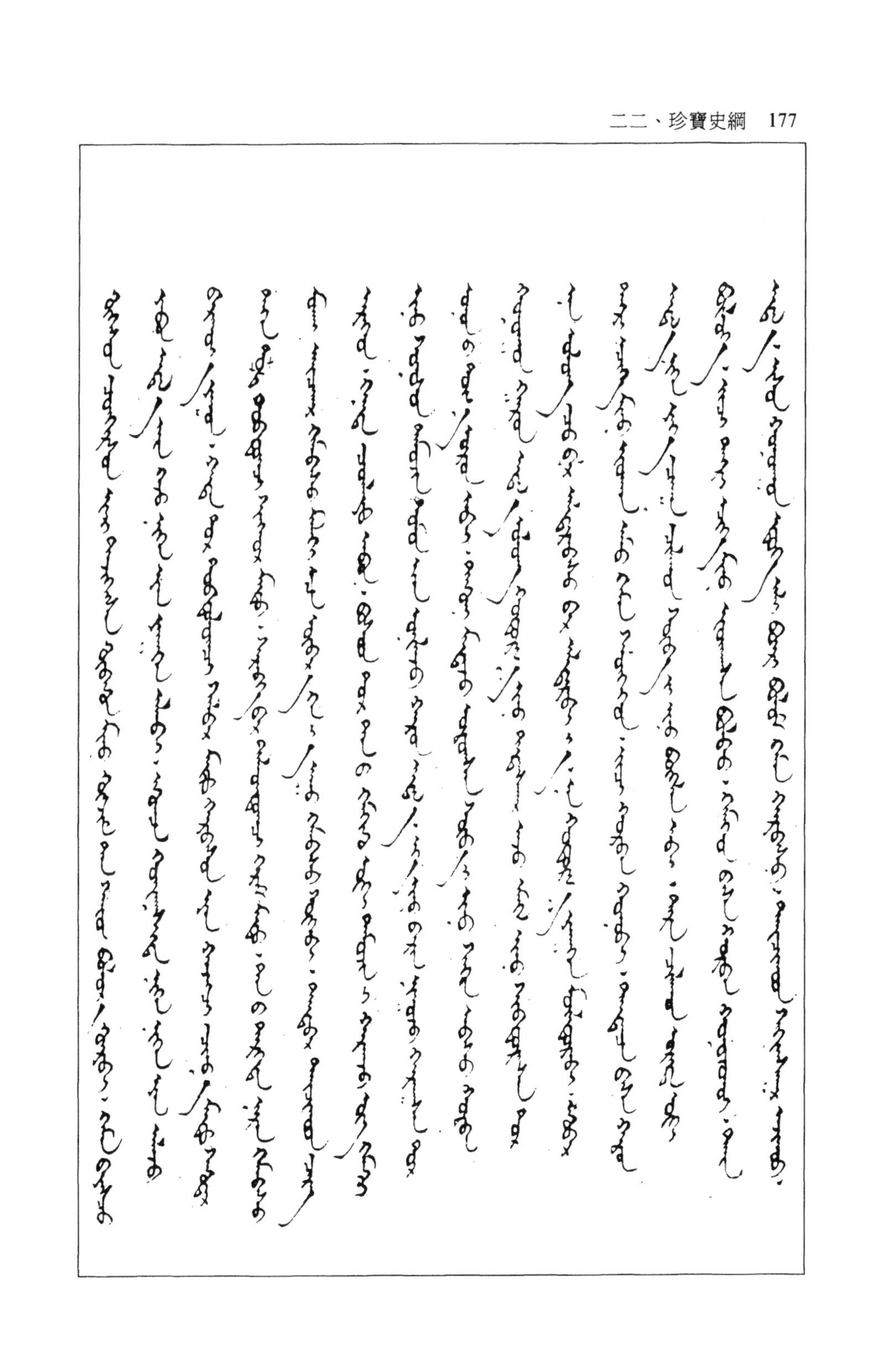

[illegible]
[illegible]
[illegible]
[illegible]
[illegible]
[illegible]
[illegible]
[illegible]
[illegible]
[illegible]
[illegible]
[illegible]
[illegible]
[illegible]
[illegible]

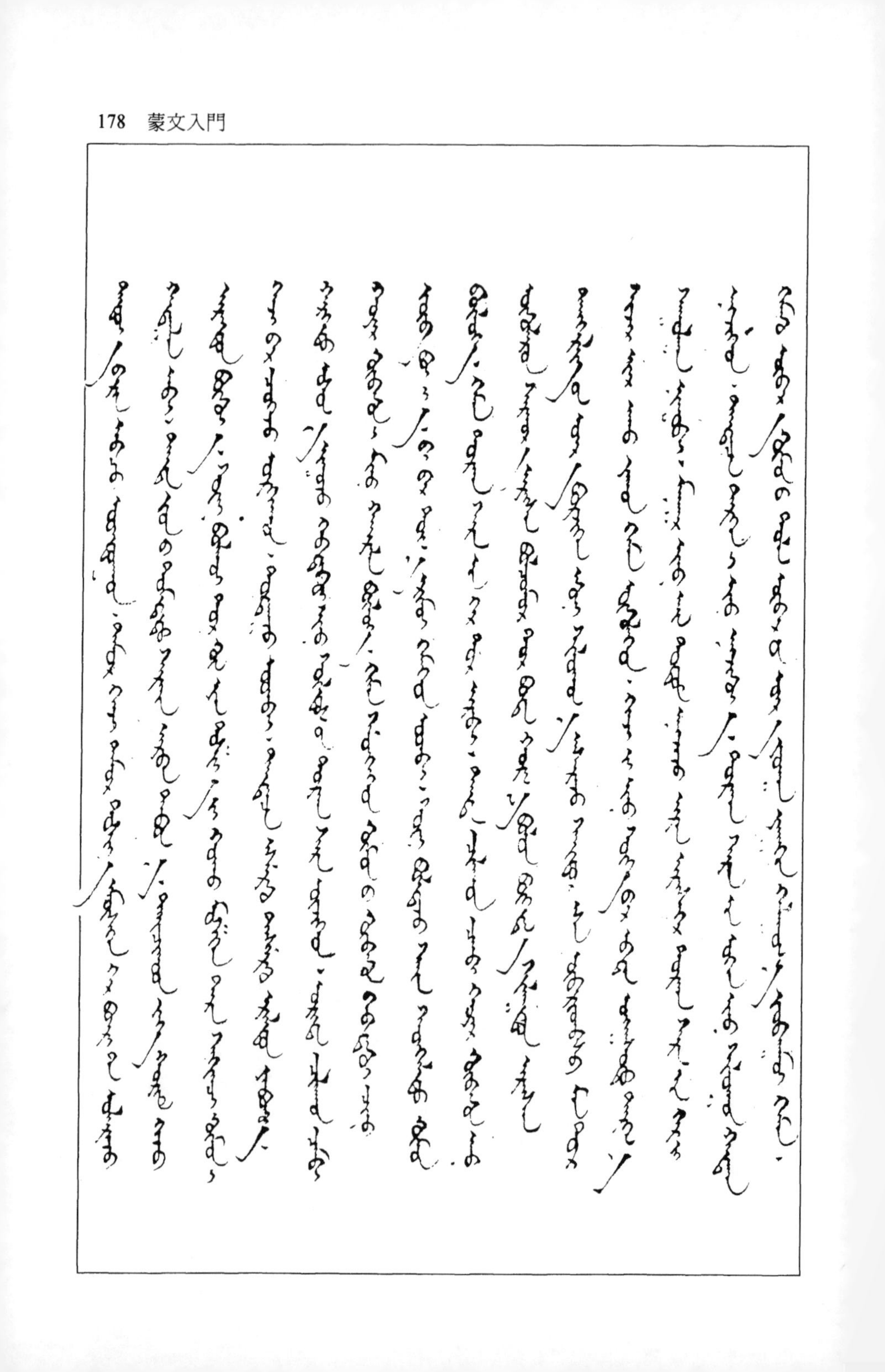

[illegible]

[illegible]

[illegible]

[illegible]

[illegible]

[illegible]

[illegible]

[illegible]

[illegible]

[illegible]

[illegible]

[illegible]

[illegible]

[illegible]

[illegible]

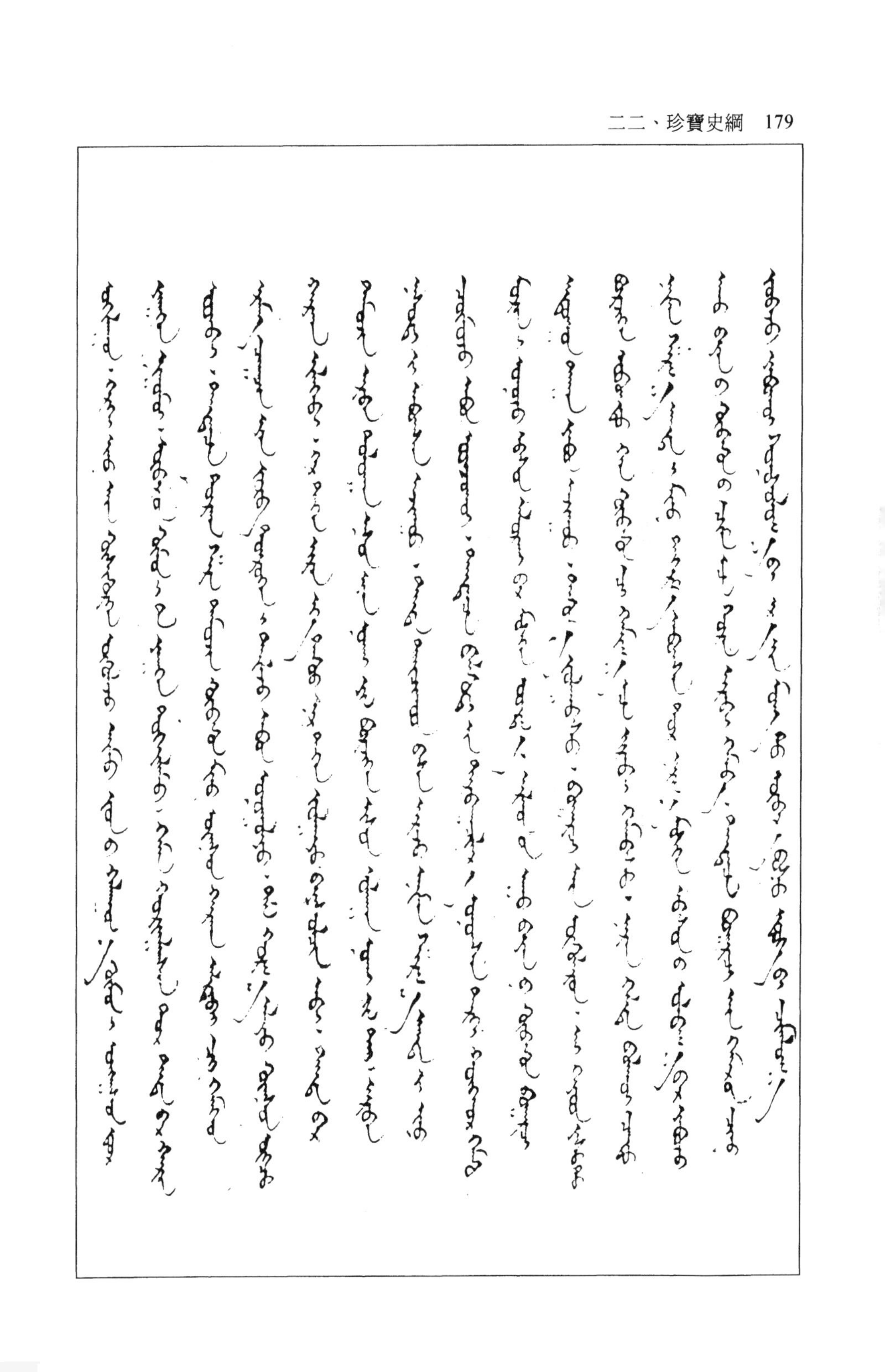

[illegible]

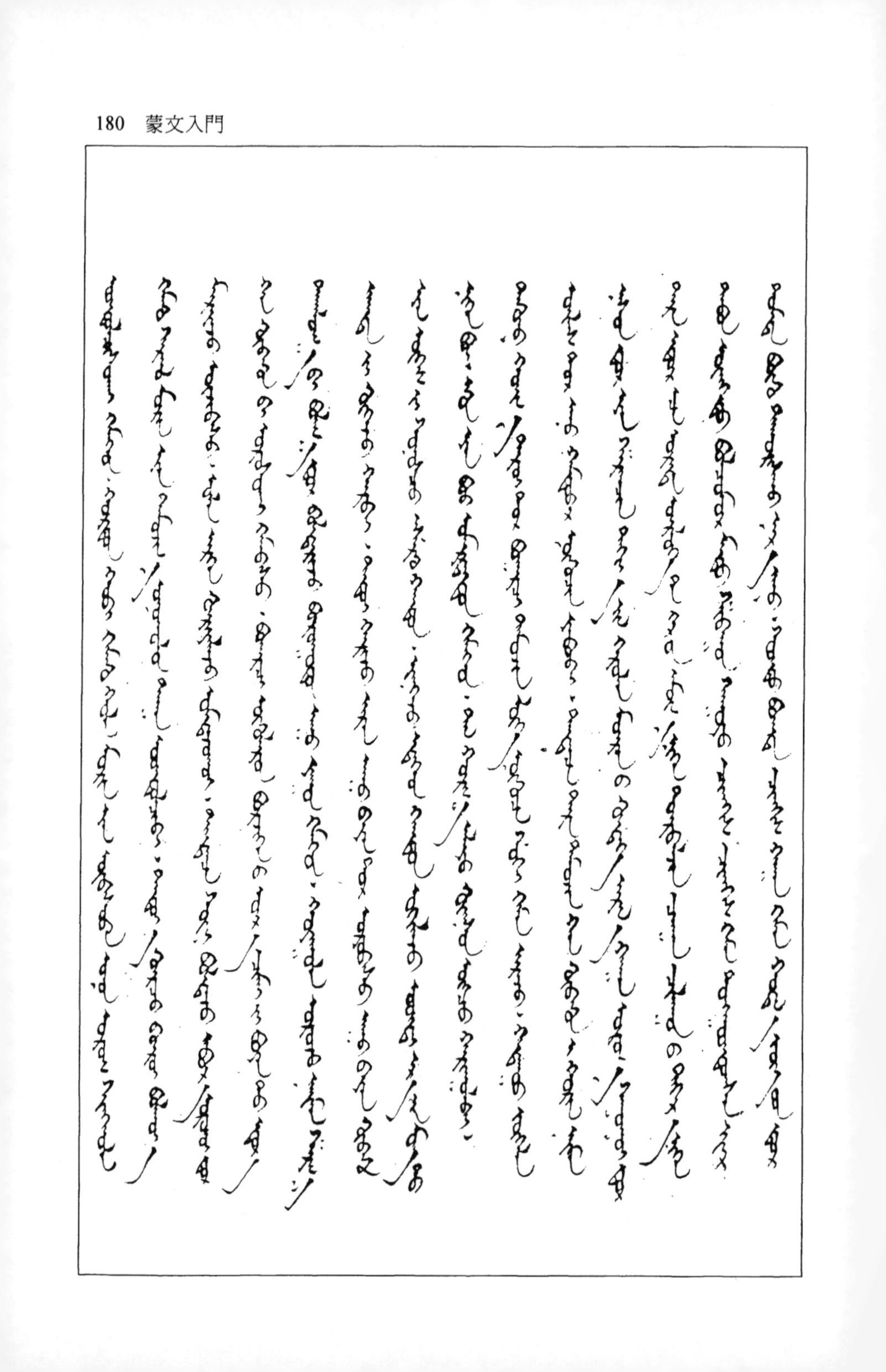

[illegible]

[illegible]

[illegible]

[illegible]

[illegible]

[illegible]

[illegible]

[illegible]

[illegible]

[illegible]

[illegible]

[illegible]

[illegible]

[illegible]

[illegible]
[illegible]
[illegible]
[illegible]
[illegible]
[illegible]
[illegible]
[illegible]
[illegible]
[illegible]
[illegible]
[illegible]
[illegible]
[illegible]

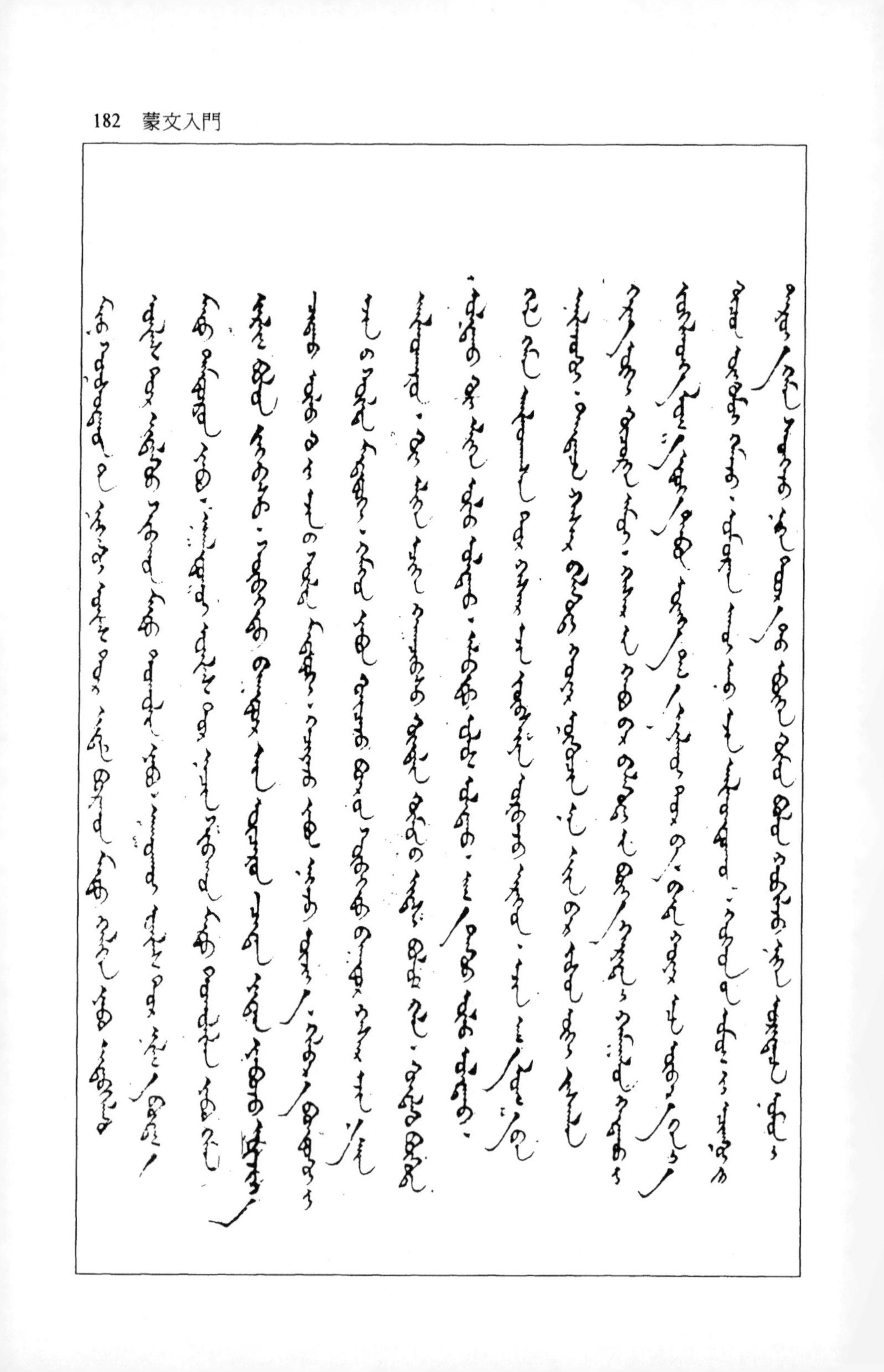

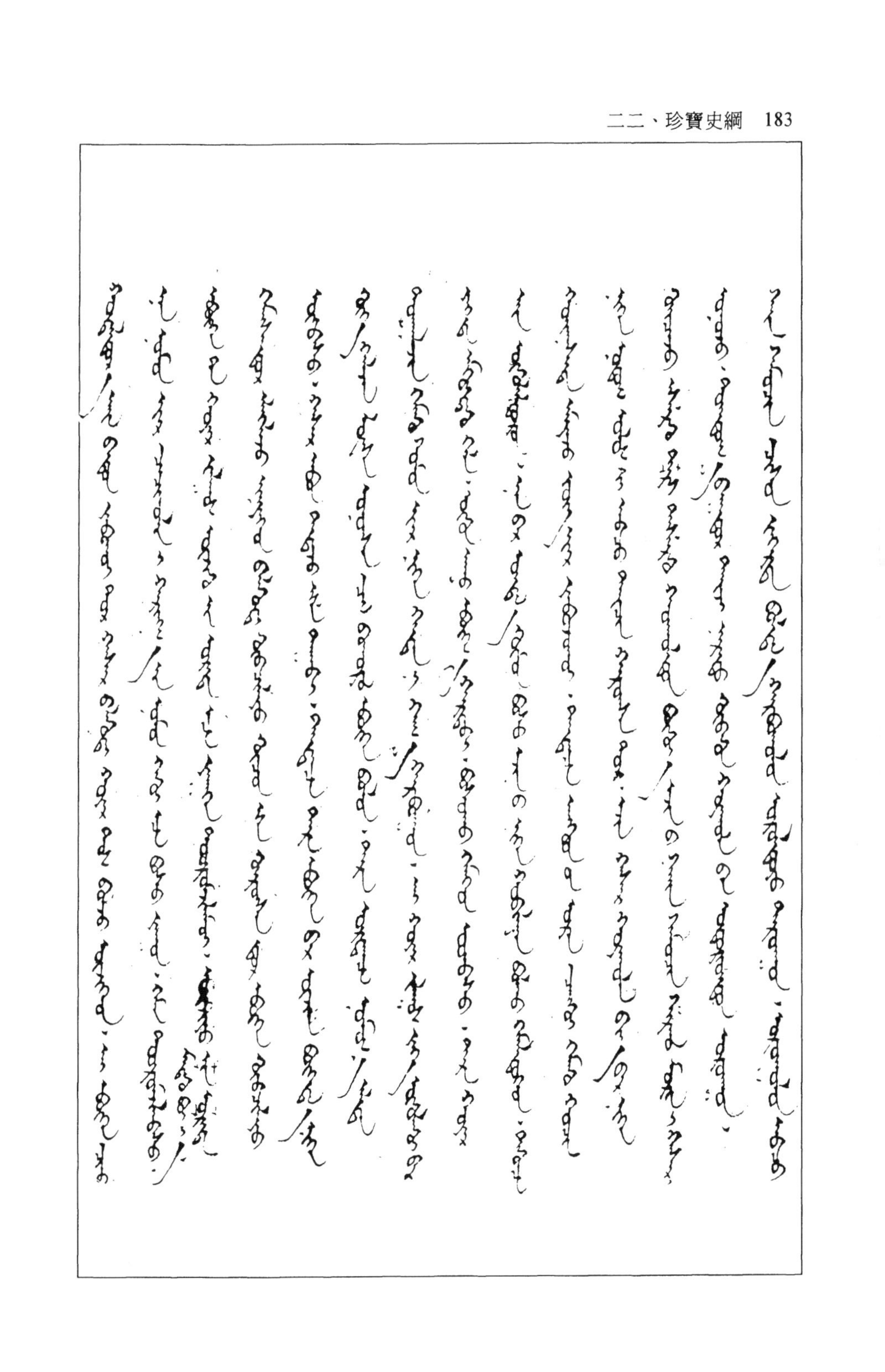

[illegible]

[illegible]

[illegible]

[illegible]

[illegible]

[illegible]

[illegible]

[illegible]

[illegible]

[illegible]

[illegible]

[illegible]

[illegible]

[illegible]

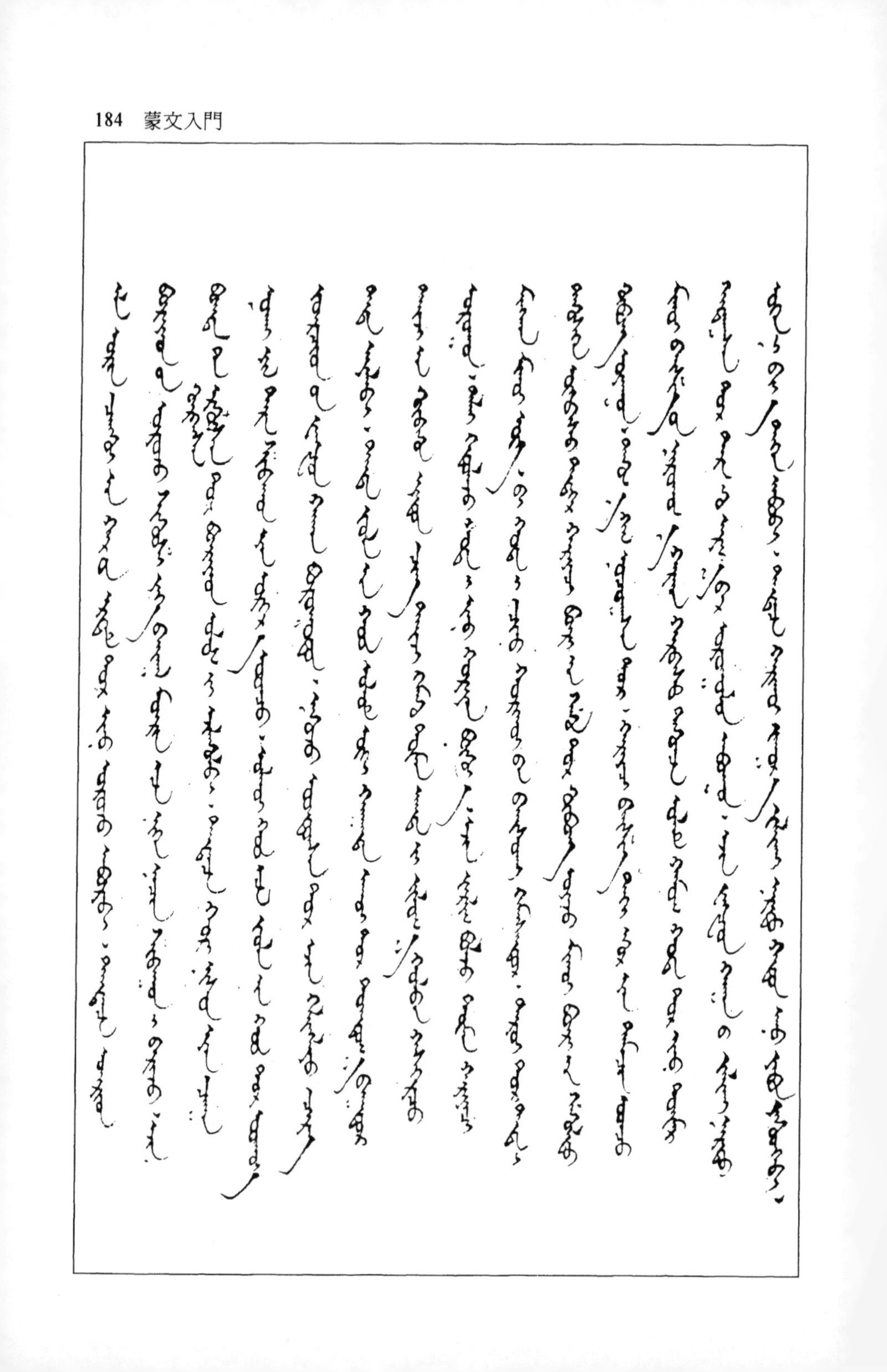

[illegible]

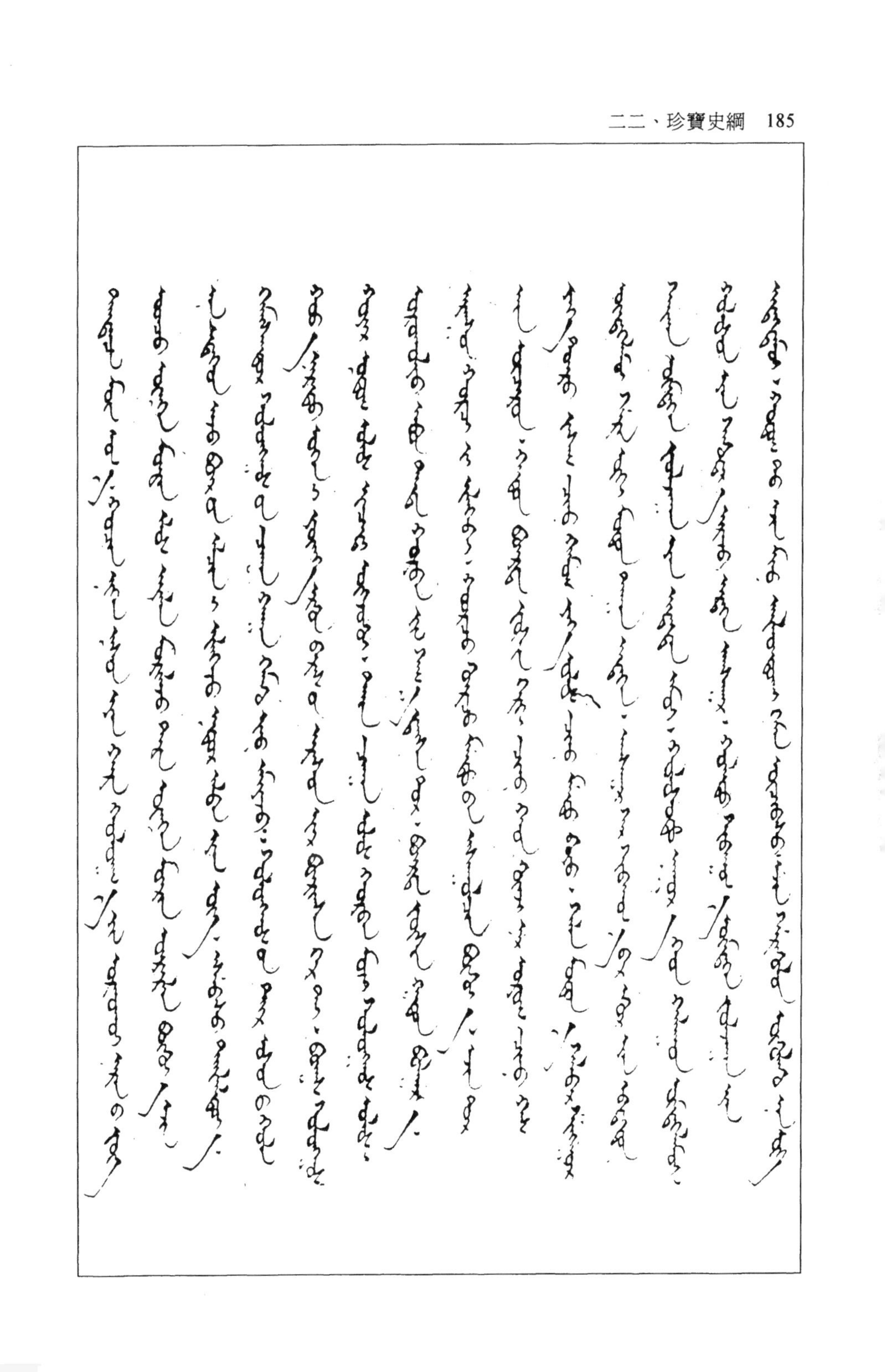

[illegible]
[illegible]
[illegible]
[illegible]
[illegible]
[illegible]
[illegible]
[illegible]
[illegible]
[illegible]
[illegible]
[illegible]
[illegible]
[illegible]

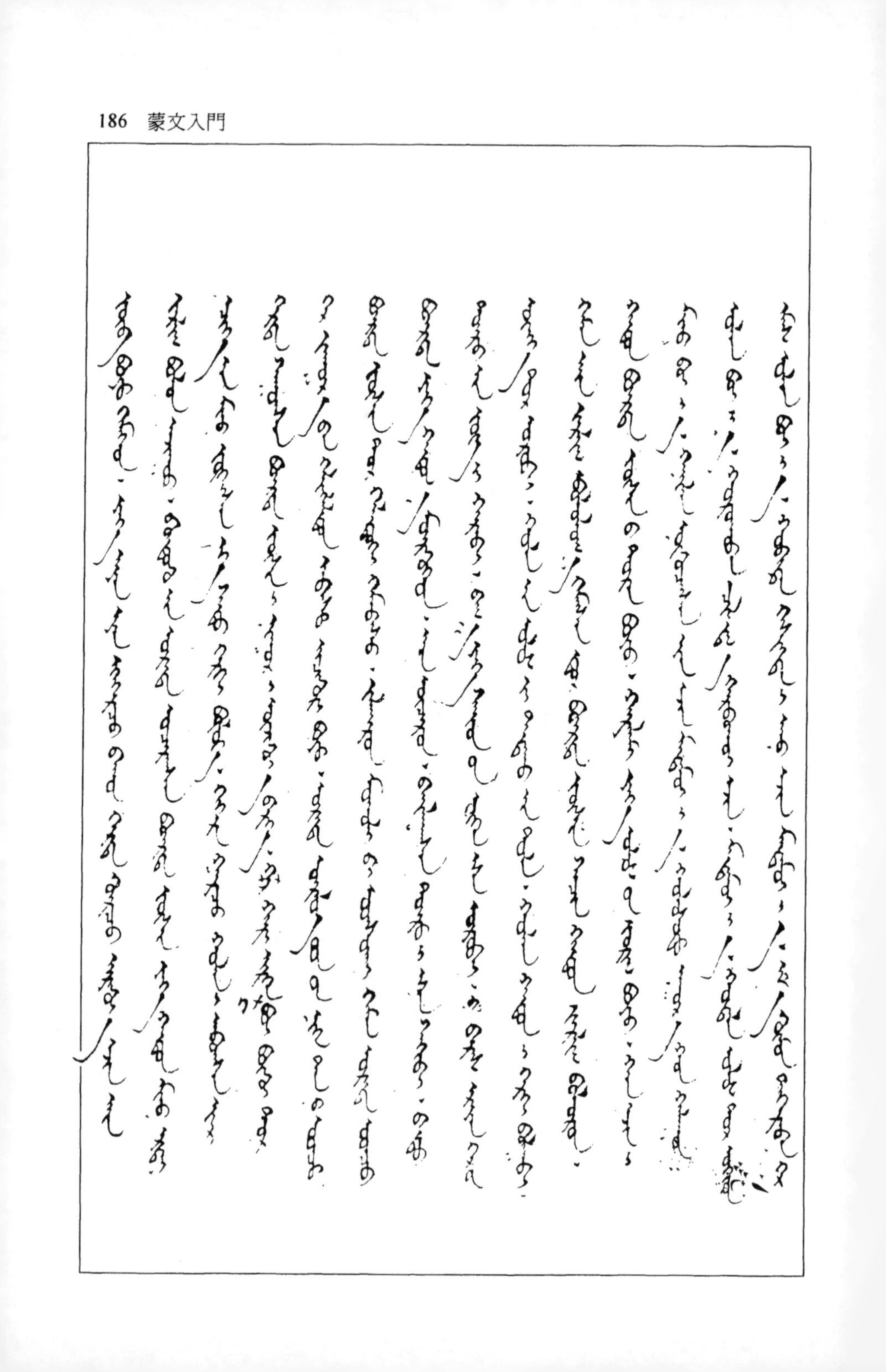

[illegible]
[illegible]
[illegible]
[illegible]
[illegible]
[illegible]
[illegible]
[illegible]
[illegible]
[illegible]
[illegible]
[illegible]

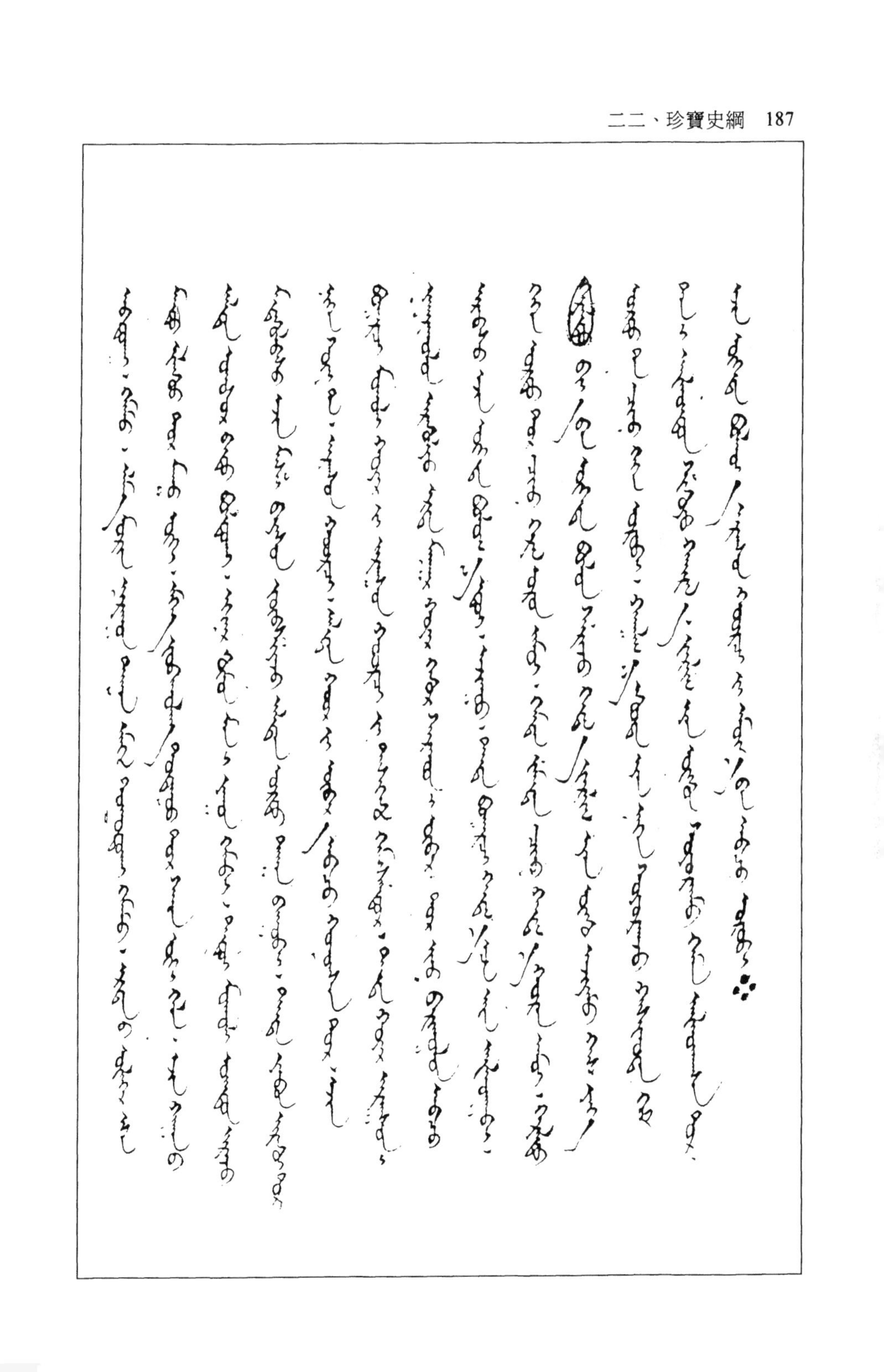

[illegible]
[illegible]
[illegible]
[illegible]
[illegible]
[illegible]
[illegible]
[illegible]
[illegible]
[illegible]
[illegible]
[illegible]
[illegible]

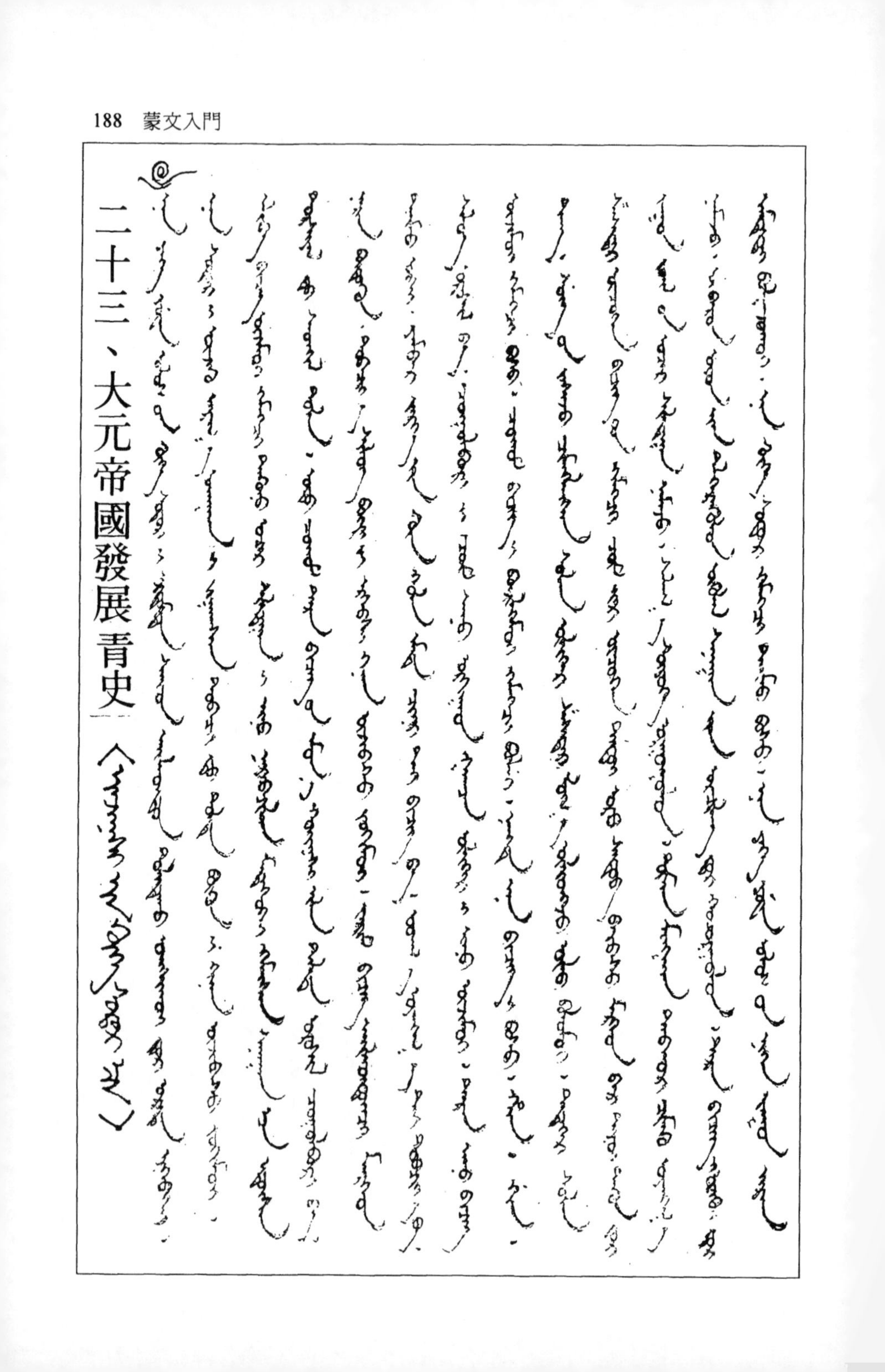

二十三、大元帝國發展青史（[illegible]）

[illegible]

[illegible]

[illegible]

[illegible]

[illegible]

[illegible]

[illegible]

[illegible]

[illegible]

[illegible]

[illegible]

[illegible]

[illegible]

[illegible]

[illegible]

[illegible]

[illegible]

[illegible]

[illegible]

[illegible]

[illegible]

[illegible]

[illegible]

[illegible]

[illegible]

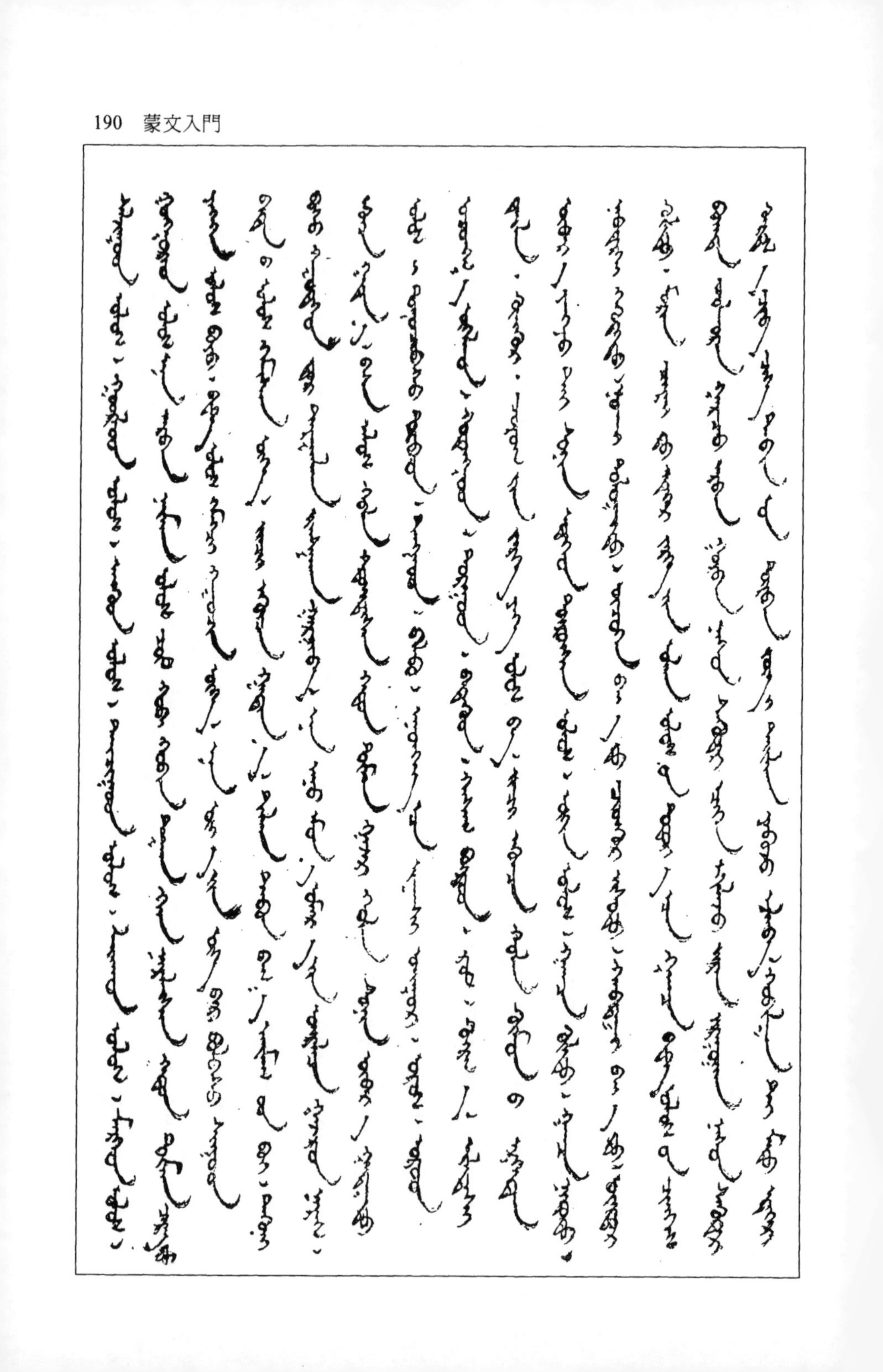

[illegible]

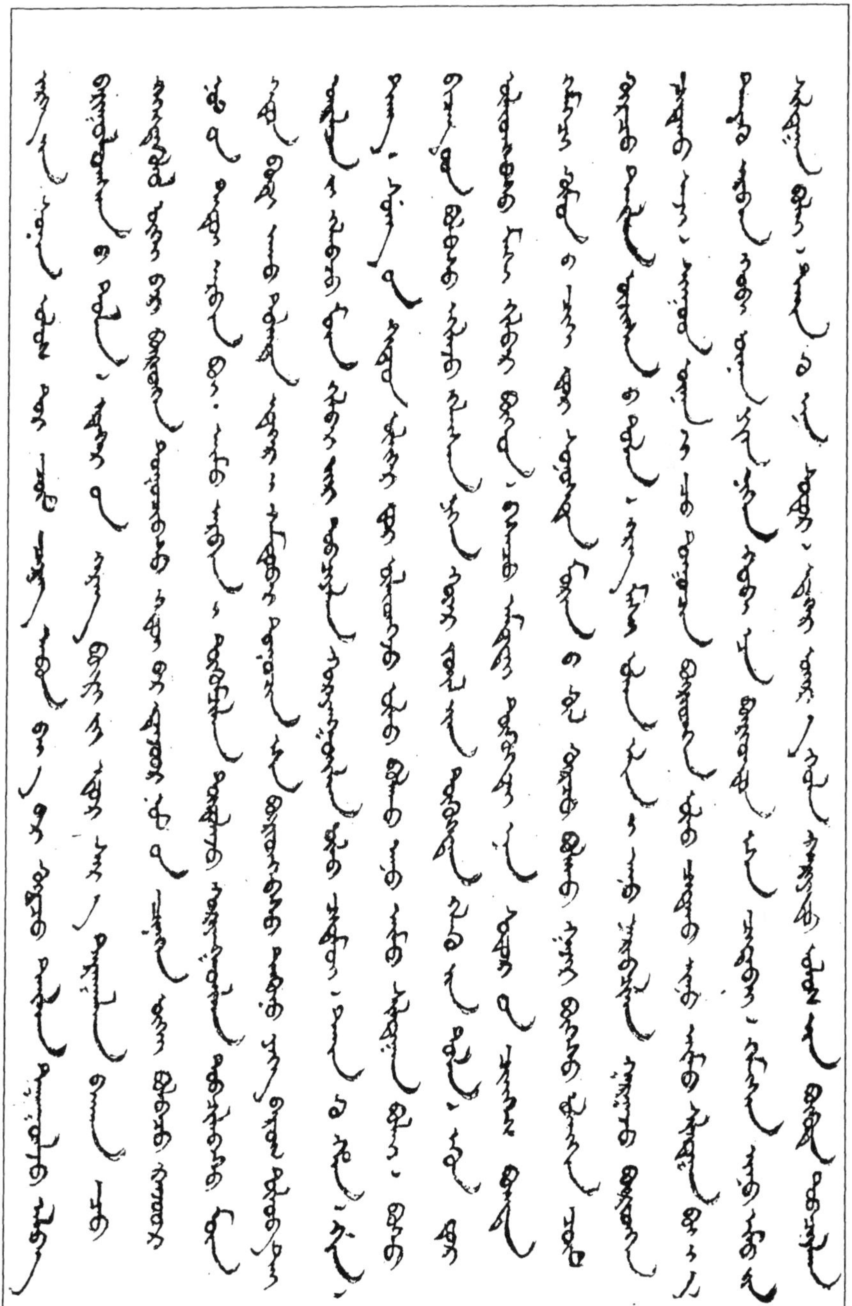

[illegible]

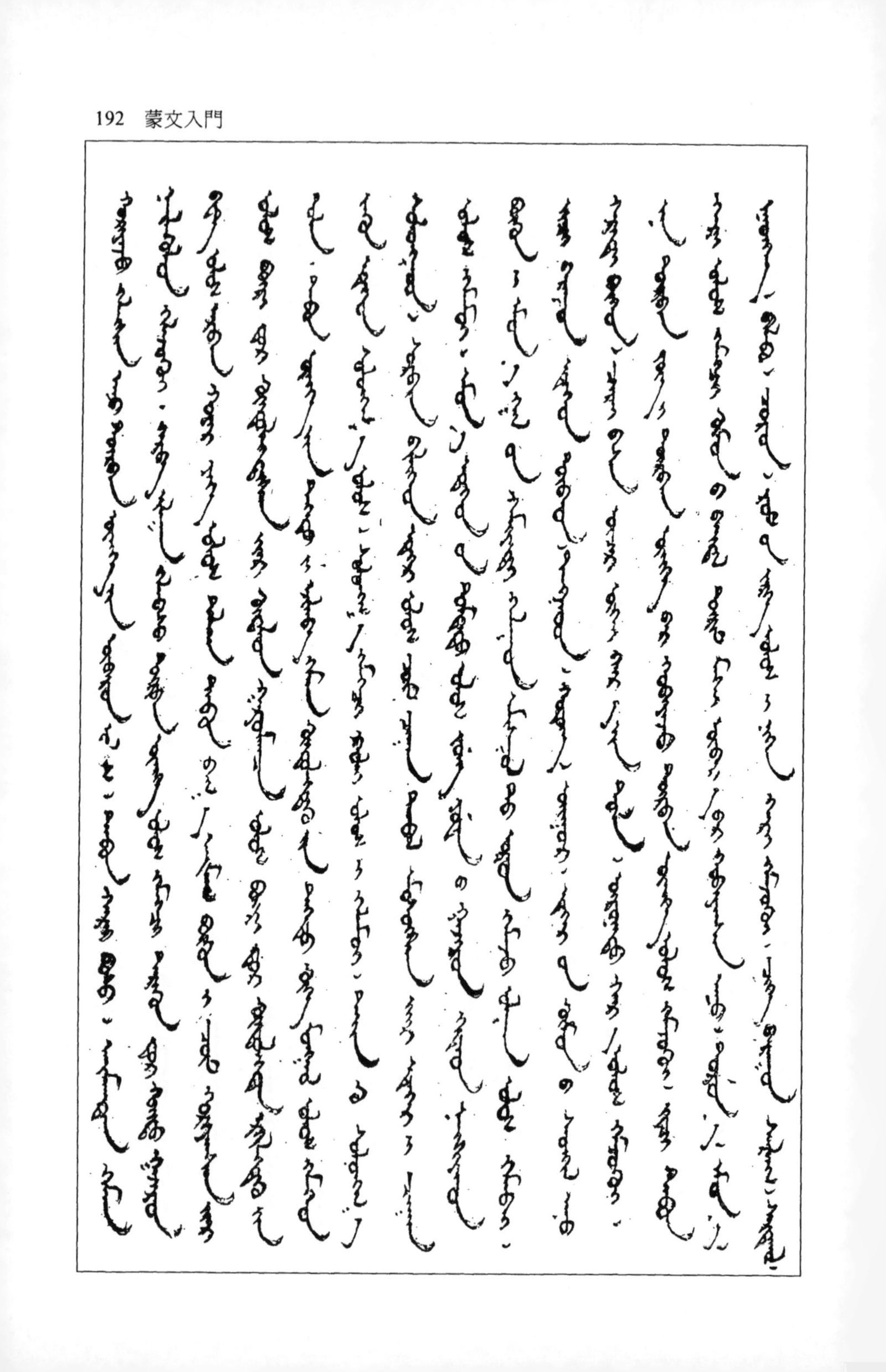

[illegible]

[illegible]

[illegible]

[illegible]

[illegible]

[illegible]

[illegible]

[illegible]

[illegible]

[illegible]

[illegible]

[illegible]

[illegible]

[illegible]

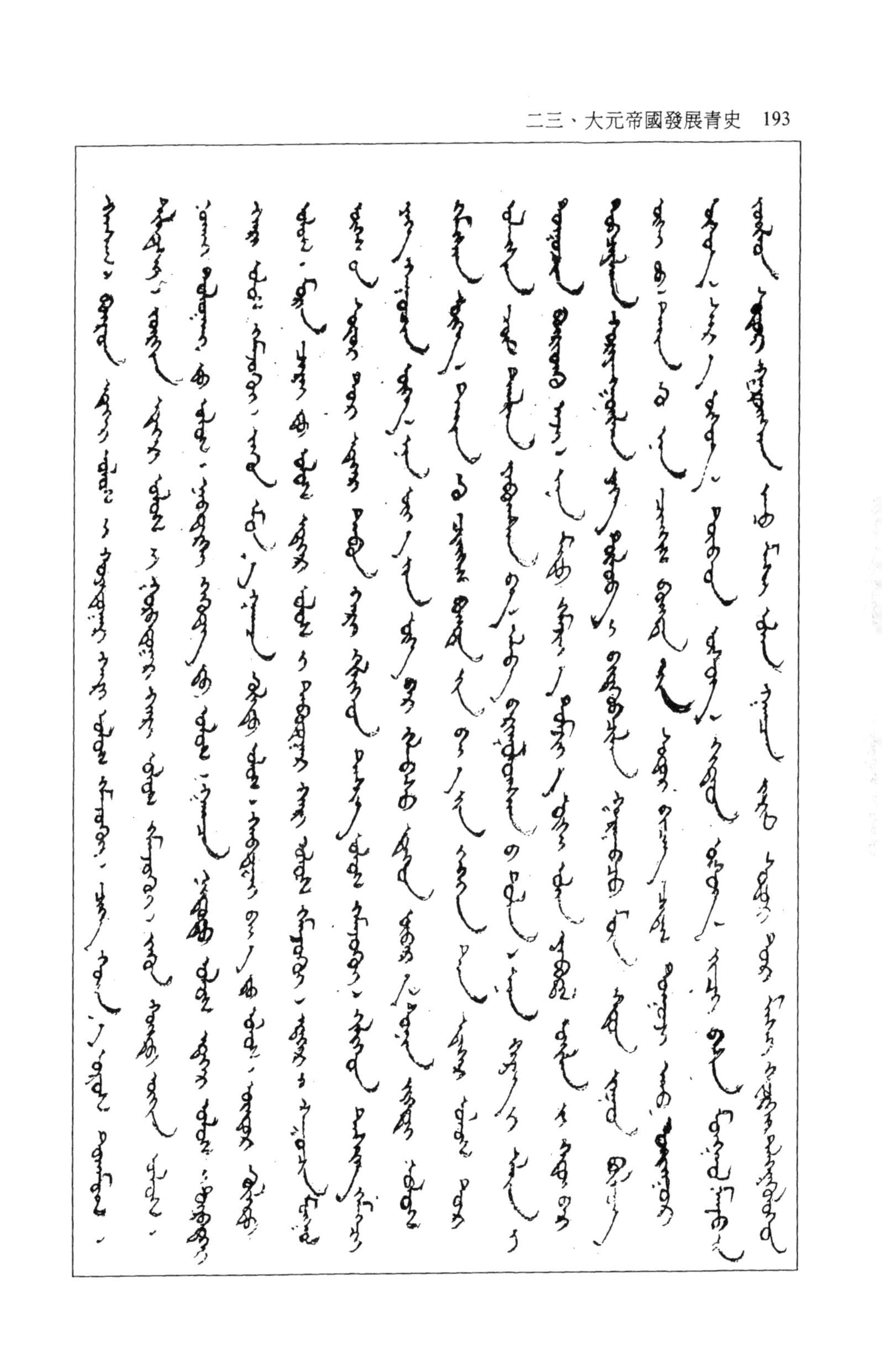

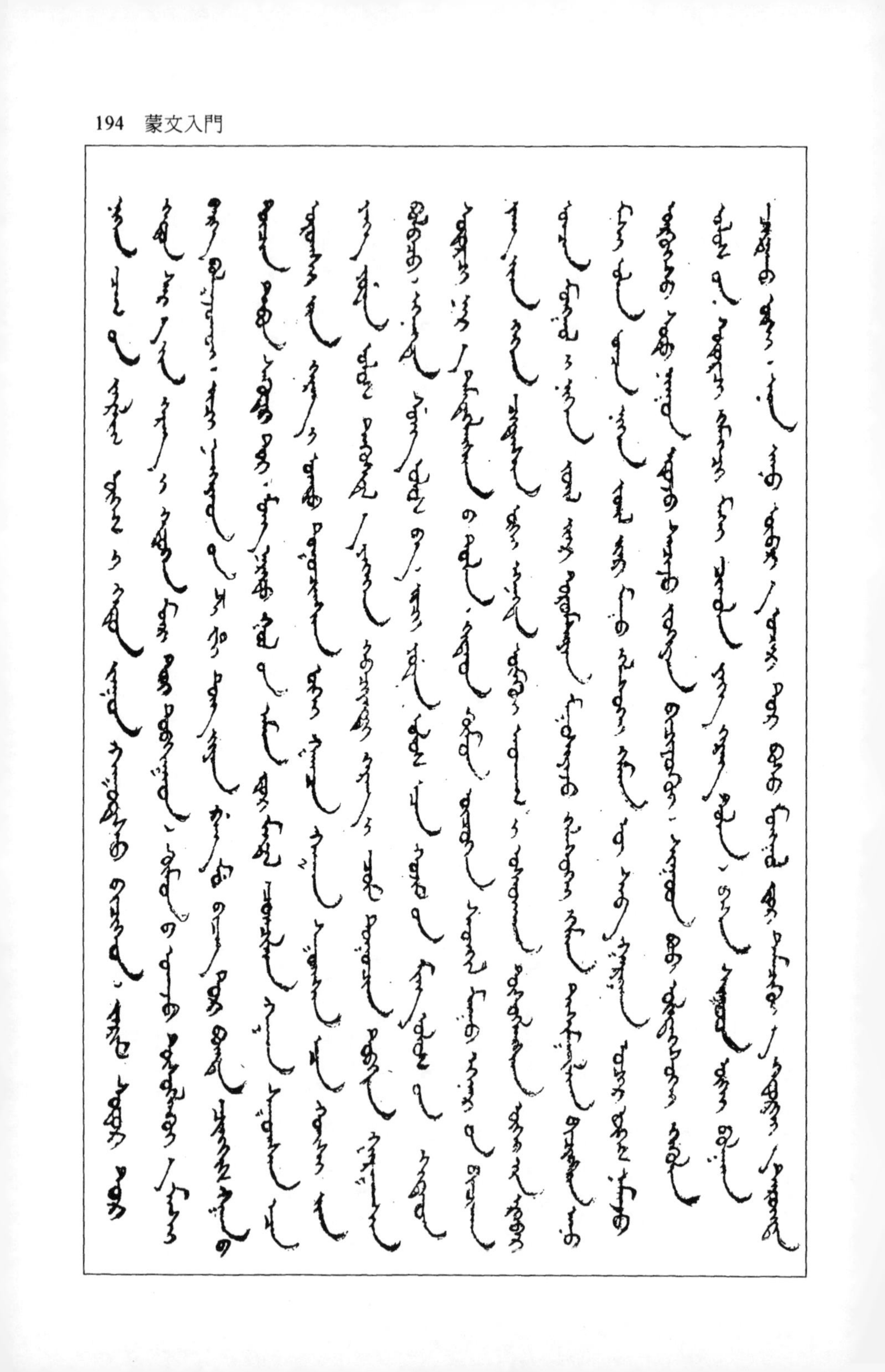

[illegible]

[illegible]

[illegible]

[illegible]

[illegible]

[illegible]

[illegible]

[illegible]

[illegible]

[illegible]

[illegible]

[illegible]

[illegible]

[illegible]

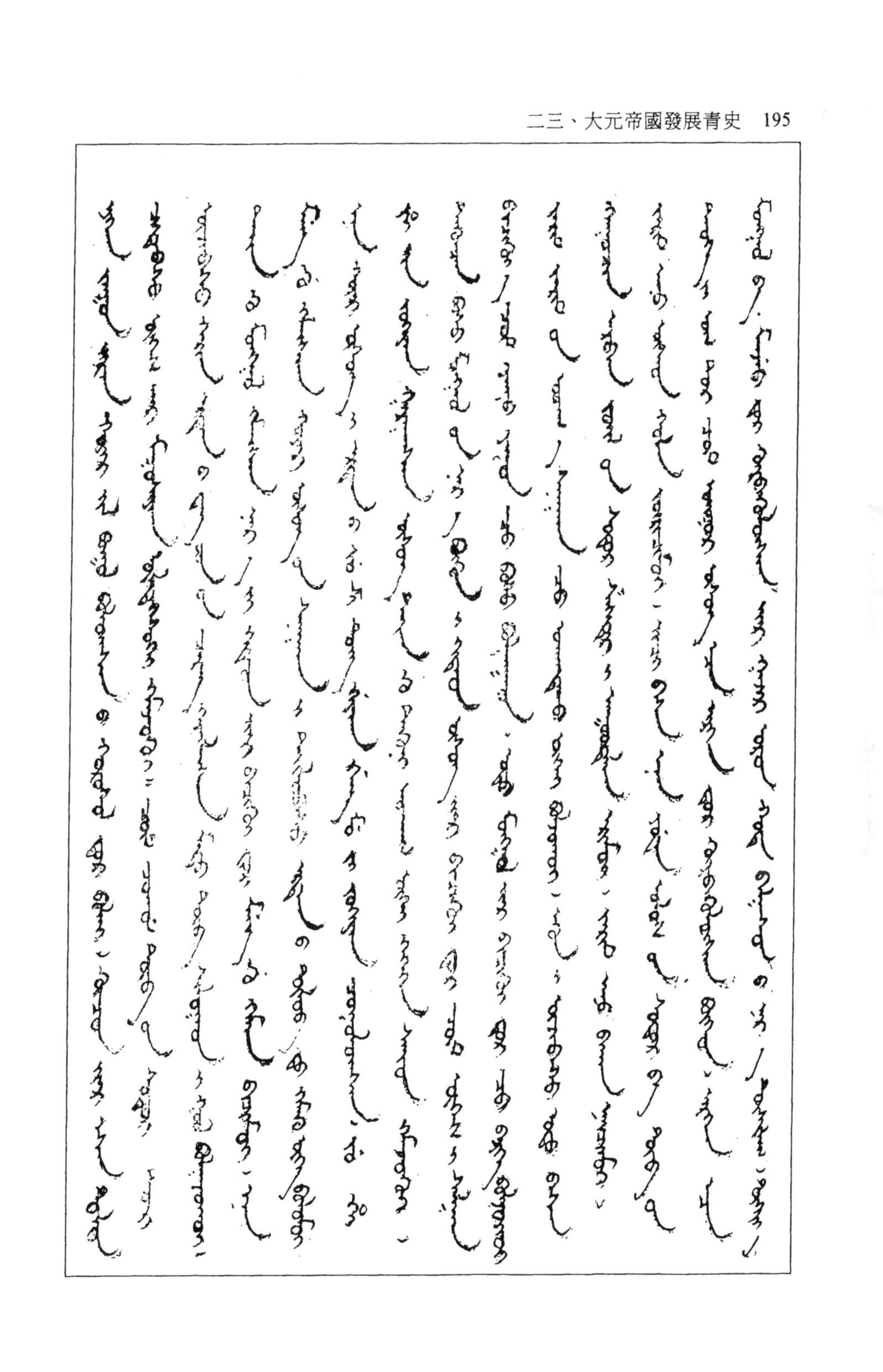

[illegible]

[illegible]

[illegible]

[illegible]

[illegible]

[illegible]

[illegible]

[illegible]

[illegible]

[illegible]

[illegible]

[illegible]

[illegible]

[illegible]

[illegible]

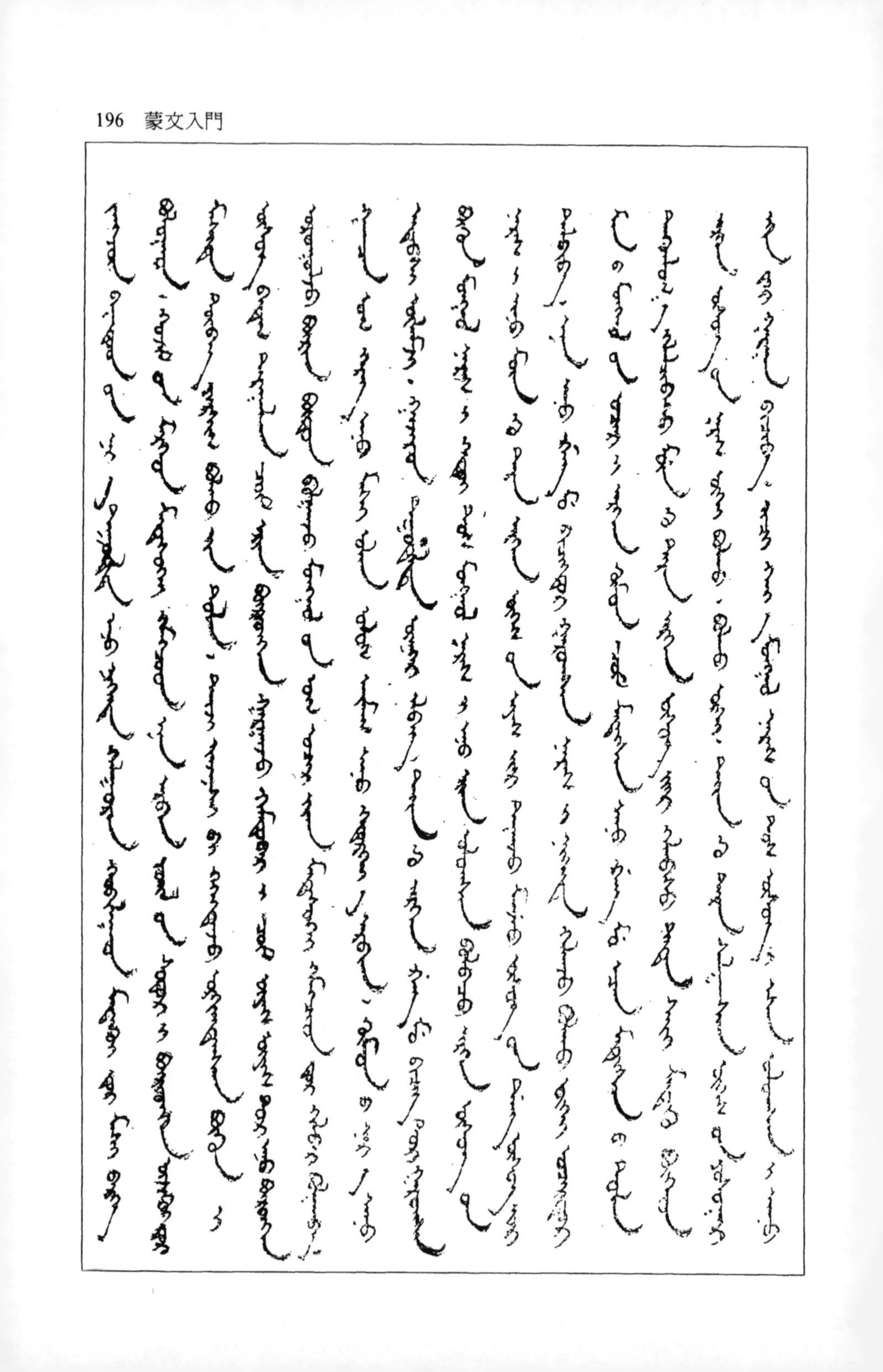

[illegible]

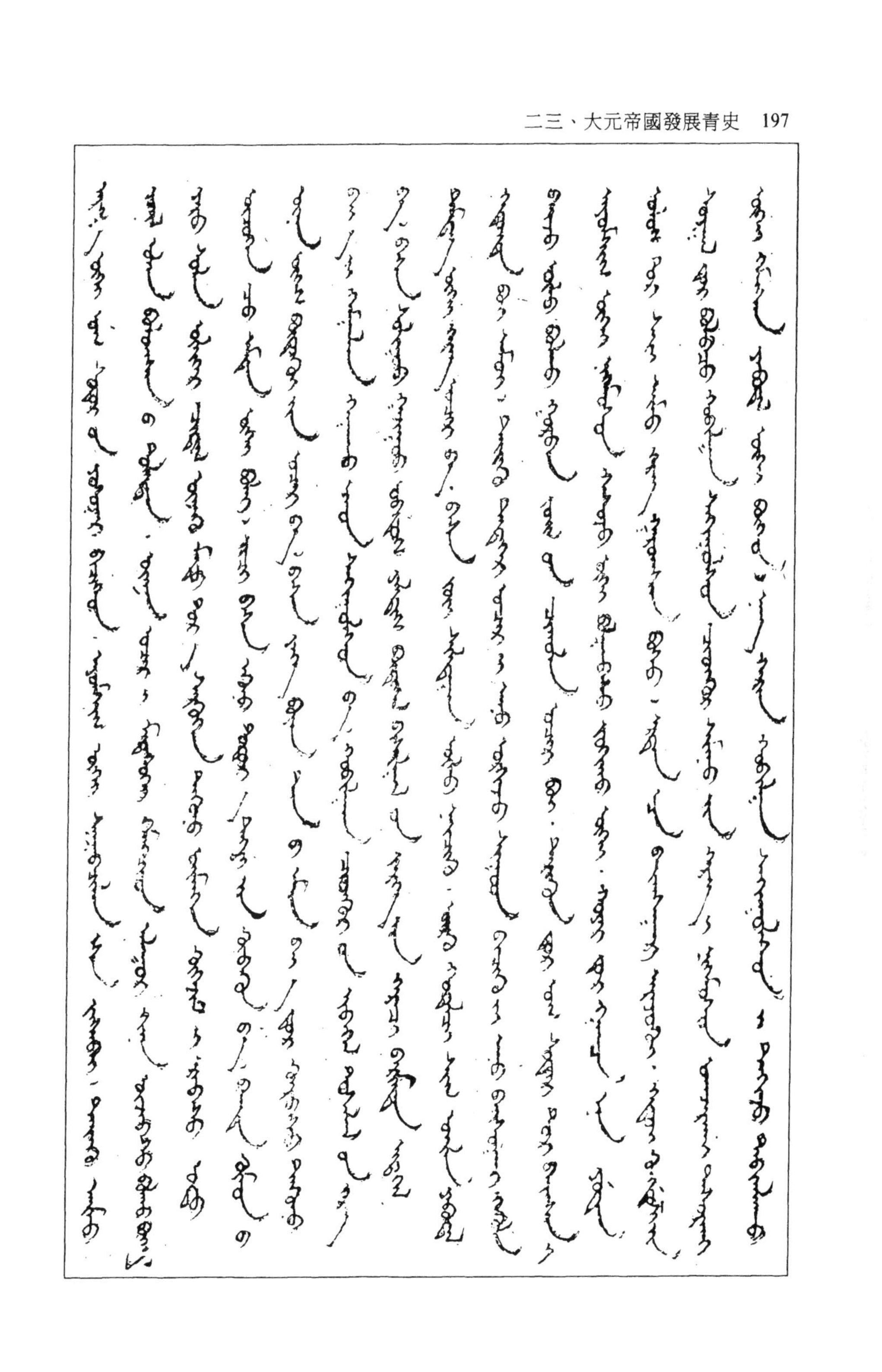

[illegible]

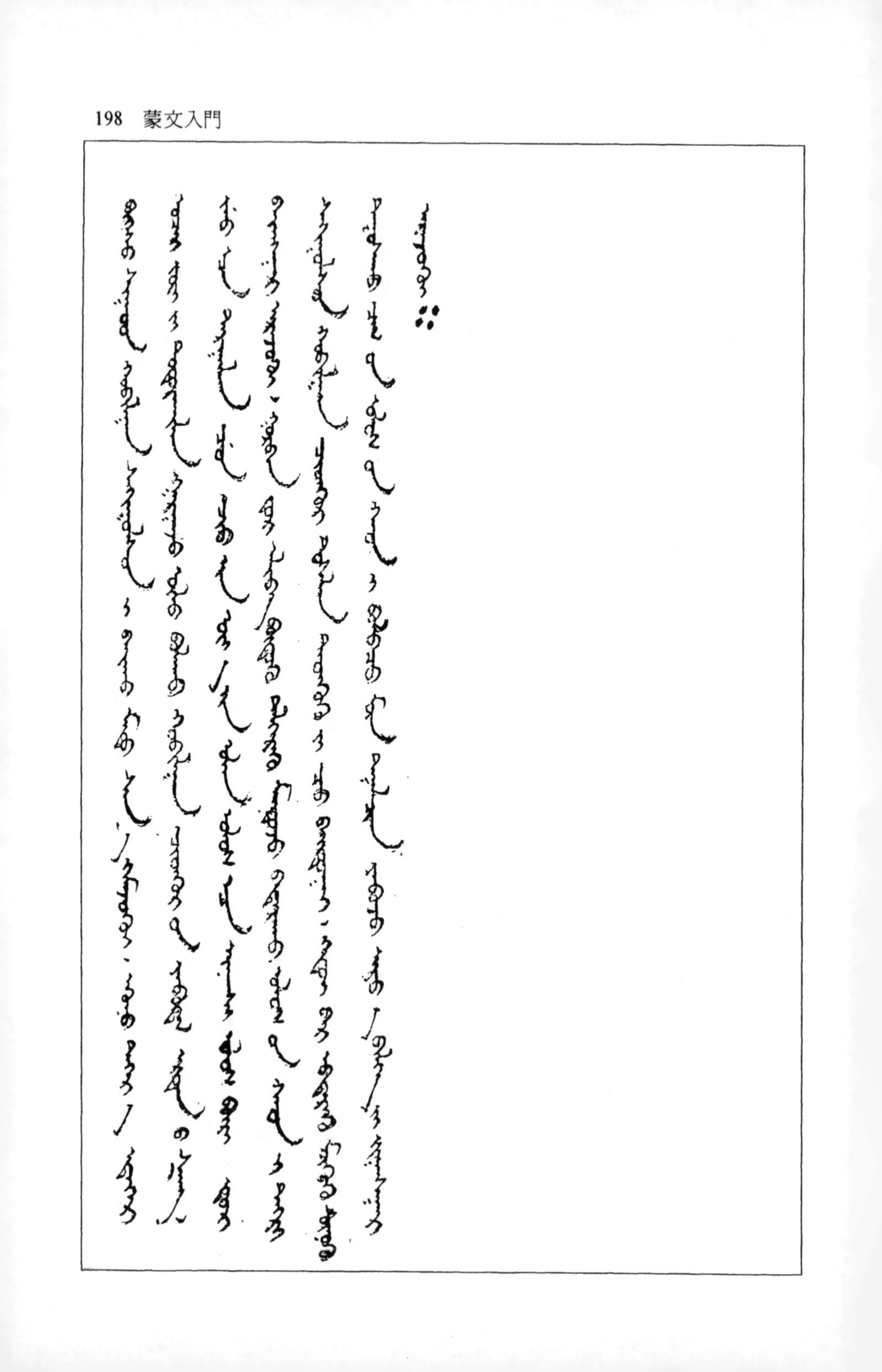

[illegible]

[illegible]

[illegible]

[illegible]

[illegible]

[illegible]

[illegible]

[illegible]
[illegible]
[illegible]
[illegible]
[illegible]
[illegible]
[illegible]
[illegible]
[illegible]
[illegible]
[illegible]
[illegible]
[illegible]
[illegible]
187 [illegible]

[illegible]
[illegible]
[illegible]
[illegible]
[illegible]
[illegible]
[illegible]
186 [illegible]

[illegible]

二十四、蒙古秘史第七卷

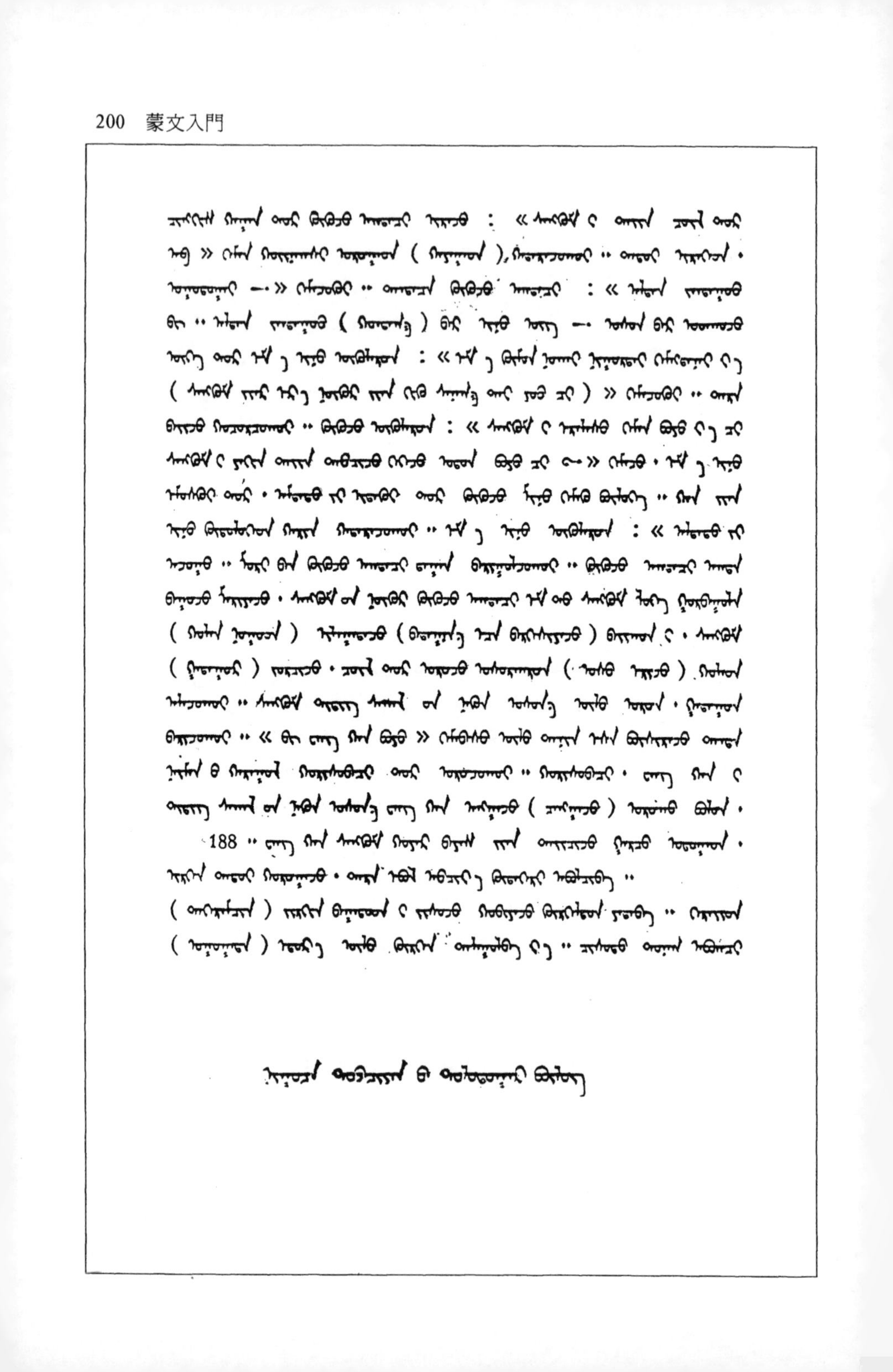

[illegible]
[illegible]
[illegible]
[illegible]
[illegible]
[illegible]
[illegible]
[illegible]
[illegible]
[illegible]
[illegible]
[illegible]
[illegible]
[illegible]
[illegible]
[illegible]
[illegible]
[illegible]
[illegible] 188
[illegible]
[illegible]
[illegible]

[illegible]

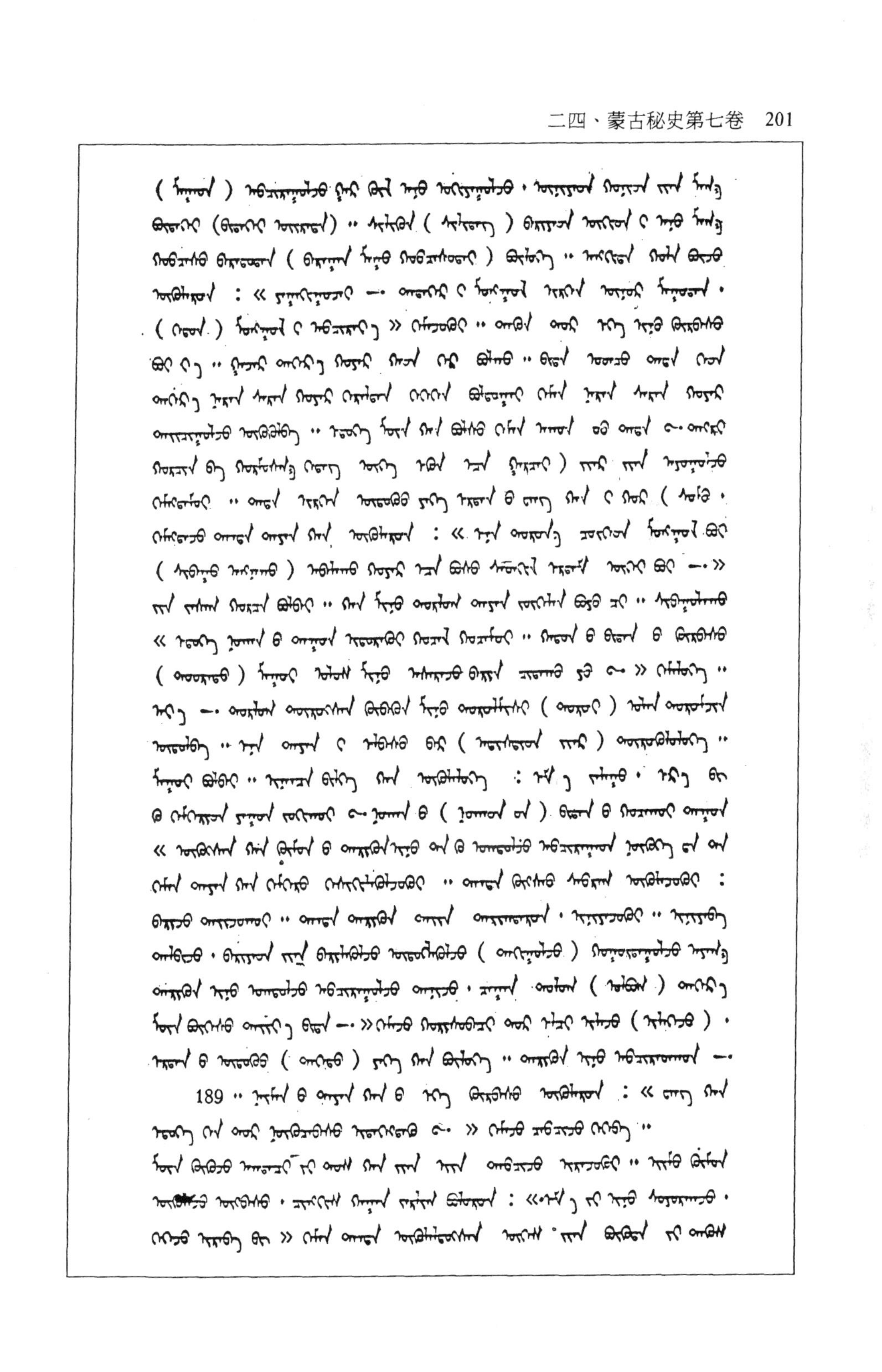

189

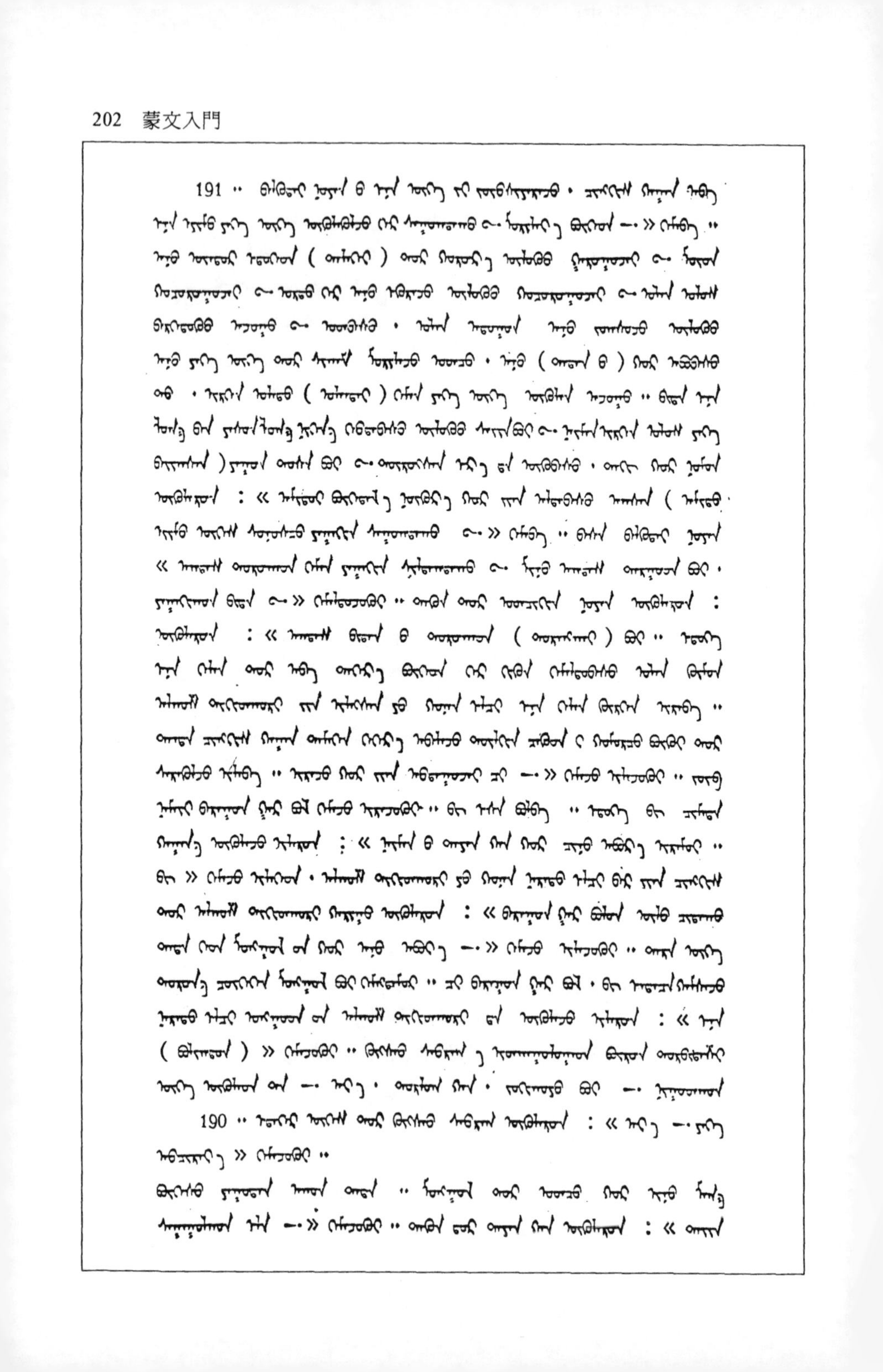

191

190

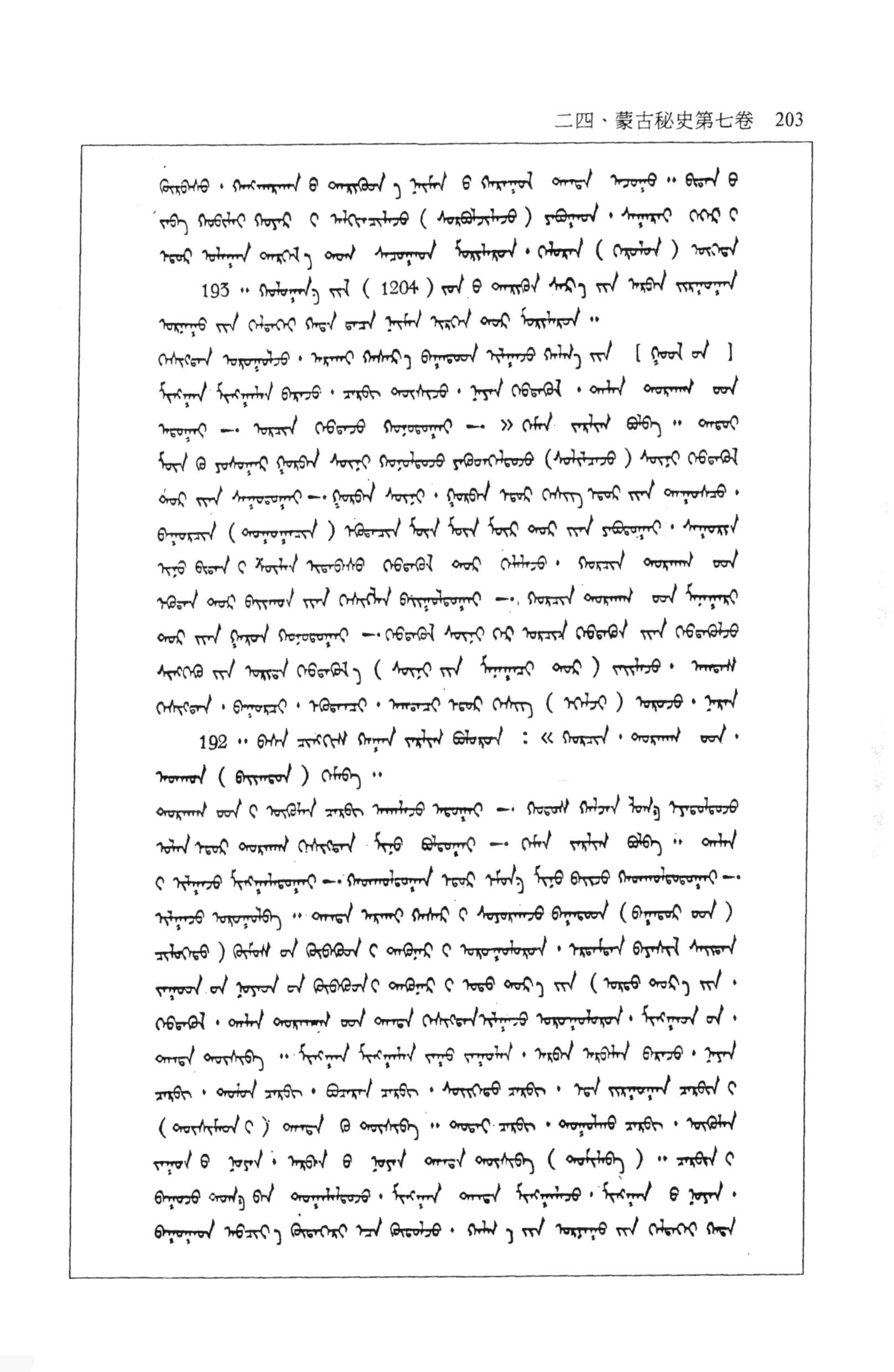

[illegible]
[illegible]
[illegible]
[illegible] (1204) [illegible] ·· 193
[illegible] ··

[[illegible]] [illegible]
[illegible]
[illegible]
[illegible]
[illegible]
[illegible]
[illegible]
[illegible]
[illegible]
[illegible]
[illegible]
[illegible]
· [illegible] « : [illegible] ·· 192
[illegible] ([illegible]) [illegible] ··

[illegible]
[illegible]
[illegible]
[illegible]
[illegible]
[illegible]
[illegible]
[illegible]
[illegible]
[illegible]
[illegible]
[illegible]
[illegible]

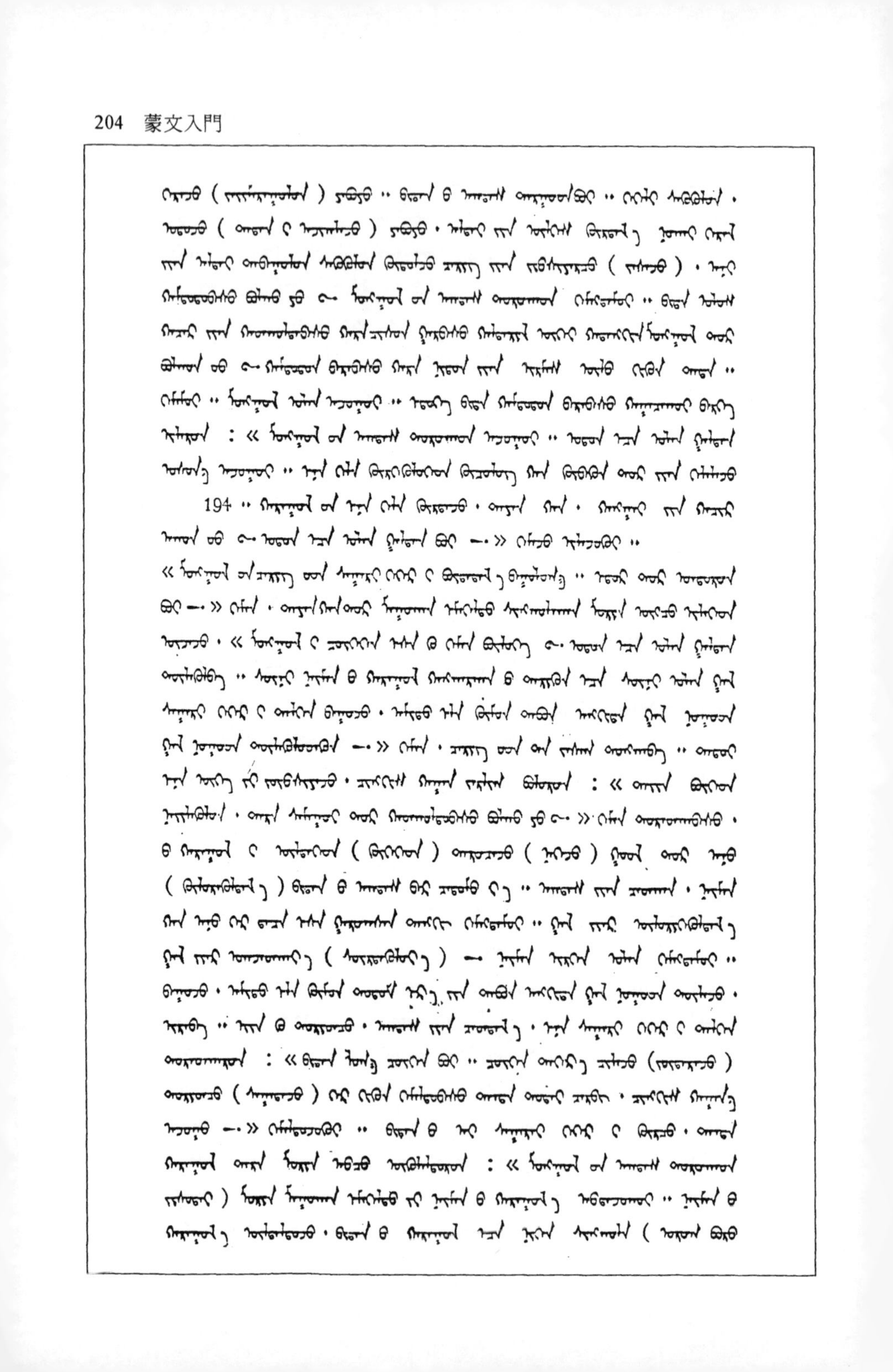

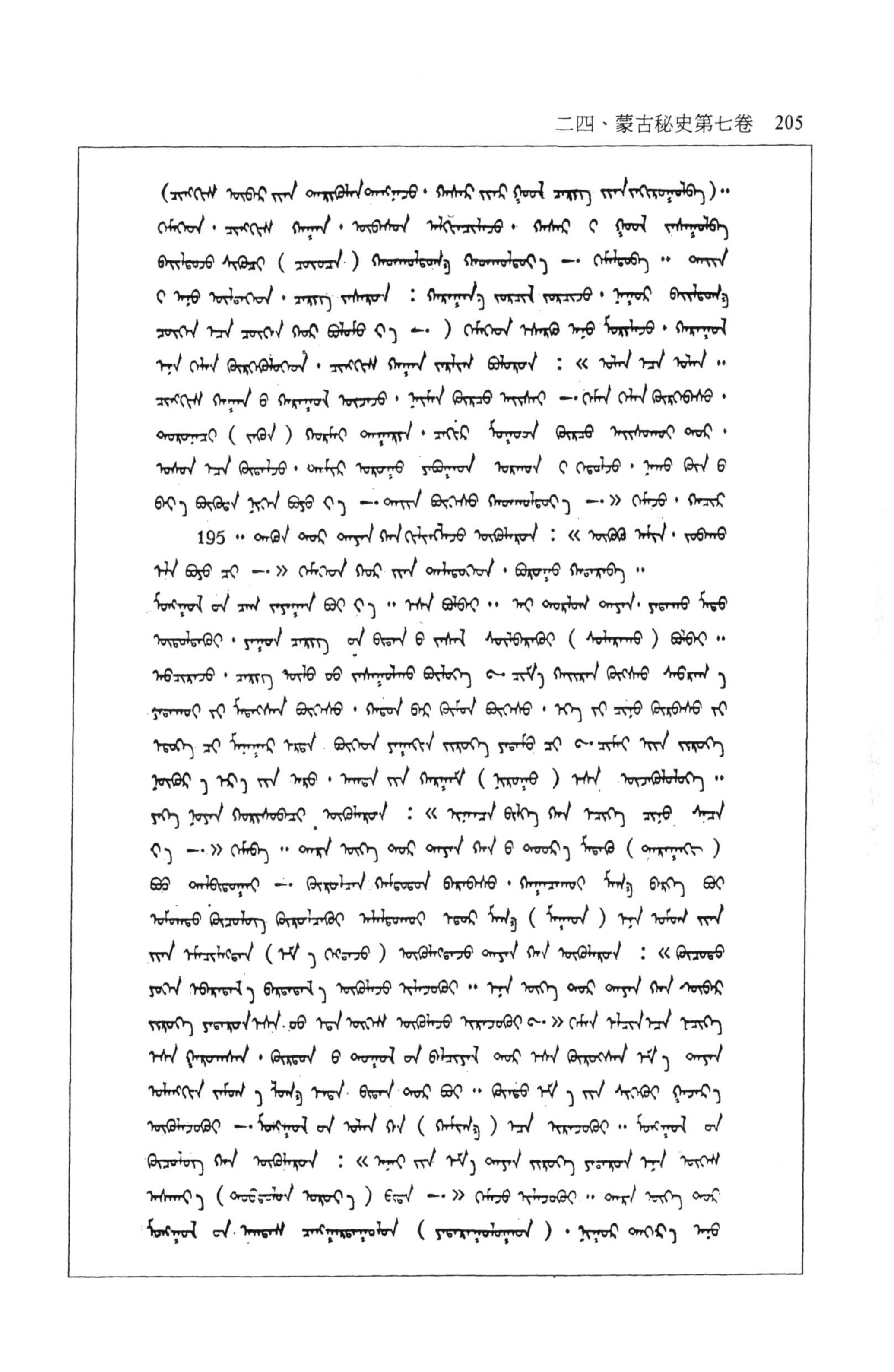

195

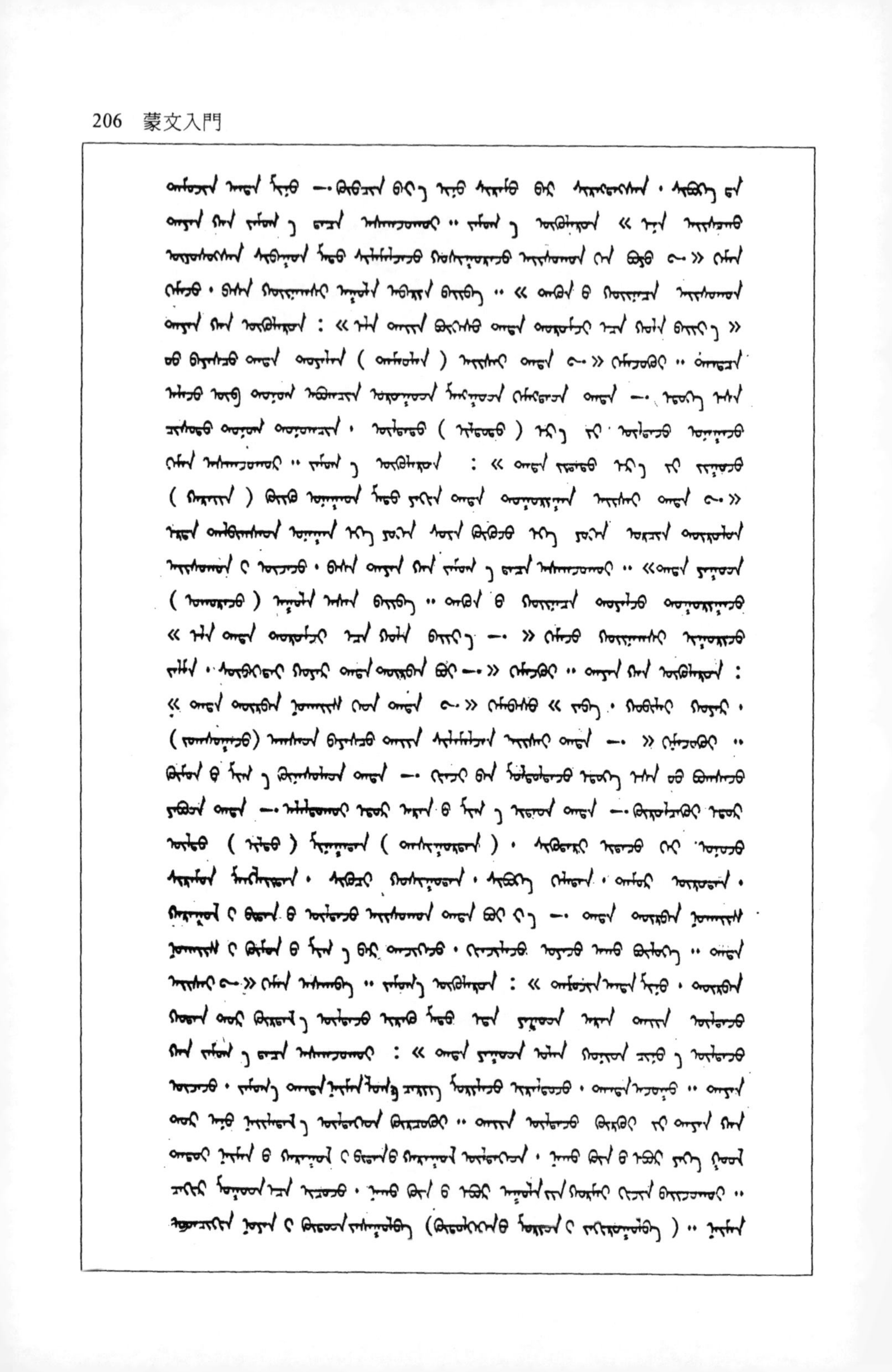

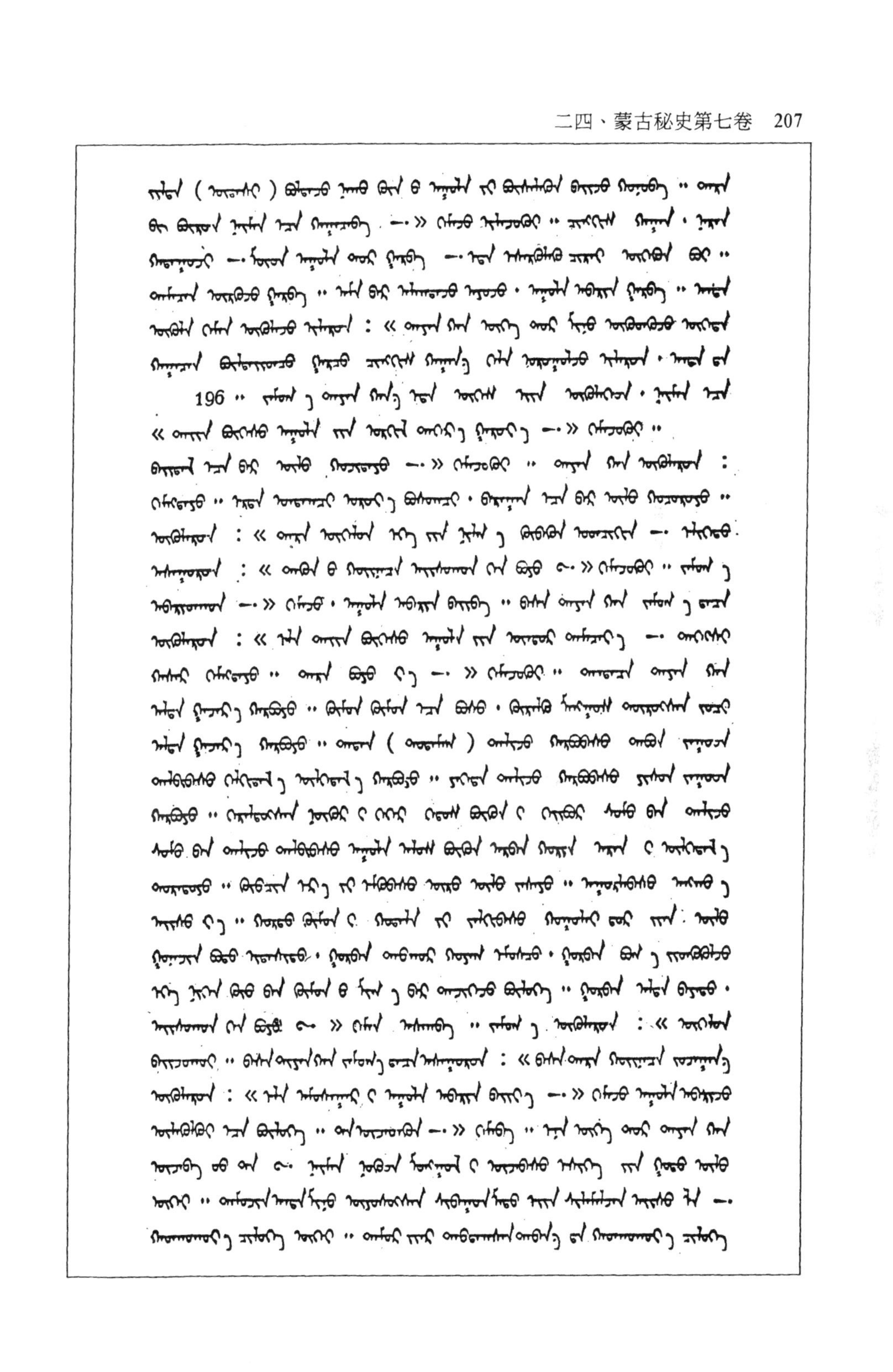

196

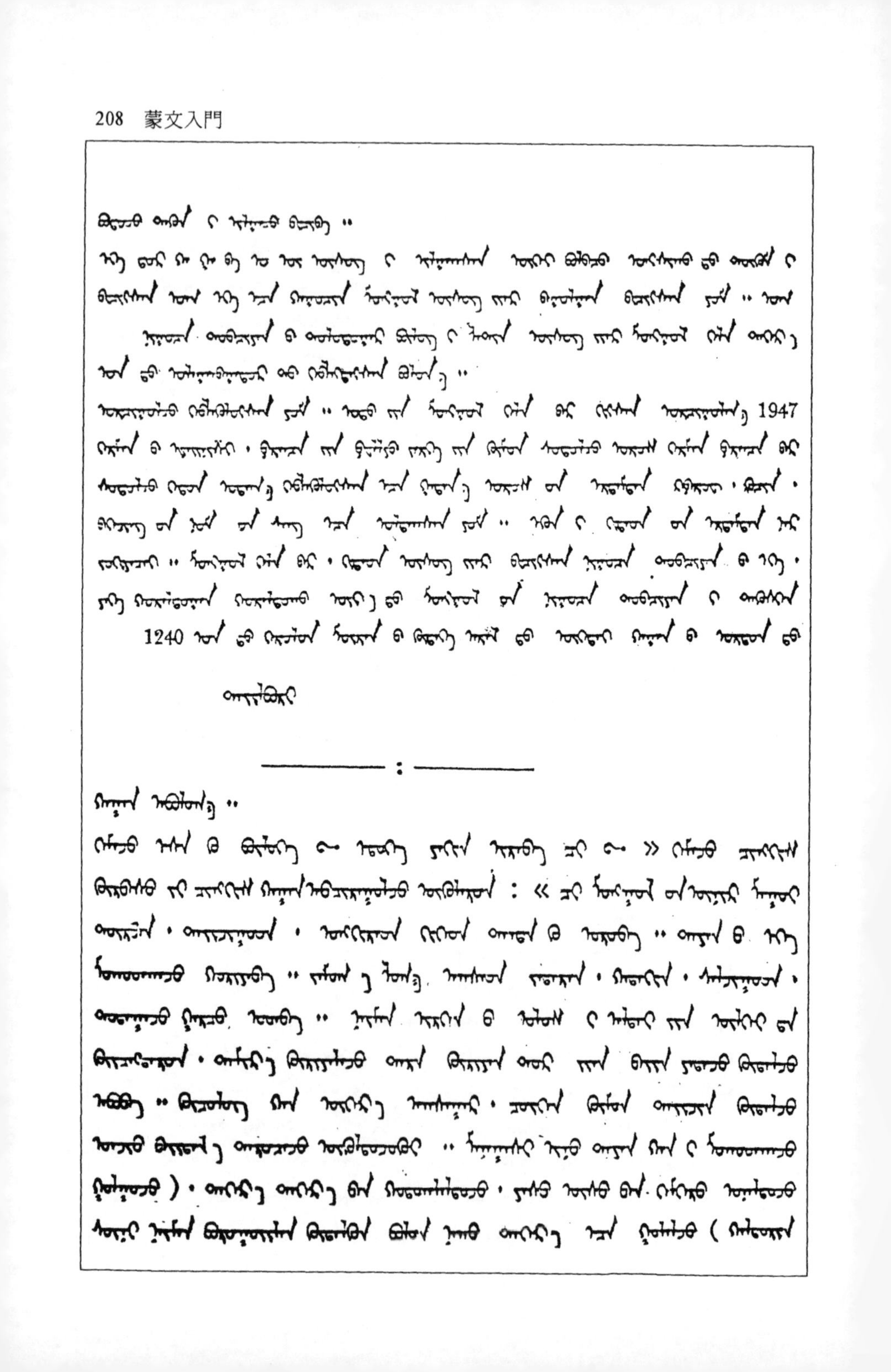

[illegible]
[illegible]
[illegible]
[illegible]
[illegible]
[illegible] 1947
[illegible]
[illegible]
[illegible]
[illegible]
[illegible]
1240 [illegible]

[illegible]

——————— : ———————

[illegible]
[illegible]
[illegible]
[illegible]
[illegible]
[illegible]
[illegible]
[illegible]
[illegible]
[illegible]
[illegible]

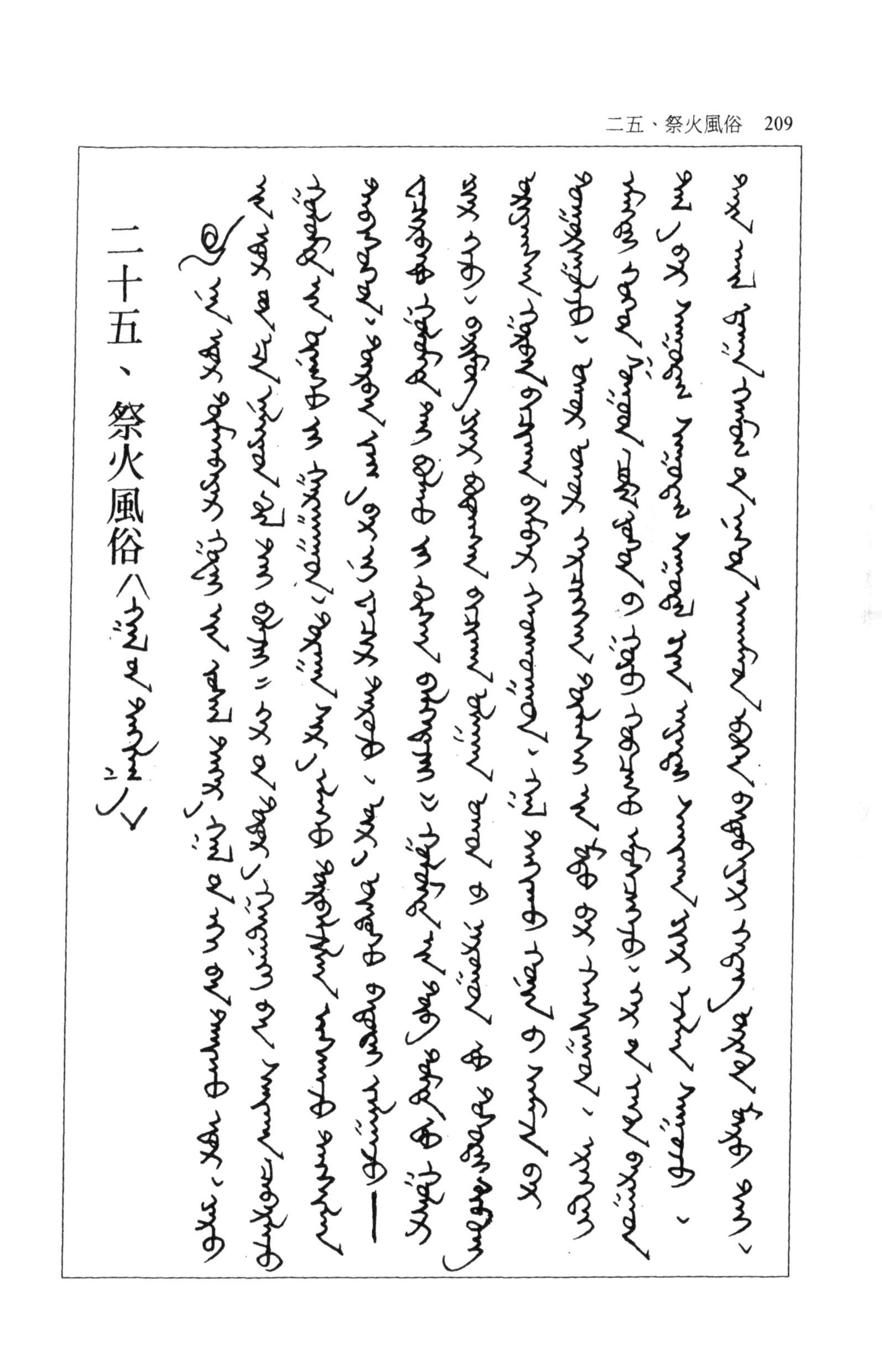

二十五、祭火風俗（[illegible]）

[illegible]
[illegible]
[illegible]
[illegible]
[illegible]
[illegible]
[illegible]
[illegible]
[illegible]
[illegible]
[illegible]

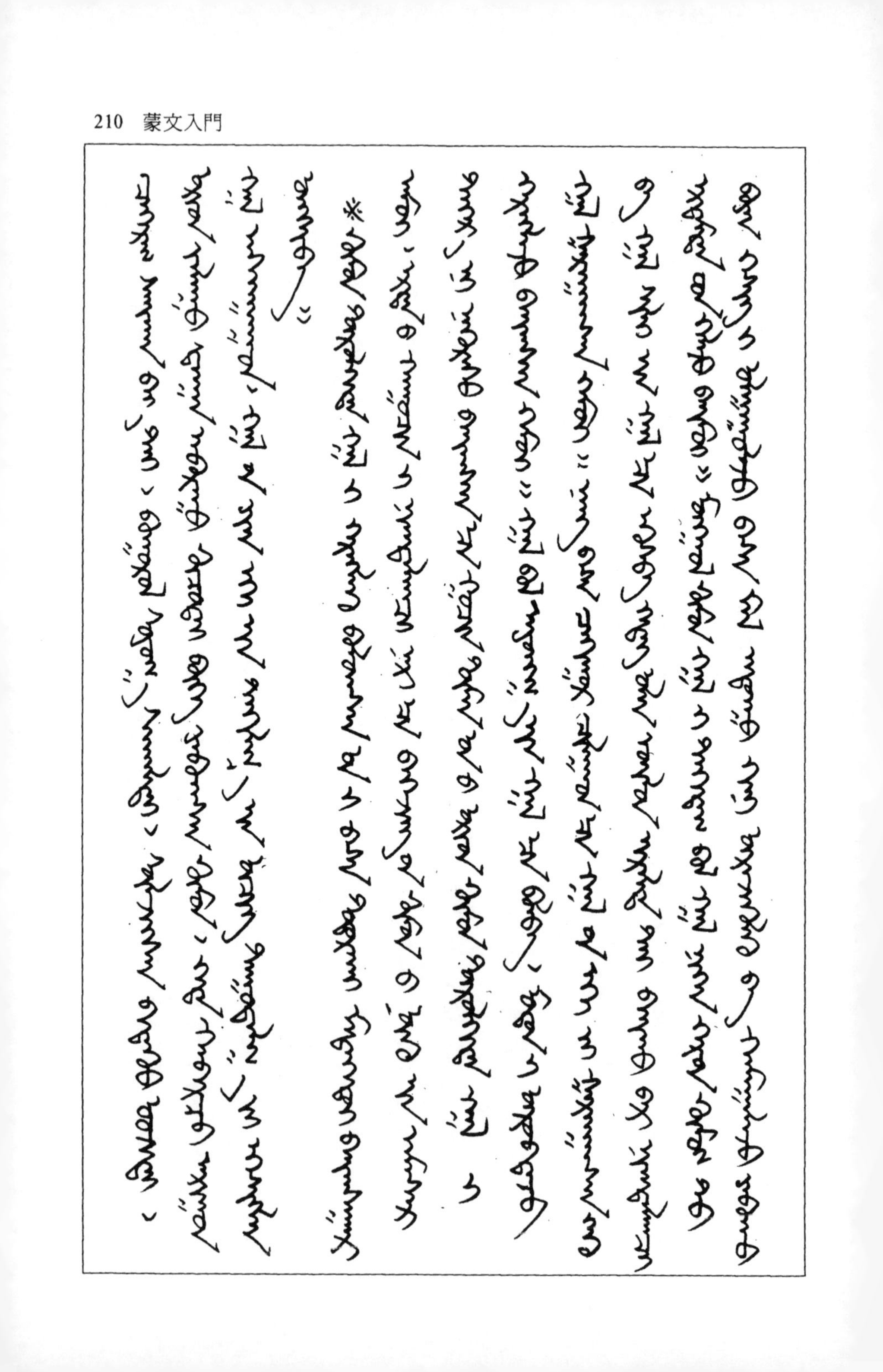

[illegible]

[illegible]

[illegible]

[illegible]

[illegible]

[illegible]

[illegible]

[illegible]

[illegible]

[illegible]

[illegible]

[illegible]

[illegible]

[illegible]

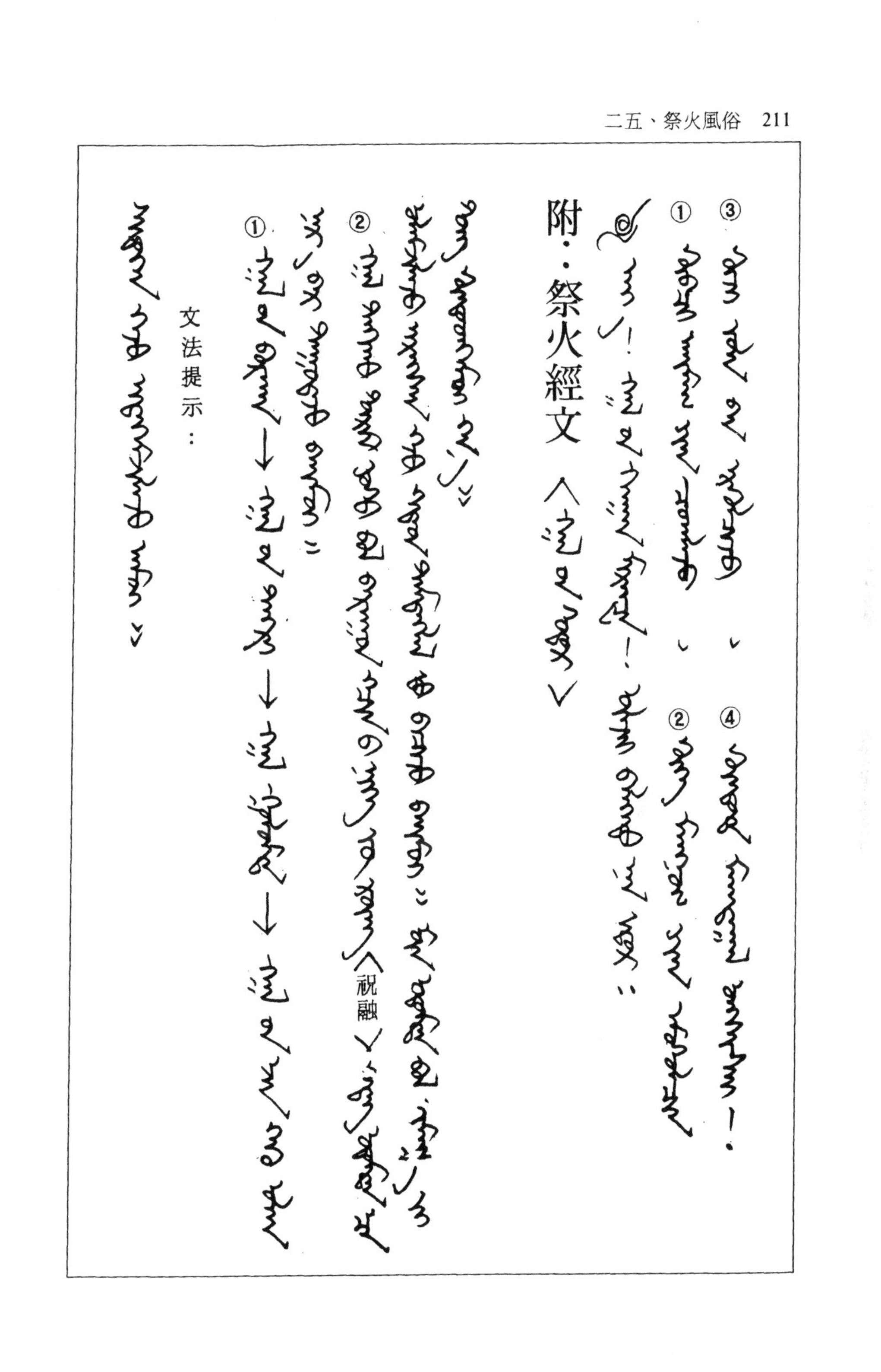

③ [illegible] [illegible] [illegible] [illegible]， ④ [illegible] [illegible] [illegible]！

① [illegible] [illegible] [illegible] [illegible]， ② [illegible] [illegible] [illegible] [illegible]

[illegible] [illegible]！[illegible] [illegible] [illegible] [illegible]！[illegible] [illegible] [illegible] [illegible]：

附・祭火經文〈[illegible] [illegible] [illegible]〉

[illegible] [illegible]〈祝融〉[illegible] [illegible] [illegible]

② [illegible] [illegible] [illegible] [illegible] [illegible] [illegible]：

① [illegible] [illegible] → [illegible] [illegible] → [illegible] [illegible] → [illegible] [illegible] [illegible] [illegible] [illegible]

文法提示：

[illegible] [illegible] [illegible] [illegible]

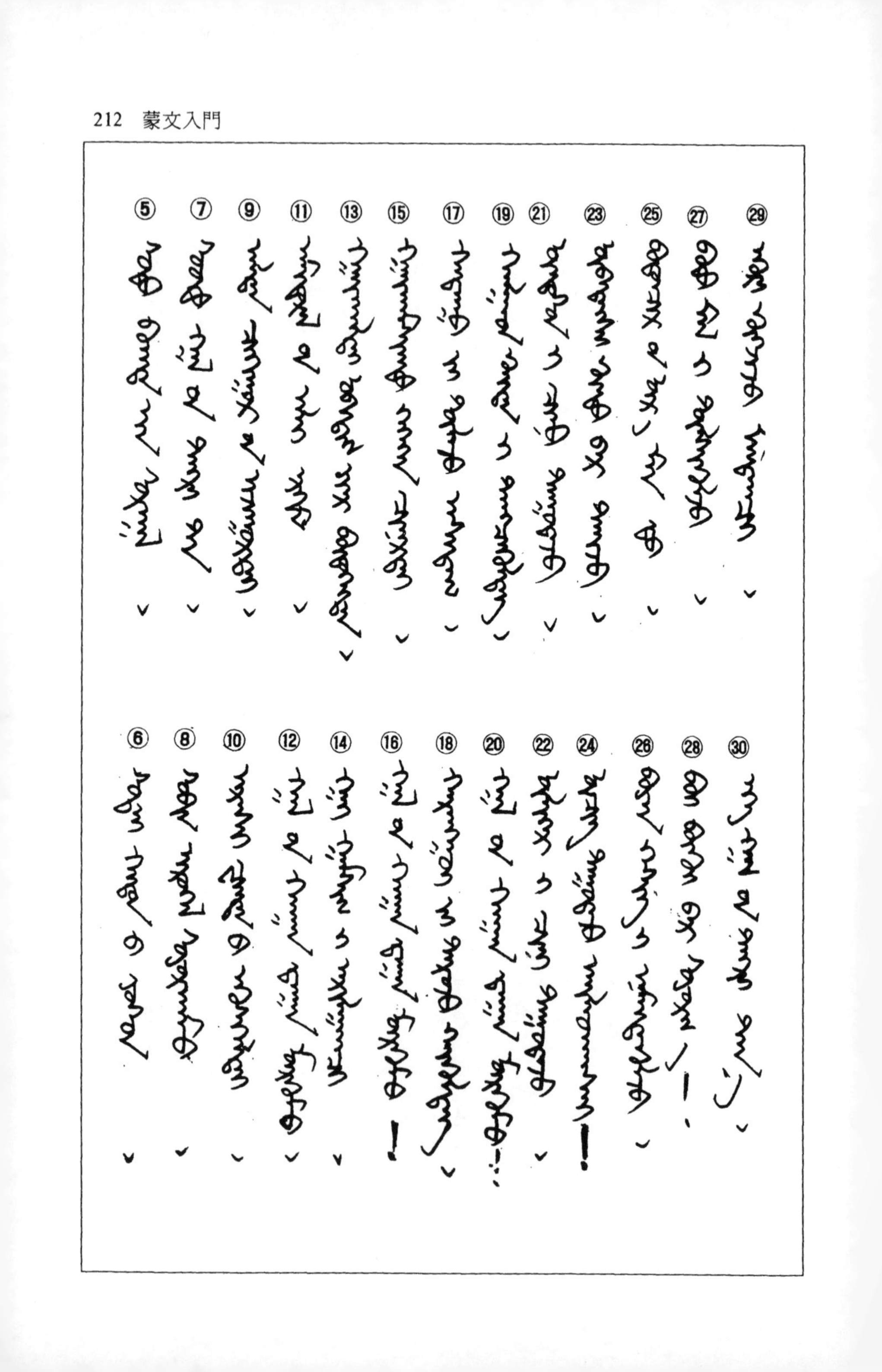

⑤ [illegible]

⑥ [illegible]

⑦ [illegible]

⑧ [illegible]

⑨ [illegible]

⑩ [illegible]

⑪ [illegible]

⑫ [illegible]

⑬ [illegible]

⑭ [illegible]

⑮ [illegible]

⑯ [illegible]

⑰ [illegible]

⑱ [illegible]

⑲ [illegible]

⑳ [illegible]

㉑ [illegible]

㉒ [illegible]

㉓ [illegible]

㉔ [illegible]

㉕ [illegible]

㉖ [illegible]

㉗ [illegible]

㉘ [illegible]

㉙ [illegible]

㉚ [illegible]

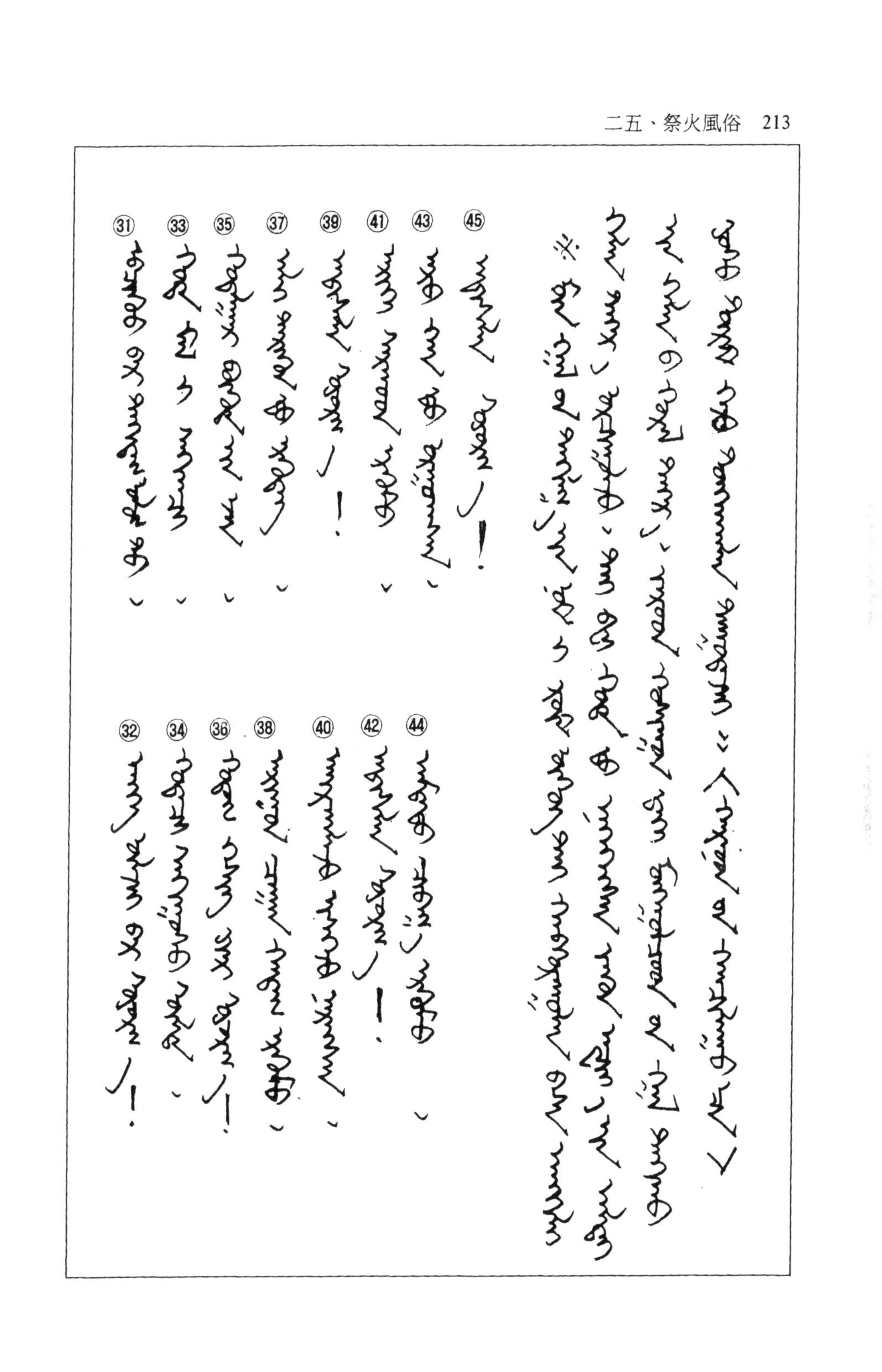

[illegible]

㉛ [illegible]
㉜ [illegible]
㉝ [illegible]
㉞ [illegible]
㉟ [illegible]
㊱ [illegible]
㊲ [illegible]
㊳ [illegible]
㊴ [illegible]
㊵ [illegible]
㊶ [illegible]
㊷ [illegible]
㊸ [illegible]
㊹ [illegible]
㊺ [illegible]

二十六、蒙古民謠
美麗的姑娘
東蒙 昭烏達盟民謠
① 美 麗 的 櫻 唇 伶 俐 的
② 粉 紅 的 臉 頰 動 人 的
③ 明 亮 的 雙 眸 纖 細 的
① U- RUL NAI-CHIN U- LA- HAN U - HAN NAI CHIN
② CHA-RAI NAI-CHIN CHA- GA- HAN SA- NA NAI- CHIN
儀 態 文 人 雅 士 齊 爭 看
身 材 英 雄 豪 傑 齊 爭 看
柳 腰 全 城 婦 孺 齊 爭 看
SERE - Gü - LENG UL-SIN BAGSHI NARUD CHUG-LARAJ-BAI-NA
SERE - Gü - LENG CHERGIN NOYOD NARUD CHUG-LARAJ-BAI-NA

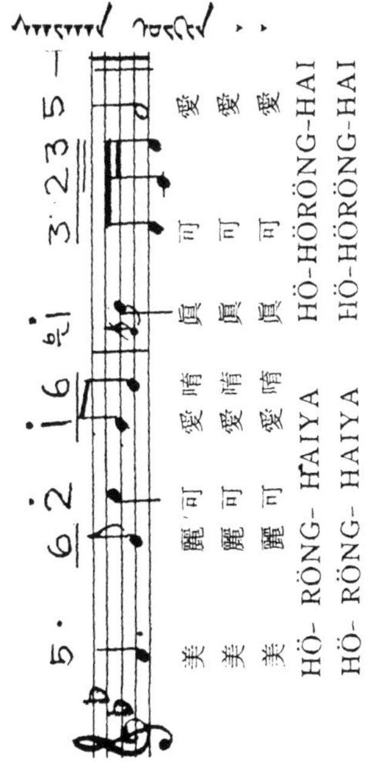
美 麗可 愛情 眞 可 愛
美 麗可 愛情 眞 可 愛
美 麗可 愛情 眞 可 愛
HÖ- RÖNG- HAIYA HÖ-HÖRÖNG-HAI
HÖ- RÖNG- HAIYA HÖ-HÖRÖNG-HAI

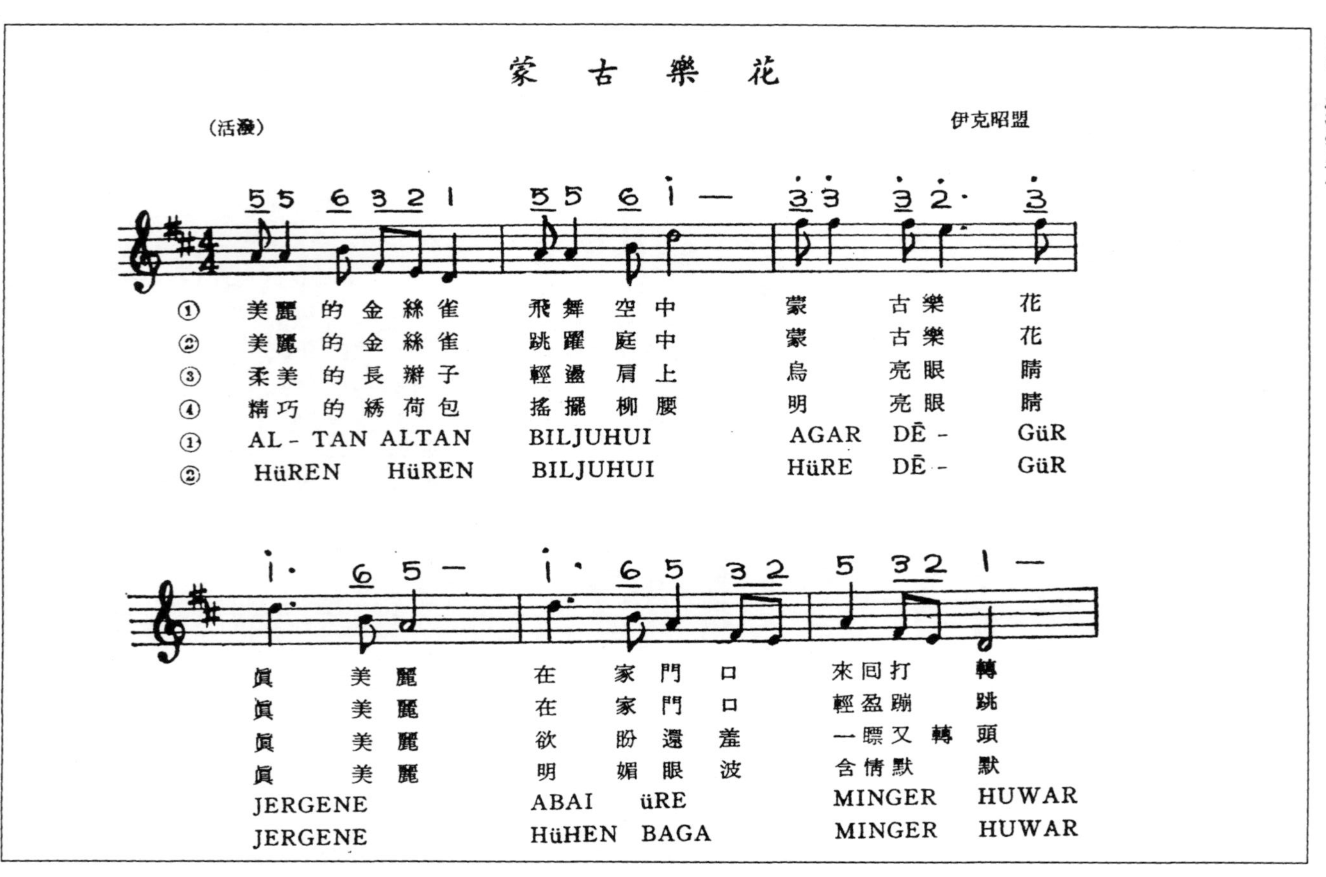

蒙古樂花
(活潑)
伊克昭盟
① 美麗的金絲雀 飛舞空中 蒙古樂花
② 美麗的金絲雀 跳躍庭中 蒙古樂花
③ 柔美的長辮子 輕盪肩上 烏亮眼睛
④ 精巧的綉荷包 搖擺柳腰 明亮眼睛
① AL-TAN ALTAN BILJUHUI AGAR DĒ- GüR
② HüREN HüREN BILJUHUI HüRE DĒ- GüR
真美麗 在家門口 來回打轉
真美麗 在家門口 輕盈蹦跳
真美麗 欲盼還羞 一瞟又轉頭
真美麗 明媚眼波 含情默默
JERGENE ABAI üRE MINGER HUWAR
JERGENE HüHEN BAGA MINGER HUWAR

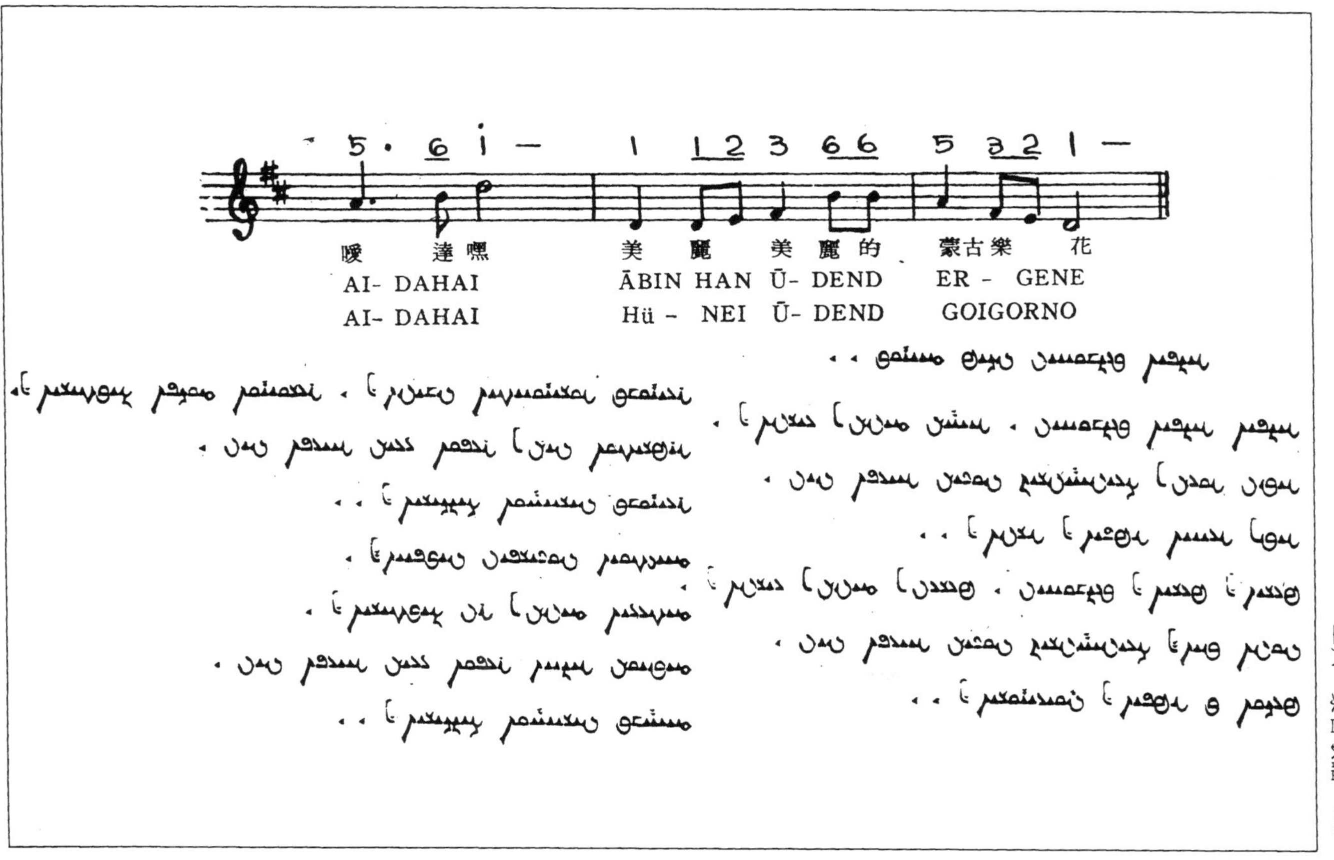
5· 6 i — 1 1 2 3 6 6 5 3 2 1 —
噯 達嘿 美 麗 美 麗 的 蒙古樂 花
AI- DAHAI ĀBIN HAN Ū- DEND ER - GENE
AI- DAHAI Hü - NEI Ū- DEND GOIGORNO

奇遇
(活潑)
新疆 土爾扈特蒙古
① 山峰上未長過的紫花紅楓
② 山谷裡未長過的粉紅綠葉
③ 原野裡未長過的赤紅花卉
④ 花園裡未長過的鮮紅花朵
① HADAN DAN URUGDAG üGEI HAR NOGON SECHEG
② ULAN DAN URUGDAG üGEI ULAN NOGON SECHEG
為何鮮艷地生長在山峰
為何挺秀地生長在山谷
為何曼妙地生長在原野
為何芬芳地生長在花園
HADAN DAN YAGAD URUGSAN BAI HüI
ULAN DAN YAGAD URUGSAN BAI HüI
迄未相識的洪格爾妳呀
迄未相識的洪格爾妳呀
迄未相識的洪格爾妳呀
迄未相識的洪格爾妳呀
HAJU NĀSAN TENIDAG üGEI HüNEI HEüHEN HONG- GUR
URDASAN TANIDAG üGEI HüNEI HEüHEN HONG- GUR
怎麼有這機遇與妳相逢
怎麼有這福氣與妳相處
怎麼有這福氣與妳相會
是否有這今世相識姻緣
NADLA YAGAD TANIGSAN BEI HüI
NADLA YAGAD UCHIRSAN BEI HüI

[illegible]

1\. [illegible] ·

[illegible] ·

[illegible]…… ○

[illegible]

[illegible]…… ○

2\. [illegible] · [illegible]

[illegible]…… ○

[illegible]

[illegible]…… ○

3\. [illegible] · [illegible] ·

[illegible]…… ○

[illegible]

[illegible]…… ○

4\. [illegible] · [illegible] ·

[illegible]…… ○

[illegible]

[illegible]…… ○

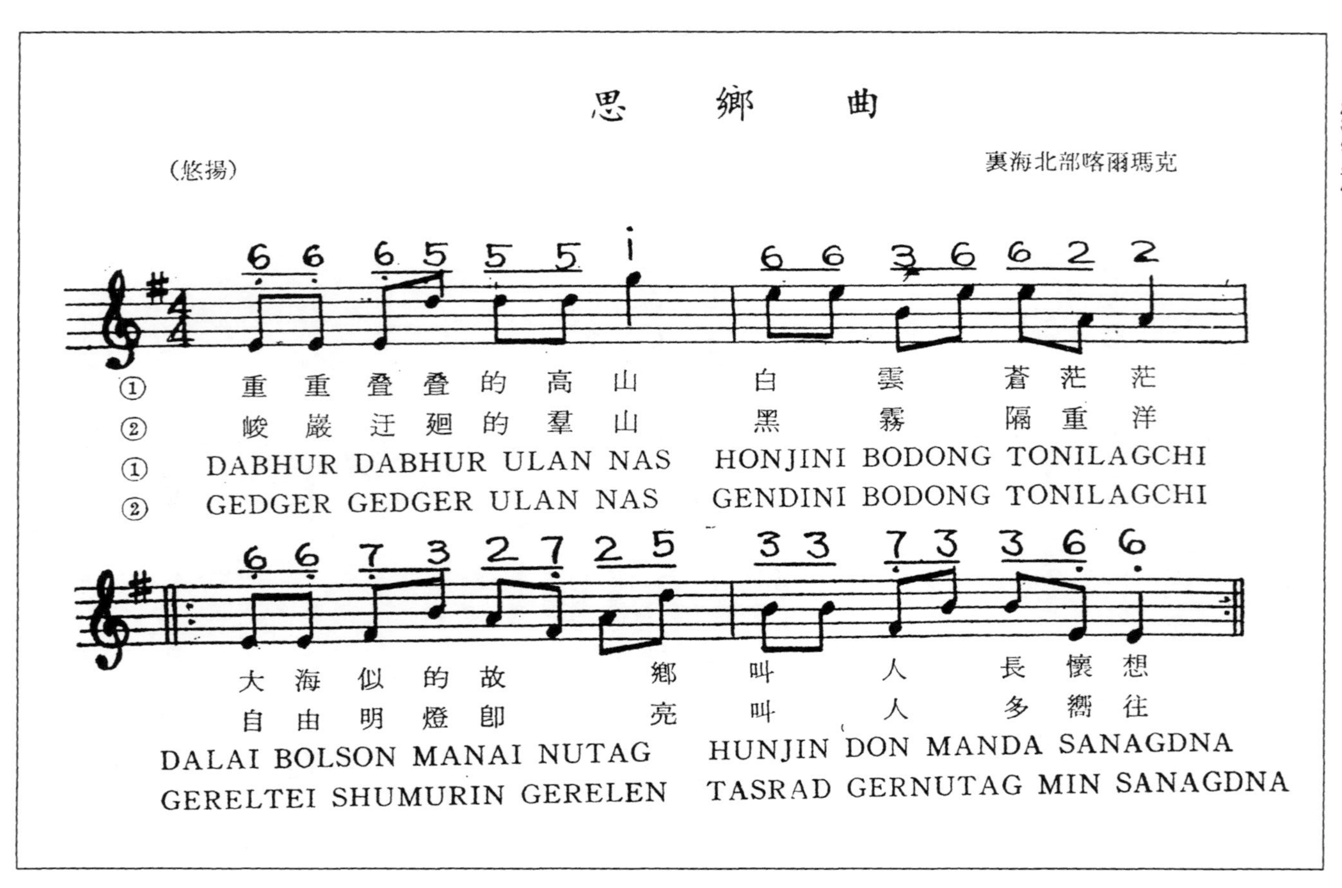
思 鄉 曲
（悠揚）
裏海北部喀爾瑪克
①重重疊疊的高山 白雲蒼茫茫
②峻巖迂廻的羣山 黑霧隔重洋
① DABHUR DABHUR ULAN NAS HONJINI BODONG TONILAGCHI
② GEDGER GEDGER ULAN NAS GENDINI BODONG TONILAGCHI
大海似的故鄉叫人長懷想
自由明燈卽亮叫人多嚮往
DALAI BOLSON MANAI NUTAG HUNJIN DON MANDA SANAGDNA
GERELTEI SHUMURIN GERELEN TASRAD GERNUTAG MIN SANAGDNA

[illegible]

1.

[illegible]

2.

[illegible]

二十七、附録

(一)字母筆畫之特定名稱

蒙文的寫法中・有些筆畫有它們特定的名稱・例如：

一、「」叫做〔ACHUG〕或〔SHIDU〕意思是「牙」。

二、「」叫做〔SHILBI〕或〔URTU SHIDÜ〕意思是「長牙」。

三、「」印刷體為「」・叫做〔ORHICHA〕或〔HOISHI BAN SEGÜL〕意思是「後出尾」。

四、「」叫做〔URUGSHILGA〕或〔URUGSHI BAN SEGÜL〕意思是「前出尾」。

五、「」叫做〔CHACHULGA〕意思是「撇鉤」。

六、「」叫做〔GEDESÜ〕意思是「肚子」。

(二)標點附號

(一)舊式的標點符號

一、「◆」叫做（CHEG）意思是「逗點」但有的文獻中亦當句點。

二、「◆◆」叫做（DABHUR CHEG）意思是「兩點」有的文獻中當作句點，有的則當句點用。

三、「◆◆◆◆」叫做（DÖRBELJIN CHEG）或（BADAG）用於章節的末節尾。

四、「」叫做（BIRGA）書寫於一章之初，以表明開端，或首符。

(二)新式標點符號，用於新文獻中

一、「。」叫做（CHEG）意思是「句點」。

二、「·」叫做（TASULAL）意思是「逗點」。

三、「··」叫做（TOTORHAILAHU CHEG）意思是「冒號」。

後者為新式標點，近代作品及報章雜誌皆用此標點，但名稱多為相同。

前者為蒙文裡的舊式標點，讀古文或字畫發現這類標點。

說明：

九、「……」叫做（TÜGÜMLEL）意思是「刪節號」。

八、「（ ）」叫做（HAGALTA）意思是「括弧」。

七、「—」叫做（HOLADASU）意思是「破折號」。

六、「『 』」或「《 》」叫做（HASHILTA）意思是「引號」。

五、「！」叫做（ANGHARAL UN TEMDEG）意思是「感歎、命令號」。

四、「？」叫做（ASAGULTA IN TEMDEG）意思是「問號」。